D1202697

Pas ce soir ma chérie, j'ai mal à la tête!

LES ÉDITIONS DES INTOUCHABLES
512, boul. Saint-Joseph Est, app. 1
Montréal (Québec)
H2J 1J9
Téléphone : 514 526-0770
Télécopieur : 514 529-7780
www.lesintouchables.com

DISTRIBUTION : PROLOGUE
1650, boul. Lionel-Bertrand
Boisbriand (Québec)
J7H 1N7
Téléphone : 450 434-0306
Télécopieur : 450 434-2627

Impression : Marquis imprimeur
Conception graphique : Marie Leviel
Illustration de la couverture : Géraldine Charette
Photographie de l'auteure : CrilaPhoto
Direction éditoriale : Marie-Eve Jeannotte
Révision : Chantale Bordeleau, Élyse-Andrée Héroux
Correction : Élaine Parisien

Les Éditions des Intouchables bénéficient du soutien financier du gouvernement du Québec — Programme de crédit d'impôt pour l'édition de livres — Gestion SODEC et sont inscrites au Programme de subvention globale du Conseil des Arts du Canada.

Nous reconnaissons l'aide financière du gouvernement du Canada par l'entremise du Fonds du livre du Canada (FLC) pour nos activités d'édition.

Membre de l'Association nationale des éditeurs de livres.

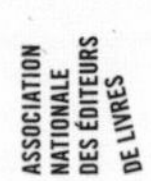

Dépôt légal : 2011
Bibliothèque et Archives nationales du Québec
Bibliothèque nationale du Canada

ISBN : 978-2-89549-434-8

PAS CE SOIR MA CHÉRIE, J'AI MAL À LA TÊTE !

Isabelle Dubé

LES INTOUCHABLES

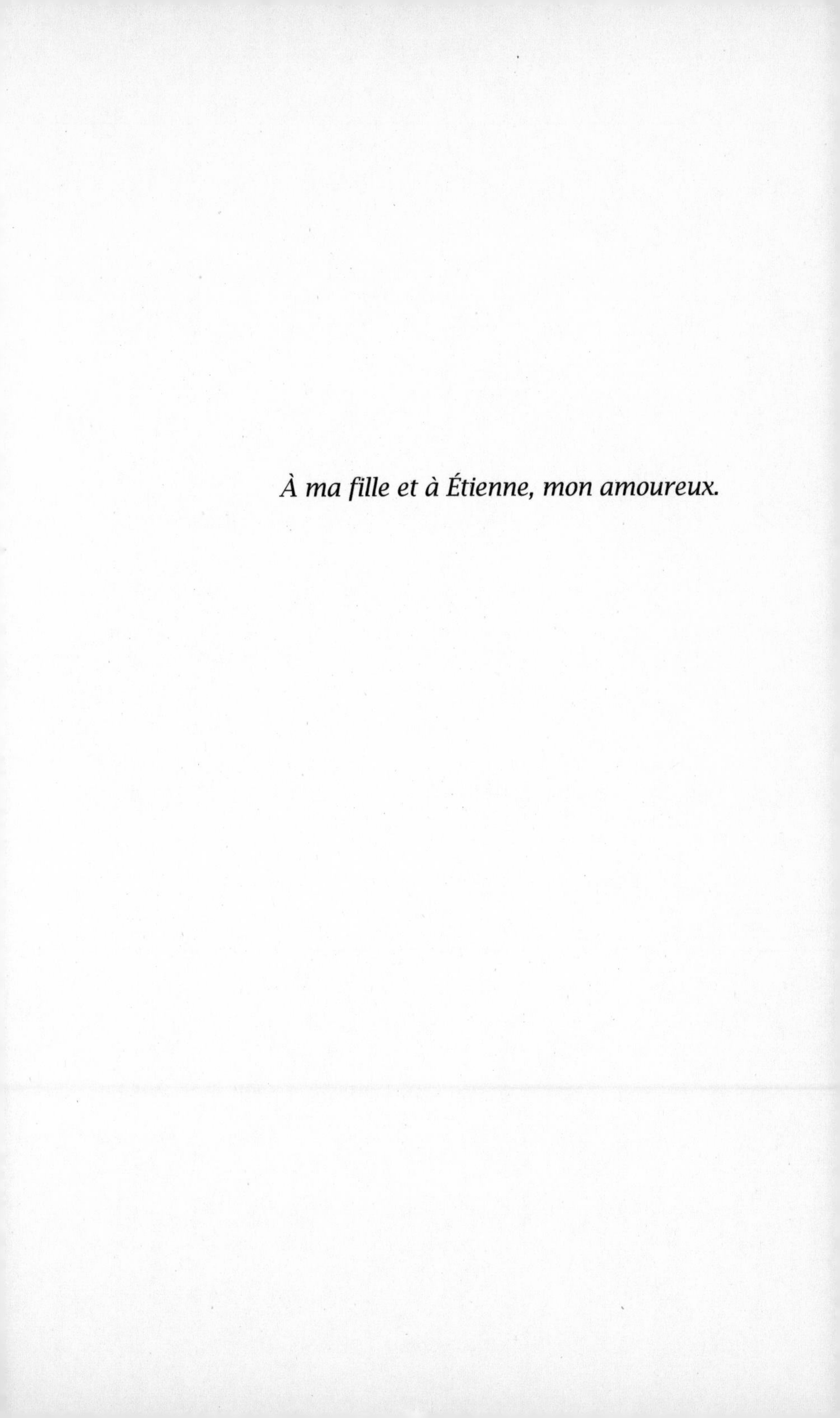

À ma fille et à Étienne, mon amoureux.

PREMIÈRE PARTIE

CHAPITRE 1
1er juin

— On va prendre une bouteille de champagne! Veuve Clicquot!

— Pour moi, ce sera votre bière blanche pression.

— Élisabeth! s'exclame Virginie en feignant d'être fâchée. C'est la fin de nos études qu'on célèbre! Une maîtrise, ça se fête avec classe! On fait partie des statistiques, mon amie, du maigre pourcentage qui s'est rendu jusqu'au bout.

— Sauf que moi, je fais aussi partie d'un autre type de statistiques: ceux qui terminent étouffés par les dettes! Et je te signale que les intérêts ont commencé à courir depuis hier sur mes 20 169 dollars!

Si nous voulons faire de nos célébrations un succès mémorable, je dois oublier l'extrême maigreur de mon portefeuille. Seul remède efficace contre cet état angoissant: s'adonner à de copieuses libations et draguer les jeunes hommes de ce bar branché. Parce que je dois vous préciser que je suis aussi l'incarnation d'une troisième statistique: les célibataires de la province de Québec, assez nombreux, dit-on, pour remplir sept fois le Stade olympique de Montréal.

Il n'est que 21 h. Plusieurs tables sont vides. Les sofas, au fond de la pièce, attendent les fessiers aux jeans griffés ou légèrement recouverts de robes d'été. La chaleur s'est emparée du mois de mai, entraînant une dénudation précoce de plusieurs parties du corps de la gent féminine.

Pour cette soirée exceptionnelle, Virginie et moi sommes vêtues de deux créations de designers écologiques. Grâce à ma marraine, nous avons l'air de sortir tout droit du dernier numéro d'un magazine de mode ! Elle travaille comme styliste et acheteuse pour un grand magasin, et j'hérite souvent d'échantillons. Pratique quand on n'a pas les moyens de satisfaire ses goûts de *fashionista* !

Un air disco se met à jouer… au fond du sac de Virginie. Elle fouille à l'intérieur, en ressort sa trousse de maquillage, son portefeuille, un tas de factures, des stylos, un flacon de Tylenol, des bonbons au caramel, des serviettes hygiéniques, de la crème solaire, du fil à coudre et, finalement, son iPhone. Trop tard, la sonnerie s'est arrêtée. Elle jette un coup d'œil au numéro affiché sur l'écran.

— C'est Martin. Je vais le rappeler. Il va peut-être venir nous rejoindre.

— En attendant, je te prends un bonbon au caramel, ça va peut-être réussir à me détendre !

Pendant que ma meilleure amie discute avec son amoureux, je ne peux m'empêcher de repenser aux vingt-quatre dernières heures. Je peine à reprendre mon souffle.

Tout a commencé quand la doyenne de la faculté a prononcé mon nom au micro devant les centaines de témoins réunis à l'amphithéâtre de l'université. J'ai alors gravi les quelques marches qui me séparaient de mon diplôme de maîtrise. Puis, la dame au sourire chaleureux m'a tendu un cylindre de plastique violet dans lequel se trouvait la marque rouge qui scellait dix-huit années de ma vie.

Sitôt que le bout de mes doigts a touché la pièce officielle, j'ai eu l'impression que le sol s'évaporait d'un coup sous mes pieds. Mon corps était projeté dans le vide. Mon cœur battait à tout rompre. Il cherchait à sortir de ma cage thoracique. Je voulais crier, mais il fallait sourire au photographe qui immortalisait mon angoisse. Clic!

Dès mon entrée à la maternelle, je savais exactement de quoi seraient faits tous les mois de septembre suivants. L'odeur d'une salle de classe était toujours rassurante, même mal nettoyée et sans fenêtres. Comme à l'époque des pays socialistes, j'étais cette camarade avec la carte routière de sa vie bien en main, le chemin tracé devant moi, sans options. Dans ma famille, étudier allait de soi. Personne n'avait même songé un instant à mettre en doute cette innéité.

Pour la première fois de ma vie, la page de septembre du calendrier est blanche. Je suis enfin parvenue au sommet de ma vie scolaire. Les livres à peine refermés, je dois maintenant sauter dans le monde du travail. La falaise est haute: le vide, d'infinies possibilités. Je crains d'ouvrir le parachute et de me poser sur un mauvais chemin. Et si je ratais ma vie d'adulte? Celle d'étudiante se conclut à la perfection: maîtrise avec mention.

À partir d'aujourd'hui, le tableau s'efface. Je dois commencer quelque chose de nouveau. L'inconnu. J'ai peur. Mon diplôme ne mène à rien de concret, mais aussi à tout. Et je dois compter sur lui pour rembourser mes dettes!

C'est ce qu'on appelle le piège universitaire. Les institutions nous offrent une panoplie infinie de programmes pour nous faire croire que nous avons plus de choix que les générations précédentes, sauf qu'au fond, au bout du compte, les trois quarts de ces certificats mènent à un cul-de-sac. Vos cours payés, quelques professeurs vous glissent à l'oreille, en catimini, que vous risquez de ne pas travailler dans cette branche à la fin du diplôme, parce qu'on ne crée pas les programmes en fonction de la demande du marché. L'équation est simple : plus il y a de programmes, plus il y a d'étudiants qui payent.

Une phrase me revient sans cesse en tête, telle une chanson pop diffusée jusqu'à l'écœurement dans les radios commerciales pour qu'elle se fixe de force dans nos têtes : « Tu as étudié dans un domaine que tu aimes, c'est ça qui compte ! » Sauf que je dois me rendre à l'évidence, le tube de l'heure sonne plutôt ainsi : « Triste temps pour un diplômé quand les pertes d'emplois déferlent comme un raz-de-marée ! »

Ma copine Virginie ne partage pas mon angoisse. Elle sait parfaitement ce qu'elle fera en septembre : orthophoniste dans une école primaire de Montréal. Un diplôme qui conduit directement à un poste précis et à des employeurs qui décuplent les courbettes pour que vous daigniez accepter un poste permanent.

— Martin viendra plus tard, annonce Virginie en replaçant dans son sac son iPhone et le fouillis étalé sur la table. Au fait, est-ce que tu as eu des nouvelles de tes demandes d'emploi ?

— Oui. Le problème, c'est que je ne sais pas exactement ce que je veux faire avec ma maîtrise en histoire et mes études russes et allemandes. Je ne sais pas où me lancer en premier.

— Tu ne voulais pas enseigner au cégep ?

— Oui, mais je ne sais pas si j'ai envie de le faire maintenant. Quand j'imagine passer toute ma vie dans une école à enseigner, je suis déjà blasée.

— Merci pour le message !

Avec douceur, je pose mes mains sur les épaules de cette amie que je connais depuis l'âge de 13 ans, avec qui j'ai traversé l'adolescence, le secondaire, le cégep et l'université. Mes yeux bruns la regardent avec sincérité.

— Tu aimes la sécurité. Tu as besoin de savoir que tu pourras être orthophoniste dans ton école primaire pour les trente prochaines années. Savoir environ combien d'argent tu vas gagner jusqu'à ta mort. À moins, bien sûr, que l'école ne brûle ou qu'on élise un premier ministre bègue qui décide d'abolir le service aux élèves, parce qu'il en veut à l'orthophoniste qui n'a pas corrigé son problème !

— Beau scénario. Et ton fantasme ? Tu ne veux pas le réaliser tout de suite ?

— Je veux être parfaitement prête. Les examens sont difficiles, et j'angoisse déjà à l'idée de tout ce que je devrai étudier.

— Chère Élisabeth, aie confiance en toi ! déclare Virginie en affichant son éternel petit sourire espiègle, accentué par deux fossettes aux joues. Je te connais, tu vas étudier comme une dingue et tu vas les réussir, ces examens !

— Mouais... En attendant, lundi, j'ai cette entrevue pour être guide touristique à travers le Québec et l'Ontario. Je crois que ça peut être sympathique comme emploi d'été avant de commencer une vraie carrière...

— Eh oui, on est rendues là, renchérit-elle en levant la coupe de champagne que le serveur vient enfin d'apporter. À notre santé ! Vive la fin de nos maîtrises !

— Que notre futur soit excitant ! dis-je en choquant mon verre contre le sien.

La bière froide n'a pour l'instant aucun effet sur mon rythme cardiaque. Je dois me ressaisir si je ne veux pas gâcher notre soirée de festivités. Oublions les dettes d'études, la rareté des emplois et cette question qui me hante: comment mettre à profit au maximum toutes mes connaissances?

Je l'avoue, je suis « étudoolique ». Réussir un baccalauréat en trois ans ne me suffisait pas. Je l'ai conjugué avec un certificat en études russes et un autre en allemand. Tout en sortant les week-ends avec les copains, faut-il préciser. Inutile de payer une fortune en psychothérapie, je suis consciente de mon exagération. J'avais peur de ne pas être assez outillée pour ma carrière...

En regardant par hasard vers le bar, j'aperçois deux têtes blanches qui nous reluquent. Plus précisément, qui reluquent nos décolletés. Assis sur des tabourets, les deux hommes viennent de réaliser que j'ai surpris leurs coups d'œil. Ils me sourient.

Pas de chances d'obtenir un contact visuel de notre part, messieurs les quinquagénaires! Virginie est déjà amoureuse de son Martin, alors que, de mon côté, je suis désespérée, certes, mais il est hors de question qu'une peau flasque, ratatinée par l'expérience et le soleil, se colle à la mienne. Je veux un homme de mon âge. Nous ratatinerons ensemble. Je réfute d'ailleurs la théorie selon laquelle les hommes embellissent en vieillissant. La preuve: les anciennes coqueluches de l'école secondaire. Lorsque vous les croisez dans une soirée de retrouvailles, ils ont souvent troqué leurs abdos pour une bedaine et leur abondante tignasse dernier cri pour un crâne dégarni.

Si les deux têtes blanches osaient tenter de nous séduire avec un argument financier, un argument de taille dans ma situation que je tente d'oublier ce soir, je vomirais sans doute. Ma copine, qui me connaît par cœur et qui a, elle aussi, remarqué les regards aux pattes-d'oie posés sur nous, fait une mine dégoûtée.

— Je ne sais pas pour toi, mais moi, j'espère qu'à 50 ans je vais avoir autre chose à faire de plus palpitant que de flâner dans les bars… Parlant de crétin, qu'as-tu dit à ton ex, finalement ?

— Que j'avais déjà quelque chose de planifié avec ma meilleure amie, que c'était toi qui étais là pour me réconforter quand il m'a quittée…

— Tant mieux. J'avais peur que tu acceptes l'invitation de cet imbécile ! s'exclame-t-elle en recoiffant avec ses doigts sa chevelure blonde.

Celui qui inspire si peu de considération à ma copine, c'est Guillaume. Un jour de juin ensoleillé, il a saccagé notre vie de couple et déchiqueté mon cœur. Après huit ans de fréquentation, alors que je commençais la rédaction de mon mémoire de maîtrise, Guillaume m'a jetée par-dessus bord, en m'attachant minutieusement à une ancre pour s'assurer que toutes protestations couleraient avec moi au fond de l'océan. Il avait décidé de changer de cap, direction Toronto. Un naufrage imprimé à l'encre indélébile dans ma mémoire.

Or, un an plus tard, revirement inattendu : il revient avec sa poche de vêtements sales sur l'épaule, tel un matelot qui rentre au port, seul survivant d'une attaque navale. Guillaume avait vu trop de mauvais films de guerre, parce que, sans gêne ni remords, il m'a téléphoné pour me prévenir : « Je serai là vendredi soir. J'ai dit à tout le monde que j'arrivais samedi pour qu'on puisse se voir. Sinon, tout le monde aurait voulu qu'on fasse la fête dès mon arrivée. »

Quelle faveur! Le héros débarque, et j'ai une place aux premières loges! J'aurais dû lui raccrocher au nez.

— Quel culot, quand même, de te rappeler après un an! s'exclame Virginie, enflammée.

J'ai lutté si longtemps pour éliminer le spectre de Guillaume que le retour imminent de son corps, en chair et en os, effraie ma copine plus encore que l'apparition d'un mort vivant.

— Je sais que je ne devrais pas le revoir, mais je t'avoue que je suis désespérée en ce moment.

— C'est un con.

— Oui, mais depuis un an, je ne fais que ça, rencontrer des cons. C'est décourageant. Ça me remonterait le moral de me faire draguer.

— Je te rappelle qu'il t'a quittée pour une pétasse qui couchait avec tous les gars du programme de mathématiques et économie.

— Et ce n'était même pas pour piquer leurs notes de cours! dis-je avec humour. C'était la plus douée de la promotion!

— Pourquoi tient-il absolument à te revoir?

— Au début, il disait « en souvenir du bon vieux temps », pour jaser « comme des gamines au couvent ». Et, selon lui, après un an, j'ai sûrement réussi à oublier ce qu'il m'a fait en me consolant avec de nombreux amants...

— Ça doit l'aider à se sentir mieux de penser que tu t'en es remise rapidement. Quel salaud!

— Comme je refusais catégoriquement toutes ses invitations, il m'a dit qu'il avait quelque chose de très important à me dire, mais qu'il devait le faire en personne.

— Manipulateur! Sérieusement, Élisabeth, fais attention à toi! Même si tu crois contrôler la situation, il pourrait te blesser. Veux-tu que je te remémore comment tu te sentais, il y a un an, quand il est parti ? conclut Virginie en se versant de nouveau du champagne.

CHAPITRE 2
Flash-back
Un an plus tôt

— Oui, allô?

Ma voix était grave, écorchée par le sommeil.

— Tu dors encore! Il est 11 h 30!

— Je me lève, je me lève. J'avais mis mon réveille-matin à 8 h 30, mais je me suis rendormie.

Je mentais.

— Ouin, j'aimerais ça, dormir aussi longtemps tous les matins. Il y en a qui doivent travailler, qui ne peuvent plus s'amuser avec insouciance...

«Qu'est-ce que tu racontes encore, petit arrogant?», pensai-je. Il touchait une de mes cordes sensibles. Un mémoire de maîtrise ne s'écrit pas en s'inspirant des plantes qui poussent... Il faut une grande dose de conviction pour entreprendre un long travail de deux ans qui n'a pas de valeur économique dans notre société. Du moins, en sciences humaines. Toi, tes études ont été payées par tes parents. Le salaire que te valaient tes emplois d'été, trop élevé grâce aux liens privilégiés de ton père, a toujours servi à augmenter ta collection de derniers gadgets indispensables. Maintenant, tu démarres ta carrière avec un gros salaire, même si tu as terminé ton bac avec tout juste la note de passage, trop occupé à fumer du *pot* et à te soûler avec tes camarades de classe. Non, ce n'est pas la jalousie qui nourrit cette amertume, mais ton éternelle chansonnette qui m'irrite à force de rejouer sans cesse: «Ce ne sont pas de vraies études que tu fais; l'histoire et les langues, ce n'est que pour t'amuser, avoue-le! Moi, j'ai étudié dans une branche sérieuse. Je fais de l'argent en travaillant, c'est plus important que de s'amuser en travaillant!»

J'ignorai son commentaire plutôt que de lui rabâcher ma théorie qu'il connaissait, lui aussi, par cœur: «Nos vies sont basées en grande partie sur le travail; il vaut mieux opter pour une carrière qui nous plaît.»

Il poursuivit de sa voix chaude:

— J'ai pensé à tout ça...

— Quoi, tout ça? dis-je, désintéressée, en jetant un œil entre deux languettes des stores horizontaux de ma chambre à coucher.

Un vif soleil d'été en profita pour envahir brutalement la pièce, souverainement gardée dans la pénombre par les languettes opaques de bois.

— Bien, euh, nous deux...

— C'est toi qui as réfléchi à tout ça, ou ce sont tes amis?

J'accentuai le ton blasé de ma voix. Son discours usé, j'en connaissais les moindres ponctuations. Comme un vieux feuilleton télévisé déjà diffusé des dizaines de fois en reprise l'été et dorénavant à l'horaire sur une chaîne spécialisée.

— Cette fois, c'est sérieux, Élisabeth!

Le ton était loin d'être péremptoire. «Sois plus convaincant si tu veux que je te croie», pensai-je.

— On n'avance à rien. On ne se voit plus. On ne couche même plus ensemble. Je préfère arrêter tout maintenant plutôt que de laisser notre histoire mourir d'elle-même.

— ...

— Tu ne dis rien?

— Qu'est-ce que tu veux que je te dise? On en a tellement parlé que je ne vois pas ce que je pourrais ajouter. Tu veux que je sois de telle façon, j'essaie de changer mes habitudes qui t'énervent, mais ça ne fait jamais ton bonheur. Tu arrives toujours avec de nouvelles raisons. En fait, tu cherches des raisons pour lesquelles notre couple ne marche pas. Et quant à moi, elles sont de plus en plus stupides, tes raisons!

— T'as raison... Je ne suis tout simplement pas heureux. J'aime mieux qu'on se quitte.

— Bon, bien, O.K.

— Ça ne te fait rien?

Sa voix laissa transparaître un mélange de surprise et de déception.

— Comme tu le dis si bien, on ne se voit plus de toute façon...

— Bon alors... salut... je retourne travailler, dit-il à contrecœur.

Je raccrochai le combiné, ne sachant pas à quelle conclusion me ranger. Guillaume avait souhaité tellement souvent cette rupture que la nouvelle ne suscitait aucun élément de surprise. Combien de fois nous étions-nous quittés au cours de ces huit années? J'étais fatiguée avant même d'entamer une réflexion sur le sujet.

Durant les derniers mois, notre couple allait d'incompréhensions en engueulades inutiles. Pourtant, je ne songeais jamais sérieusement à quitter Guillaume. Il était comme ce bon vieux sofa confortable qui a toujours fait partie du décor, que ce soit dans le salon de nos parents, puis dans leur sous-sol et, enfin, dans un appartement d'étudiant, en attendant qu'on ait les moyens d'en acheter un qui nous plaît. « Une présence indispensable à mon développement », pensais-je, alors qu'au fond, il m'empêchait carrément d'avancer.

Mes yeux brun foncé, chauds comme un café brésilien, avaient du mal à s'ouvrir complètement. En bâillant, je me dirigeai vers mon ordinateur portable que j'avais laissé, la veille, sur le bureau de ma chambre. J'appuyai fermement sur le bouton de mise en marche, pris la boîte grise et mince dans mes bras en laissant l'écran légèrement ouvert, et me dirigeai vers la cuisine. Je me rappelai soudain que l'informaticien de la boutique, qui réparait mon ordinateur à l'occasion, m'avait fortement déconseillé de le trimballer lors de la mise en marche. Mon portable de piètre qualité, acheté neuf à un prix presque impossible, 484 dollars, ne résisterait pas à un transport trop vigoureux. D'ailleurs, sur sa fiche technique, on aurait pu lire simplement : machine à écrire et album photo. Tout ce dont j'avais besoin, rien de plus.

Je le déposai rapidement sur la table, furieuse contre moi-même. J'allumai ensuite la télévision du salon, pour le bulletin télévisé du midi, puis retournai m'asseoir devant mon écran d'ordinateur. Depuis le début de mes études de maîtrise, j'habitais le grand appartement à aire ouverte de ma marraine. Comme elle était en voyage d'affaires presque toute l'année, elle m'avait proposé de m'installer au premier étage de son duplex de Saint-Lambert. « C'est l'endroit parfait pour toi ! Tu pourras mieux te concentrer et personne ne sera là pour te déranger ! avait-elle insisté. Et moi, je serai rassurée de savoir que l'endroit est habité. »

J'essayai d'aligner quelques phrases. Rien ne me venait à l'esprit. Mon sujet de mémoire me passionnait, mais le soleil, qui entrait abondamment dans la pièce, brillait chaleureusement. Une lumière invitante. De la porte ouverte, des cris d'enfants me ronronnaient dans les oreilles. Des sons lointains, incitant à l'évasion.

Mes idées se tracèrent sans détour un chemin vers Guillaume. Il venait de me quitter. Je croyais m'en foutre complètement, car au fond de moi, j'étais persuadée qu'il me rappellerait. Comme d'habitude. Par habitude. Il l'avait déjà fait des milliers de fois.

Guillaume qui n'arrivait plus à réveiller la femme que j'étais devenue. Guillaume qui se fâchait chaque fois que je n'avais pas envie de goûter à l'amour. Qui aurait souhaité déverser le résultat de ses pulsions dans mon utérus au moins une fois par jour. Qui me sollicitait sans arrêt pour que nous ayons des relations sexuelles avec une autre femme ou en groupe dans un club échangiste. « C'est légal et tendance », insistait-il. Guillaume qui voulait m'enfoncer régulièrement son membre par où j'évacue le résultat des gastroentérites. Qui me parlait depuis quelques semaines d'une jouissance quintuplée par l'introduction d'excréments et d'urine dans nos jeux sexuels. Qui tentait de me convaincre, par des arguments toujours plus inventifs, que les règles de la normalité sexuelle se retrouvaient dans son film porno préféré ou sur certains sites Internet XXX. Une sorte de bibliographie supplémentaire à consulter, inscrite dans le syllabus de nos cours de sexualité de l'école secondaire. Un plan de cours que j'avais évidemment égaré...

Mon roi de la baise, primé plusieurs fois dans mes festivals d'ébats amoureux pour ses performances renversantes au cunnilingus, connaissait par cœur tous les mouvements de ses acteurs pornos fétiches et s'attendait à ce que je me comporte comme les héroïnes soumises de ses films. Il aurait voulu que je m'empiffre de son sperme avec le même appétit glouton que lorsque je dévorais de la crème glacée. «Je suis plus du type sucré», disais-je pour ne pas le blesser.

Au fil des semaines, devant mes refus de collaborer, il devenait de plus en plus méchant. Plus ses yeux crachaient des flammes, moins je voulais m'abandonner. Moins j'avais envie, plus l'incendie se transformait en feu de forêt. «Tu n'es pas douée pour le sexe, tu n'aimes pas ça», lançait-il fréquemment. «Laisse-moi le temps d'avoir le goût, on baise TOUS les jours!» expliquais-je.

Depuis quelques mois, il me parlait de la cellulite que j'avais, disait-il, sur les fesses et sur les cuisses. Il aimait bien affirmer, comme s'il s'était agi d'un compliment, que j'avais une brioche autour de la taille. «C'est mignon, disait-il. La fille dans *Pulp Fiction* raconte tout au long du film qu'elle aimerait bien en avoir une.» Je lui répondais: «D'accord, mon amour, mais c'est que l'actrice Maria de Medeiros n'a justement aucune matière grasse sur son corps. Elle aurait pu se permettre une boîte complète de brioches!»

Un soir, alors que nous étions étendus à plat ventre sur son lit et que nous regardions sur son portable des photos de l'anniversaire de sa mère, il se mit à me faire remarquer des sillons qui, apparemment, se creusaient autour de mes yeux. J'avais, à l'époque, 23 ans! «Tu n'as plus 20 ans!» lança-t-il d'un ton léger. Une autre de ses taquineries intentionnellement blessantes. «Tes plus belles années sont derrière toi, et ça paraît que tu vieillis!» Il ricanait.

Pour le mettre K.O., je lui parlais de la naissance de nouveaux cheveux blancs qui brillaient à travers sa chevelure noire, coiffée à la Hugh Grant. Je savais que ça le perturbait au point d'en faire des cauchemars la nuit. Je détestais céder à la cruauté, je m'en voulais toujours par la suite, mais c'est lui qui m'y incitait.

Un jour, je pris rendez-vous dans une clinique d'endermologie. Je le priai de m'accompagner en restant vague sur la destination finale. Arrivé sur les lieux, il ne dit mot, ne se doutant pas de mes intentions. Le massothérapeute avec licence d'endermologie, c'est du moins ce que le diplôme accroché au mur attestait, nous reçut dans son bureau pour faire une évaluation de ma cellulite. Je me retrouvai en sous-vêtements à me faire scruter et pincer chaque centimètre de peau.

Après une dizaine de minutes de silence, le spécialiste était prêt à nous divulguer le diagnostic.

— Écoutez, madame, ce que je vais vous dire est très sérieux.

Le ton qu'il prenait me laissa perplexe. Mon scénario semblait dévier de sa trajectoire. Mon pouls commença tranquillement une ascension. Le spécialiste poursuivit :

— J'ai analysé la peau de vos cuisses et de vos fesses, millimètre par millimètre... Franchement, je n'y trouve aucune trace de cellulite. Et, madame, vous voyez mes diplômes, c'est mon métier. Je pourrais vous mentir pour faire de l'argent, mais je préfère vous dire la vérité. En fait, je suis content que votre conjoint soit avec vous parce que j'ai une suggestion importante à vous faire. Faites-en ce que vous voudrez... Je crois que quelques consultations chez ma collègue psychologue – deuxième porte à gauche – vous feraient beaucoup de bien. Ce n'est pas facile d'être une femme de nos jours!

Guillaume ne nota plus jamais quoi que ce soit de négatif à propos de mon corps.

Longtemps nous eûmes des projets communs. Ces projets qui unissent, qui rapprochent, impératifs à la survie d'un couple. Depuis un an, nous projetions de louer un appartement à Montréal. Nous faisions les magasins de meubles, feuilletions ensemble, le dimanche après-midi, les magazines de décoration. Nous avions même planifié qu'à Noël, je demanderais les casseroles en cadeau à mes parents, et lui, le téléviseur aux siens. L'idée du trousseau semblait archaïque, mais tous ces objets étaient fort pratiques lors d'un premier vrai déménagement. Des coûts en moins. Dans l'appartement de ma marraine, rien ne m'appartenait!

Guillaume voulait payer tous les frais jusqu'à ce que je me trouve un emploi convenable. Lorsqu'arriva enfin le moment de louer l'appartement, Guillaume choisit, sans me consulter, un trou à rats, terré dans un immeuble poussiéreux aux marches d'escalier hésitantes. C'est ainsi qu'il creusa la tombe de notre couple en prenant demeure coin Saint-Laurent et Rachel. Un trois et demie au lieu des quatre pièces et demie que nous rêvions de repeindre ensemble.

Finalement, mes copines avaient raison: il n'était sans doute pas fait pour moi. Pourtant, je me trouvais toujours de bons arguments pour rester avec Guillaume. La profondeur de notre amitié. Tout ce que nous osions nous dire sans pudeur. Cette impression effrayante que nos deux âmes étaient fusionnées. Nous réfléchissions à la seconde près aux mêmes choses. Un bref regard suffisait pour que nous comprenions nos idées, nos envies ou nos opinions. Régulièrement, au matin, nous nous racontions un rêve ou un cauchemar identique. Avec Guillaume, j'avais l'impression d'être une gamine dans un pensionnat ; nous papotions des nuits entières, sans nous arrêter, en nous coupant la parole, profitant de la respiration de l'autre pour repartir de plus belle, comme si un surveillant allait surgir pour nous obliger à dormir.

Guillaume téléphona deux jours plus tard. Je croyais qu'il allait tenir plus longtemps, histoire de rehausser ainsi la crédibilité de sa décision.

— Oui, Guillaume, qu'est-ce qui se passe ?

— Bien, euh, j'ai les idées un peu confuses.

Sa voix était hésitante, teintée de malaise.

— Et pourquoi donc ? dis-je en étirant les mots dans un soupir.

Encore une fois ce refrain connu.

— Bien, euh, hier, j'ai couché avec Delphine...

Mon cœur fit un bond jusque dans ma gorge. Mes oreilles bourdonnaient. Où était la bonne télécommande pour ajuster le son ? C'est partout pareil, on cherche toujours la fameuse télécommande.

— Pardon ?

— Bien, euh, elle est arrivée de Toronto hier, jeudi, on a soupé ensemble et voilà.

— Bravo, belle planification. Tu me quittes le mercredi, alors que tu aurais pu le faire des milliers de jours avant ! Tu choisis cette journée sachant que madame arrivera le lendemain et, ainsi, tu t'assures que ta conscience sera tranquille, puisque tu es devenu célibataire. T'es dégueulasse. Salaud !

Je raccrochai le récepteur, réalisai l'ampleur du drame et fondis en larmes. J'étais sidérée. Il m'avait déjouée. Mon couple venait de mourir à jamais. Enterré. Un milliard de pieds sous terre. Impossible de l'exhumer, pour l'éternité. Aucune machine assez puissante n'existait. Et si un ingénieur avait la mauvaise idée d'en concevoir une, ça coûterait de toute façon trop cher d'entreprendre ce genre de travaux.

Un jour comme tous les autres, il m'avait quittée pour s'enfuir à Toronto avec une fille de sa promotion. Il avait choisi la salope qui dansait toujours en soutien-gorge à chaque fête de sa faculté. Bon choix! Elle pourrait sûrement se plier à toutes ses volontés.

CHAPITRE 3

Deux semaines plus tard, je reçus l'appel réconfortant de Marc, un ami que j'avais connu six ans plus tôt au cégep. Nous étions dans le même programme de sciences humaines avec mathématiques. Notre amitié, sans ambiguïté, se résumait à des travaux scolaires d'équipe et à des soirées de fête sporadiques dans les bars, au cours desquelles nous discutions de tout avec légèreté, sans tabou. La littérature et la politique ennuyaient Guillaume. Je prenais ma revanche avec Marc, qui nageait dedans depuis sa naissance grâce à une mère professeure de lettres et à un père sous-ministre.

Sans être d'une beauté ou d'une laideur éclatante, Marc avait des sourcils larges et foncés. Ses cheveux courts et frisés lui donnaient des airs de John Travolta dans *Saturday Night Fever*. Marc avait toujours été décontracté et divertissant. Par contre, son passage au Barreau pour devenir avocat lui avait laissé des séquelles. Premier diagnostic irréversible: l'arrogance et l'outrecuidance. Étant donné que je l'avais connu avant cette transformation, je m'en amusais. Je me délectais de remettre en doute ses connaissances.

Il me téléphona par hasard deux semaines après l'enterrement de mon couple. Quatorze jours de peine et de rage à putréfier mes souvenirs heureux, à défigurer nos huit années de liaison et à suer toute la douleur que Guillaume m'infligeait avec, comme résultat, cinq kilos en moins sur le pèse-personne. J'avais débarqué à mon centre d'entraînement de boxe en spécifiant, à la ligne « Vos objectifs » de la fiche d'inscription, que je voulais devenir aussi forte que l'héroïne de *Terminator 2*. Pourquoi pas ? Elle met au tapis toute une ribambelle d'infirmiers qui tentent de la retenir contre son gré dans un centre psychiatrique...

Lorsque Marc me contacta, j'étais prête pour le combat. Je voulais baiser avec le plus d'hommes possible, utiliser leurs corps uniquement pour mon propre plaisir, les choisir selon des critères strictement superficiels et ainsi pouvoir m'accrocher à leurs pectoraux bien définis en jouissant contre leurs abdominaux. Aucun sentiment. Jamais. Leur pointer la porte à la première sonnerie d'ennui du réveille-matin. À 25 ans, après avoir passé huit années avec le même petit ami, je n'avais eu de relations sexuelles qu'avec deux partenaires.

Un homme allait souffrir de mon transfert psychologique, dixit un livre de psycho-pop bon marché. Au lieu de saccager l'appartement de Guillaume, de peindre des phrases haineuses sur la chaussée devant chez lui ou sur sa porte d'entrée, je séduirais un homme, il s'enticherait de moi et je le quitterais, sans raison logique, pour un autre. Ou mieux, je le tromperais devant ses yeux. C'est ainsi que se comportait de toute façon ma génération. L'amour n'avait plus d'importance. Par cet acte, je vengerais toutes celles qui avaient subi les manigances d'un salaud. Je partais en mission humanitaire.

« Il s'est enfui à Toronto avec la fille soûle qui dansait sur les tables à la dernière soirée ? Drôle de choix, déclara Marc. Elle était du type chlamydia non diagnostiquée. Ne t'en fais pas, on va sortir, ça va te changer les idées. Viens me rejoindre à mon condo vendredi vers 21 h. J'ai invité deux de mes amis avocats. On fera la grande tournée des bars. Amène ta copine ! »

Deux jours plus tard, Marc nous accueillit dans son condo du Plateau Mont-Royal, large sourire, étincelle coquine dans les yeux, déterminé à voir le soleil se lever en cuvant ses joyeuses libations. « Tequila ou bière ? Tu vas voir, à la fin de la soirée, tu ne sauras même plus ce que c'est, un analyste financier. Vive le droit ! Les droits communs de boire et d'oublier ! Je vous présente Éric et Jean-Philippe qui ont étudié avec moi à l'université », dit-il en se tournant vers Virginie et moi.

Mon radar baise-potentiel se mit à analyser les deux spécimens. Le premier, Éric, environ un mètre soixante-quatre, rasait ce qui survivait à la région désertique de son crâne. Jean-Philippe, le regard tendre, portait une chemise ajustée qui laissait deviner une petite bedaine molle. Inutile de vous faire part des conclusions du radar.

Une bière et deux tequilas plus tard, nous partions à pied affronter la jungle nocturne du Plateau Mont-Royal. Première destination : un trou sympathique avec de la bonne musique. Sur la piste de danse, la présence de nos trois gardes du corps semblait freiner les élans des clients masculins. Si Rome ne vient pas à toi, prends les moyens pour t'y rendre. Les hommes disent qu'ils aiment les filles entreprenantes ? Sous les yeux attentifs de Virginie, je pris l'initiative d'aborder moi-même un grand brun aux larges épaules qui semblait avoir croisé mon regard.

— Est-ce que je peux t'offrir quelque chose à boire ? demandai-je, gorgée de confiance et, surtout, je m'en aperçus assez vite, de naïveté.

— Non merci.

Il tourna sa tête en direction de la piste de danse.

— Est-ce que tu aimerais danser ?

— Non.

Ne pas se laisser abattre par deux refus. « Persévérons ! », pensai-je.

— On ne s'est pas présentés, je m'appelle Élisabeth, et toi ?

— Tiens, je m'appelle, euh... Jonas, c'est à la mode. Peux-tu aller déranger quelqu'un d'autre ? Je t'ai dit non à deux reprises, il me semble que j'ai été clair !

Et vlan ! au tapis, malgré mes cours de boxe ! Je repartis, la queue entre les jambes... D'accord, je n'étais pas un homme sur le point de subir une chirurgie de changement de sexe, mais c'est ce sentiment de castration que je ressentis.

Je me lançai une seconde fois en abaissant mes critères. Debout, près du bar, un châtain foncé quelconque aux épaules rondes, que j'avais surpris à reluquer mes fesses en allant aux toilettes, fut ma seconde cible. Son ami venait tout juste de le quitter pour aller fumer dehors. Son seul atout apparent : non-fumeur.

— Salut ! Il y a beaucoup de monde ce soir...

Le châtain foncé ne broncha point. Je poursuivis :

— Je m'appelle Élisabeth, et toi ?

Encore rien. Il m'ignorait. Carrément. Que devais-je faire ? Agir en gros macho frustré en le traitant de pédé parce qu'il ne s'intéressait pas à moi ? Ou jouer la carte politesse jeune femme distinguée ?

— Désolée de vous avoir importuné, mais étant donné que vous sembliez regarder du coin de l'œil mon postérieur, j'ai cru qu'il pouvait vous intéresser. À votre air, je comprends que je ne suis pas callipyge.

— C'est quoi, ça, encore une nouvelle religion? Qu'est-ce que tu me veux?

Armée de mon sourire, j'ajoutai d'une voix mielleuse:

— Non, très cher, je parle de mon fessier qui ne vous plaît pas, alors je vous laisse à votre bière... et à votre déficience linguistique!

Se faire rejeter par un gars sans intérêt et dépourvu de vocabulaire de surcroît vous ramène sans escale vers la déprimante réalité. Huit ans de vie de couple. Je ne savais plus comment draguer. Je ne connaissais plus les codes. J'étais complètement perdue sur l'île hostile du célibat. Ces deux gaillards étaient le résultat du travail acharné de mes consœurs qui avaient envoyé paître, sans distinction, tous les prétendants qui, jadis, les avaient abordées dans les bars. Peut-être y avais-je moi-même un jour contribué, avant Guillaume?

Virginie, qui avait suivi ma déconfiture, rigolait en racontant les moindres détails aux trois avocats.

— Tu chasses trop fort et tu leur fais peur, expliqua Marc. Pour eux, que tu sois si entreprenante, c'est louche. Ils s'imaginent que tu te cherches à tout prix un copain. Que tu veux t'engager. Que ton horloge sonne.

— Wô l'horloge! Je n'ai que 25 ans! Pas question de faire des enfants avant d'avoir terminé mes études.

— Bon, alors, on change de place! lança Marc. De toute façon, il n'y a personne d'intéressant ici!

Nous marchâmes sur le trottoir, les filles devant et les gars derrière, en direction du petit bar design et branché du moment. Marc en profita pour se moquer de moi qui étais plongée dans les affres de l'humiliation.

— Le quidam te trouvait stéatopyge? Pourtant, si je relie mes deux mains avec mes pouces, en étirant les auriculaires (il fit le geste en même temps) - un calcul très scientifique et approuvé par les spécialistes... C'est ce que je pensais, la largeur de tes fesses est plus petite!

Je fis semblant d'être fâchée.

— Au fait, on ne voit pas ton *string* à travers tes pantalons! ajouta-t-il.

— Macho fini! rétorquai-je en lui donnant un coup de pied latéral sur les fesses.

Les deux autres avocats jouaient les impressionnés.

— Bon sang! La prochaine fois que je serai sur un dossier de gang de rue, je t'engagerai comme garde du corps. T'es plus grande que moi en plus! s'exclama Éric en riant.

Trois coins de rue plus loin, nous étions devant ce repaire des as-tu-vu-que-je-suis-plus-top-tendance-que-toi. Passage obligé dans notre circuit, selon Marc, afin d'avoir un échantillonnage complet de la gent masculine actuelle. Plusieurs as-tu-vu-que-je-suis-plus-top-tendance-que-toi avaient choisi la même soirée que nous pour flamber leur argent. Nous nous dirigions vers la queue, lorsque j'entendis crier mon nom. À mon grand étonnement, je connaissais le portier du nouveau bar à la mode! Il nous fit signe d'entrer.

— Élisabeth! Tu n'as pas changé! Toujours aussi jolie! Dis donc, tu n'as pas pris un kilo depuis l'école secondaire!

L'amour de mes 16 ans était portier de son métier, marié à une Cubaine, et avait deux enfants. Nous n'avions pas consulté le même agent de voyages pour nos itinéraires biographiques. Nous échangeâmes quelques souvenirs, puis j'entrai rejoindre les autres. Ils étaient repartis sur la tequila ! Je devais reprendre mon retard, disaient-ils, et boire trois onces. Les vapeurs d'alcool nous entraînèrent vers le sujet de conversation : le sexe.

— Que se passe-t-il ? Je croyais qu'on faisait une sortie entre intellos ! Qu'est-ce que vous pensez des dernières déclarations de Sarkozy ? demandai-je, le sourire taquin.

— Dis-nous plutôt ça fait combien de temps que tu n'as pas baisé, suggéra Marc.

Tout comme les magazines, la télévision et le cinéma, il voulait miser sur un sujet garant de la réussite de cette soirée.

— Trois mois.

— Si longtemps ? Tu dois te masturber souvent entre l'écriture de tes chapitres de maîtrise !

Je pris le ton de la confidence.

— Honnêtement, je ne m'étais pas encore posé la question. Mais en y songeant, là maintenant, ça ne me manque pas. Avec Guillaume, on faisait l'amour tous les jours. Fais le calcul, pendant huit ans. J'ai des réserves. Je dois vous avouer que depuis deux semaines, avec la rupture, je n'avais pas la tête à ça.

Mes explications étaient en partie véridiques. Je ne pouvais quand même pas leur révéler mes derniers plans machiavéliques. Ils m'auraient dénoncée auprès d'une future proie. Je poursuivis :

— Et toi, Marc ?

— Confidentiel ! dit-il en riant.

— T'as honte de nous avouer que ça fait plus d'un an ?

— N'exagérons rien. J'avais une copine il y a six mois !

— Moi, je ne veux pas vous écœurer, mais c'était cet après-midi, lança Virginie.

L'avocat à la bedaine naissante sembla déçu d'apprendre qu'elle avait un copain. Éric plaida à son tour.

— Moi, je n'en peux plus des femmes qui veulent tout diriger. Des femmes qui veulent une carrière et ne savent pas faire la cuisine.

Virginie me lança un regard interrogateur. Fallait-il rire ? Ou même s'esclaffer ? Il continua sa plaidoirie d'un ton sérieux.

— Je veux une femme soumise, dépendante financièrement, qui fasse tout ce que je veux sans poser de question. J'ai lu qu'on pouvait en trouver en Asie. C'est ce qu'il me faut. En fait, j'aimerais la diriger… J'ai d'ailleurs pensé me convertir à la religion musulmane. Toutes vos histoires de *girl power*, de revendications postféministes, ça m'écœure. Ça me fait carrément débander.

Je n'en croyais pas mes oreilles ! Il ne blaguait pas !

— En tant qu'avocat, ça m'étonne que tu manques de confiance en toi à ce point, dit Virginie, perplexe.

— Je n'ai pas envie que ma femme ait de meilleurs arguments que moi dans une discussion. Je ne veux pas qu'on remette en question ce que je dis.

Heureusement que j'étais ivre, parce que je lui aurais donné un aperçu de mes deux semaines d'entraînement intensif. Marc s'en doutait. Il me toucha discrètement la main pour me calmer. Un effleurement qui déclencha, contre toute attente, une onde de frissons de mes doigts jusqu'à mon sexe, en s'évaporant au bassin sous forme de chaleur. J'étais stupéfaite.

Pendant que Virginie poursuivait doucement la conversation avec le futur musulman, je voulus me secouer les idées en m'infligeant un interrogatoire intérieur, classique des séries policières avec lumière aveuglante dans les yeux. D'où provenait cette pulsion sexuelle ? Était-ce l'alcool qui m'incitait à désirer un engin masculin entre mes cuisses ? Avais-je envie de n'importe quel membre ou de celui de Marc spécifiquement ? Étais-je fragilisée par mon récent abandon ? Je n'avais pourtant jamais ressenti d'attirance sexuelle envers lui et son torse d'Amazonie.

Il s'approcha de mon oreille pour me dire que son ami dérapait. Cette fois, c'est un léger vertige qui m'envahit. Cette douce sensation du désir qui s'installe tranquillement. Je l'avais complètement oubliée. En m'approchant à quelques millimètres de sa joue, je lui fis remarquer qu'il avait pourtant pensé me le présenter.

— Élisabeth, pourquoi te colles-tu sur moi pour me parler ?

— C'est toi qui te rapproches de moi.

— Ah oui ? dit-il, un sourire dessiné au coin gauche de ses lèvres charnues.

Je n'avais jamais remarqué sa bouche sensuelle. Je décidai d'envoyer ma raison en mission humanitaire sur le continent africain. Ainsi, j'allais en être débarrassée quelques mois et pouvoir, à ma guise, courir après cet état d'ivresse.

Nous visitâmes deux autres bars dans le but de terminer, répétait Marc, notre échantillonnage complet des hommes du marché actuel. Le fond de l'air était chaud en ce 15 juin. Le thermomètre d'un édifice affichait, à minuit, 24°C; j'aurais parié qu'il faisait plutôt 30°C. Tout au long de la soirée, chaque fois que Marc me frôlait, effleurait mes doigts, mon bras, mes fesses - qui sait, peut-être par hasard et sans préméditation? -, je ressentais des vibrations parcourir les terminaisons nerveuses de tous mes organes.

Après nos pérégrinations, nous retournâmes chez Marc pour laisser tranquillement l'alcool s'évaporer de notre sang avant de reprendre le volant. Les deux avocats n'eurent pas à déployer un solide argumentaire pour obtenir le droit de squatter les deux sofas en cuir blanc du salon. Virginie et moi fîmes la course jusqu'au grand lit de Marc, avec matelas en mousse viscoélastique, le même matériel qu'utilise la NASA, donc fabriqué pour nous propulser dans un sommeil spatial. Nous avions pris soin d'occuper tout l'espace, en prenant des poses exagérées, étendant bras et jambes en travers du lit, pour signifier que le terrain était déjà conquis. Marc arriva quelques secondes plus tard.

— Désolé, les filles, il n'y a pas d'autre lit dans mon quatre et demie. Vous allez devoir cesser la séance d'étirements pour me faire une place ! dit-il avant de ressortir pour aller dans la salle de bain se brosser les dents.

Lorsqu'il revint dans la pièce, il se mit à chercher un troisième oreiller dans sa garde-robe. Je fis exprès pour effleurer ses fesses avec ma main, espérant provoquer une réaction. Impassible. Virginie se dirigea à son tour vers la salle de bain. Marc se tourna vers moi.

— Approche-toi, tu vas voir ce que je vais te faire !

À ce moment précis, debout devant lui, le cœur battant, un peu ivre, j'avais vraiment envie qu'il me fasse tout ce qu'il voulait.

— Ah oui? Qu'est-ce que tu vas me faire?

Je fis deux pas de chat, gracieux et félins, vers lui. Virginie entra. Elle n'avait aucune idée des scénarios qui se bousculaient dans ma tête. Comme si nous interrompions une discussion sur la décoration, nous décidâmes de nous mettre au lit.

Virginie prit le côté droit, je m'empressai de me placer au centre, et Marc dut s'étendre à gauche. Je me couchai dos à lui, mes fesses à proximité de son ventre, la main posée sans innocence sur sa cuisse droite. Sous les couvertures, j'attendais une réaction. Virginie se mit à ronfler. Je m'en réjouis comme une adolescente soulagée du départ des parents pour un dîner d'amis.

Marc commença à m'effleurer les jambes. Sa réponse me rassura. Le désir semblait réciproque. Il fit ensuite gambader ses mains sur mon ventre. D'un coup, une grande bouffée de chaleur l'envahit. Un de ses doigts s'égara doucement vers le haut d'une cuisse. Mon cœur tambourinait dans mes oreilles; j'étais légèrement étourdie. Chaque caresse frôlait l'extase. Alors que ma main prenait la direction de son sexe, il me chuchota:

— D'habitude, je t'aurais dit de réveiller ta copine pour baiser à trois, mais là, je suis trop épuisé pour vous satisfaire toutes les deux.

— On n'a qu'à aller ailleurs! murmurai-je en songeant qu'il était hors de question qu'une autre femme participe à mes ébats, et encore moins ma meilleure amie.

Même si Britney Spears, Christina Aguilera, Madonna et même Penelope Cruz - qui embrasse sa sœur dans le vidéoclip de son frère – essaient de nous convaincre que c'est la mode et la norme.

— Mais si Virginie se réveille ?

— Elle ronfle.

Est-ce qu'il était en train de se dégonfler ? Peut-être avait-il soudainement réfléchi à la situation improbable qui se produisait ? Il finit par conclure :

— Pars avant et je te rejoins.

Les deux avocats étaient déjà partis. Le salon était libre. Éclairé par le jour qui se levait, Marc poursuivit ses caresses voluptueuses et enivrantes, retira mes vêtements, puis son caleçon moulant et entraîna nos deux corps nus sur un des sofas en cuir blanc. Dans ce décor design et minimaliste aux murs gris avec des meubles en acier, je tremblais de désir et peut-être un peu de froid. Nos lèvres ne s'étaient pas encore touchées.

— Je t'avertis tout de suite, je ne coucherai pas avec toi, dit-il tout à coup. Alors si tu veux, on peut arrêter tout de suite.

« Rien de grave, pensai-je, tu n'as qu'à me faire jouir en stimulant mon clitoris et je serai comblée. »

— Non, non, on continue.

— Malgré les apparences, j'ai des principes ! Je couche avec une fille quand je me sens bien avec elle.

— Effectivement, les apparences jouent contre toi.

Je me mis à explorer avec ma bouche son corps ferme, délicatement musclé, dont j'avais déjà aperçu le torse et ses poils tissés serré. Mon menton et mes joues s'écorchèrent au cours de l'exercice. On aurait dit qu'ils se frottaient à de la laine d'acier. Et cette laine à récurer les casseroles avait élu domicile non seulement sur ses pectoraux peu développés et sur son ventre, mais elle s'était également propagée presque partout sur son corps, comme une maison infestée de moisissures.

Je descendis vers son sexe, et il décida qu'il était temps de s'embrasser. Il posa brutalement des lèvres rigides sur ma bouche. Des lèvres si tendues qu'elles me semblaient inexistantes. Il ouvrit et referma sa bouche sur mes lèvres à répétition, sans utiliser sa langue, en imitant le poisson, pensais-je. Ça ne ressemblait pas à la brutalité de la passion. Plutôt à un vulgaire poisson rouge dans un aquarium. Ne jamais se fier aux babines charnues, conçues pour les baisers sensuels !

J'essayai de reprendre le contrôle en reculant ma tête pour me dégager et revenir délicatement déposer mes lèvres sur les siennes, en essayant d'aller chercher sa langue. Rien à faire. Impossible de déprogrammer la machine. Marc eut la bonne idée de transférer sa bouche sur mon clitoris. Le bouton magique qui me faisait jouir en cinq minutes. La fête allait enfin commencer.

J'essayai de m'abandonner. Premier coup de langue, son menton, rasé la veille, râpa mes lèvres. Puis, sa bouche engagea un combat contre mon innocent bout de chair. Elle le suçait sauvagement, l'aspirait avec force, le grugeait. J'avais l'impression que Marc était en train de bouffer des ailes de poulet et s'obstinait pour en retirer un maximum de viande, tout en regardant d'un œil les séries éliminatoires au hockey. À chaque but, il tirait plus fort sur la chair. J'avais mal. Déconcertée par la douleur et par son obstination, imaginais-je, à m'amener au septième ciel, je ne savais pas quoi faire. Pendant cinq minutes, je me demandai ce qui était le moins désagréable à supporter, la fraise électrique du dentiste ou la langue de Marc sur mon sexe. Pour qu'il cesse de me dévorer, je me mis à le masturber frénétiquement, augmentant sans répit la cadence. Il avait l'air d'aimer la férocité, à en juger par l'assaut de mon clitoris, mais aussi par cette question qui arriva rapidement :

— Est-ce que je peux venir ?

Féroce, mais poli. « Par pitié, oui », avais-je envie de crier. Je me contentai de prononcer un bref « O.K. », neutre, sans émotion.

En retournant à sa chambre pour aller dormir, il me répéta à l'oreille :

— Quand je couche avec une fille, c'est parce que je me sens bien avec elle.

Il fit une pause, puis il ajouta :

— Est-ce que tu es frigide ?

Pardon ? Ai-je bien compris la question, monsieur l'avocat ? Je crois que vous n'avez pas saisi le dossier : vous êtes nul à chier et mon ex me faisait jouir en cinq minutes. Donnez-moi vite le numéro de vos témoins experts qui ont un orgasme en se faisant arracher le clitoris ! Voilà ce que je lui aurais volontiers balancé. Ma réponse fut brève.

— Non.

Absence d'orgasme chez madame ? Monsieur ne se questionne pas sur sa façon de faire. Nul doute, le problème se trouve du côté de la partenaire. Désolée, mais il est hors de question que je m'abaisse à simuler un orgasme pour épargner les ego masculins. Je m'endormis quand même collée sur Marc.

CHAPITRE 4

Le lendemain, nous déjeunâmes tous les trois en discutant de tout et de rien. Aucun regard complice ne fut échangé en douce avec Marc. Puis, Virginie et moi retournâmes vers la banlieue sud de Montréal, elle chez ses parents à Longueuil et, de mon côté, je retrouvai mon appartement de Saint-Lambert. Le duplex de ma marraine se cachait tout au fond d'une petite rue bordée de maisons à colombages, la rue des partys: Woodstock. Un endroit presque secret, pourtant au cœur de l'animation de la rue principale de la ville, où les boutiques jouxtaient cafés et restaurants haut de gamme.

La journée durant, je ressentis l'écho de ses caresses dans mon bas-ventre, une chaleur qui se propageait dans mon sexe, qui m'enivrait jusqu'au vertige. J'avais envie de m'étendre sur un sofa, de me laisser transporter par cette euphorie et d'attendre qu'elle se dissipe. Mais je devais rédiger mon mémoire.

J'essayai de me rappeler la dernière fois que j'avais ressenti une telle intensité. Peut-être au crépuscule de ma relation avec Guillaume? Là encore, je n'en étais pas sûre. En fait, je me souvenais que mon premier amour à l'école secondaire me rendait complètement euphorique lorsque je le croisais dans les corridors et qu'il me regardait quelques secondes dans les yeux. Un seul contact visuel et je chavirais. Je me serais écrasée par terre s'il n'y avait pas eu la cohue des élèves qui se pressaient pour se rendre en sept minutes au cours suivant.

En y réfléchissant bien, je me rendis compte que ce n'était pas du tout le même état. Mon premier amour, c'était l'exaltation du sentiment amoureux. Dans ce cas-ci, probablement le désir. Jamais je n'aurais cru que ses caresses me feraient un tel effet. Moi qui cherchais des victimes sexuelles, je ne pouvais quand même pas en choisir une parmi mes amis. Peut-être maniait-il son membre avec plus de finesse que sa langue ? Le téléphone retentit dans l'appartement et coupa court à mes réflexions.

— Salut, c'est Marc.

Je souris. J'étais amusée qu'il me rappelle aussi vite. Il prit un détour en parlant de n'importe quoi, puis fonça sur sa cible.

— Hier, j'ai été surpris.

— De quelle façon ?

— Je n'avais pas planifié ça.

— Moi non plus. Je suis aussi surprise que toi.

— Est-ce que Virginie s'est rendu compte de quelque chose ?

— Absolument pas ! Elle ne se doute de rien.

— Tant mieux. C'est fou, je n'en reviens pas encore. Je n'aurais jamais cru qu'on puisse faire ça.

— Moi non plus.

Parfait. Nous nous parlions comme d'habitude, comme les copains de fête que nous étions. Il m'invita à aller magasiner des tableaux.

— Des tableaux ? Je ne serai pas de bon conseil, je n'y connais rien. Je peux te dire ce que je trouve beau, agréable à l'œil, harmonieux d'un point de vue esthétique. Pour ce qui est de la valeur monétaire d'une œuvre, tu me perds complètement. Je connais les créateurs de mode québécois, mais les peintres… J'ai honte de l'avouer, mais je ne peux pas t'en citer plus de… cinq ?

— D'accord, cite, dit-il, un ton moqueur dans la voix.

— Euh…

Je devais aller chercher dans les recoins presque oubliés de ma mémoire. Pour gagner du temps de réflexion, j'optai pour cette tactique.

— Bon, disons Murielle Millard, Stéphane Rousseau… Ah oui ! Diane Dufresne…

— Tu ne vas quand même pas me nommer les vedettes qui se recyclent dans la peinture.

— Carole Loukakis.

— Tu triches, c'est ta voisine et elle est sculpteure principalement.

— Miyuki Tanobe, Gérard Dansereau, la peinture du métro, Barbeau et Paul-Émile Borduas.

— Pas si mal. Est-ce que tu sais faire la différence entre Picasso et Monet ?

— Ne m'insulte pas. Je connais les classiques. Je les ai même vus.

— Viens me rejoindre chez nous demain à 13 h.

Puis il ajouta :

— En passant, si je t'invite, ça ne veut pas dire que je veux baiser avec toi.

Nous passâmes le dimanche après-midi à visiter les galeries d'art de la métropole. Il cherchait un tableau pour sa mère qui souhaitait investir dans l'art. Marc scrutait non seulement les œuvres, mais aussi les filles que nous croisions. C'était la première fois que ça me sautait aux yeux : les filles le regardaient aussi. Moi qui ne trouvais pas ses traits agréables. Je le regardais marcher à mes côtés sur le trottoir, déployant la sveltesse de son mètre quatre-vingt-trois avec assurance. Un peu plus et on l'aurait entendu fredonner: *Well, you can tell by the way I use my walk, I'm a woman's man, no time to talk*[1] *!* L'avocat emberlificoteur.

J'étais froissée qu'il regarde ces filles devant moi, sans subtilité. Nous retournâmes chez lui, car il se sentit soudainement fiévreux. Je touchai son front. Il ne mentait pas. Arrivé à son condo, il me dit qu'il allait prendre un bain, mais que je pouvais rester. La scène était étrange: Marc, nu dans son eau froide sans mousse, et moi, assise sur une chaise droite en bois à deux mètres de lui. Trop loin pour un spectacle.

— S'il ne se passe rien entre nous aujourd'hui, je vais avoir passé une très belle journée quand même, dit-il en remuant l'eau. À prime abord…

Je ne pris pas le temps de réfléchir au sens de ses propos, mais saisis plutôt l'occasion de le taquiner avec le choix de ses mots.

— DE prime abord. Si tu dis « À prime abord », c'est une erreur.

— Non, c'est « à prime abord » qu'il faut dire. C'est toi qui te trompes. Personne ne dit « de prime abord ».

— Ce n'est pas parce que tout le monde se trompe qu'il faut faire pareil.

— Je te gage 100 dollars que j'ai raison.

— Parfait, j'ai besoin d'argent. Je vais chercher ton dictionnaire, rétorquai-je, déjà debout en direction de la bibliothèque située dans un bureau, juste à côté de sa chambre.

---

1. Vous pouvez le voir à ma façon de marcher, je suis un homme à femmes, pas de temps pour discuter.

— Tu ne pourras même pas me payer, l'entendis-je me crier alors que j'avais déjà repéré le mot.

— Voilà, mon cher, la preuve dans ton dictionnaire *Larousse*.

— Il n'est pas bon, va chercher le *Robert*!

Je fis l'aller-retour jusqu'au bureau en courant. J'adorais nos petits combats. J'ouvris le dictionnaire à la bonne page, imitai un roulement de tambour et avançai près de la baignoire.

— DE prime abord; tu me dois 100 dollars!

— Hé! Oh! Interdit de franchir la porte de la salle de bain, je suis nu, dit-il en cachant son sexe avec ses mains. Il y a une erreur, une exception qui n'est pas indiquée. Je vais téléphoner à l'Office de la langue française demain.

— Perdu.

Marc détestait perdre et surtout se tromper. Ça ne se produisait pas souvent.

— Si c'est comme ça, je sors du bain et je m'en vais dans mon lit.

Avant que je n'aie le temps de répliquer, il ajouta:

— Ça a l'air d'une invitation, ce que je viens de dire, mais je te jure que ce n'est pas le cas.

Je le suivis dans sa chambre. La situation était bizarre. Lui, toujours nu, enveloppé dans ses couvertures, et moi étendue à ses côtés. Nous discutâmes pendant quatre heures sans nous toucher ni même nous effleurer. Je me sentais coquine de garder mes distances, couchée sagement dans son lit. J'avais l'impression de gagner la partie. De le laisser en plan avec ses paroles - je vais dans mon lit, je t'invite à sortir, mais je n'ai aucune intention derrière la tête - auxquelles je n'étais pas sûre de croire.

Il me téléphona trois jours plus tard pour m'inviter à une journée de rafting, son loisir préféré. Je déclinai l'offre puisque ma sœur aînée avait failli se noyer l'année précédente lors d'une descente de la rivière Rouge, dans les Laurentides. Comme je ne voulus pas qu'il crût à une excuse bidon, je m'empressai de lui proposer de sortir le vendredi soir.

Il m'accueillit dans un bar près de chez lui, au coin des rues Rachel et Saint-Denis.

— Est-ce que la rue est réouverte ? J'ai vu qu'il y avait de la construction.

Cette fois, je m'abstins de lui faire remarquer qu'il fallait dire ROUverte. Je savais qu'en faisant le correcteur informatique, qui surligne tout en rouge sur son passage, je pouvais finir par taper sur les nerfs des gens. Le verbe ROUvrir m'obsédait ! J'avais dû consulter des centaines de fois le dictionnaire tellement j'avais de la difficulté à le retenir !

— Est-ce que ça va, Élisabeth ? s'inquiéta Marc.

— Oui, pourquoi ?

— J'ai fait exprès pour dire RÉouverte, et tu n'as rien dit ! déclara-t-il avec un large sourire. Je voulais te taquiner !

Je m'esclaffai.

— Bien, je me suis retenue ! Je ne voulais pas que tu me trouves chiante avec mon obsession de la langue française !

— Moi, je trouve ça plutôt drôle ! Je me souvenais que ce verbe te causait des ennuis, ajouta-t-il, amusé. Tout comme au premier ministre du Québec d'ailleurs. L'autre jour, à la télévision, il a répété une vingtaine de fois en moins de dix minutes : « Réouvrir le dossier, on a réouvert le dossier. »

Marc me faisait rire. Je l'adorais !

La soirée fut agréable; nos conversations, animées. Il me susurra à l'oreille qu'il se sentait bien avec moi, ce qui se traduisait, selon son code de principes exprimé lors de nos derniers malheureux ébats: je suis prêt à coucher avec toi. «Aucune chance qu'il soit en nomination pour ses performances au cunnilingus, cependant, la caresse de son membre à l'intérieur de mes cuisses me ferait peut-être frissonner comme celle de ses mains sur ma peau», pensai-je.

Dans son lit, je constatai que sa bouche maniait le verbe avec élégance pour plaider, mais n'avait aucun recours pour embrasser. Les mêmes lèvres tendues de l'autre nuit étaient au rendez-vous.

Une fois nu, il caressa mes seins avec délicatesse, plongé dans une contemplation, comme s'il s'était agi d'une œuvre d'art. L'effleurement de ses doigts produisait toujours le même effet, une agitation renversante traversant tout mon corps.

— Tes seins sont vraiment très beaux, à la fois fermes et fragiles, murmura-t-il. Et c'est la nature qui t'a sculpté ça.

Quand arriva le point culminant de nos jeux sexuels et qu'il eut mis le condom, il me pénétra avec mollesse. Une verge que j'avais de la difficulté à sentir dans mon sexe. Il me prit dans toutes les positions réalisables du Kâma Sûtra sans réussir à jouir. Il jeta la faute sur le condom. «Heureusement qu'il y a les préservatifs et la frigidité des femmes, pensai-je, sinon les hommes ne pourraient pas supporter leurs échecs.» Sans réfléchir, je lui demandai:

— Est-ce que tu me désires?

— C'est quoi cette question? On se croirait dans un mauvais film français des années 1970. Personne ne demande ça dans la vraie vie, crûment.

— C'est parce que t'es mou, rétorquai-je, impertinente, puisqu'il avait déjà abordé la question de ma possible frigidité.

— Une chance que j'ai un gros ego, sinon il serait pas mal amoché.

— J'ai encore envie, insistai-je.

— Je suis fatigué.

— T'es pas un bon amant, lançai-je.

— L'ego... Ah! mon Dieu! dit-il d'une voix faible avant de s'endormir.

* * *

Nous nous téléphonâmes à plusieurs reprises pour discuter de tout et de rien, avec légèreté, sans attente. Il y eut une autre soirée mémorable, intellectuellement enrichissante: des débats animés, ponctués de poulet au beurre et de pain nan dans un délicieux restaurant indien, qui furent suivis d'un film sous-titré au cinéma. Guillaume, lui, ne voulait jamais m'y accompagner. Mais la fin de la soirée connut une débandade.

Alors qu'une partie de jambes en l'air était imminente, Marc devint nerveux. Il tenta de se calmer en fumant de la marijuana. Je voulus m'affairer avec son pénis, mais il refusa délicatement en prenant ma tête pour m'embrasser. Comme il n'arrivait pas à bander, il se leva pour aller sniffer une ligne de cocaïne. Je me suis mise à me masturber pour le mettre en appétit, à jouir pour l'exciter. Rien à faire, son membre pendait comme un saule triste.

Il finit par avouer, défait, que toute la pression de performance qu'il subissait au travail se transportait jusque dans l'intimité, qu'il était impressionné par mon corps, selon lui sublime, qu'il aurait voulu l'honorer et qu'il ne supportait pas d'en être incapable. Étendue à côté de lui sur son lit, j'essayai de trouver des paroles réconfortantes, de justifier la situation en invoquant nos corps qui devaient s'apprivoiser. Mais dans mes pensées, je ne pouvais m'empêcher de le comparer à Guillaume.

Au départ, je me réjouissais de sa présence agréable. Maintenant, j'étais prise au piège, complètement traquée. Même si nos ébats n'étaient pas envoûtants, j'avais toujours envie de le voir, il me manquait. J'attendais ses appels. Un constat pitoyable. Moi qui étais déterminée à profiter de relations sexuelles sans implication émotive, je me rendais compte que j'étais incapable de jouer à la séduction sans lendemain.

Un jeudi soir, au bar près de chez lui, alors que j'étais en compagnie de Virginie et de son Martin, nous nous sommes croisés par hasard près des toilettes. Il m'embrassa les joues, puis recula d'un pas.

— Est-ce que je suis parano ou je sens qu'il y a un froid?

— Un froid, c'est peut-être un peu fort. Tu as tellement de vocabulaire, trouve un autre mot!

Sa réplique me secoua.

— Je n'en trouve pas.

Nous restâmes muets quelques secondes, la musique que crachaient les haut-parleurs du bar enterrait la lourdeur de notre silence. Puis il déclara d'un trait:

— J'ai l'impression que tu me téléphones parce que tu as envie d'être avec moi et non parce que tu veux simplement faire une activité. Nos conversations sont super intéressantes, mais tu n'es pas mon genre de fille.

J'étais défaite. En masochiste, je poursuivis l'échange en m'humiliant pour m'assurer que tous mes espoirs allaient être bien piétinés, écrasés par terre, sans réanimation possible.

— Tu ne pourrais pas devenir amoureux de moi?

— Exactement.

— C'est clair! Pourquoi as-tu couché avec moi?

— Je te l'ai déjà dit, parce que je me sentais à l'aise avec toi. Bon, là, ça m'énerve. Je sens que tu es fâchée contre moi et je ne voulais pas que ça se termine comme ça.

— Je ne suis pas fâchée, je suis triste.

Je me sentais trahie, déçue. J'étais déjà fragilisée, essayant d'oublier mes huit années avec Guillaume, et Marc devait être un pansement. Il avait provoqué une infection.

Pour combattre le virus de la tristesse, je me lançai dans l'autodestruction. Je m'empiffrai de crème glacée dans laquelle il y avait tout sauf l'ingrédient principal. Au menu: substances laitières modifiées, additifs au nom imprononçable et, surtout, huile de palme. Une huile toxique pour le cœur, nocive pour notre santé générale et celle des orangs-outans. C'est vrai! La déforestation massive pour laisser la place à des plantations de palmiers détruisait leur habitat et aggravait les rejets de gaz à effet de serre.

CHAPITRE 5

Devant mon incapacité déshonorante à remplir ma mission humanitaire (penser s'engager avec le premier crétin qui veut te baiser, franchement, ma grande !), devant mon ignorance ignoble des nouvelles mœurs de séduction (tous les inconnus t'envoient balader quand tu les dragues, la honte !), je n'eus d'autre choix que de laisser un moment de côté la rédaction de mon mémoire de maîtrise pour me concentrer sur un dossier d'une haute importance : la quête de l'homme.

En digne universitaire de deuxième cycle, je dressai la nomenclature liée à mon sujet d'études, je réunis toute la littérature scientifique consacrée au phénomène et, fidèle à l'« étudoolique » que j'étais, je procédai à une analyse méticuleuse des données avec la ferveur et l'exaltation d'un chercheur sur le point de découvrir le vaccin contre le sida.

C'est ainsi que je devins, bien avant d'être maître en histoire, spécialiste de la pipe tantrique, du Kâma Sûtra de groupe et de l'orgasme par le taoïsme chinois. Je possédais une solide expertise pour traiter les futurs candidats masculins, mâles typiques de mon époque, en répondant à leurs problématiques complexes : la hantise de l'engagement ; ne fais pas les premiers pas, je dois sentir que je te chasse ; je n'ai plus le rôle de pourvoyeur, je suis perdu ; tu es plus instruite que moi, je suis complexé ; etc.

En fait, j'avais lu avec frénésie tous les bouquins de psycho-pop qui traitaient dans tous les sens et sous toutes leurs coutures des relations homme-femme, de *Comment faire l'amour toute la nuit: l'orgasme multiple au masculin*, en passant par *Les Caresses magiques que chaque femme devrait connaître* et *Comment séduire un homme sans se fatiguer*. Certains documents n'étaient plus à jour. Un auteur expliquait aux femmes que « la sexualité orale est l'un des cadeaux les plus empreints d'amour qu'une femme puisse donner ».

Depuis l'école primaire, je m'exécutais toujours de la même façon lorsqu'il était question d'étudier un sujet. À l'âge de huit ans, j'avais ouvert par hasard un livre de médecine, appartenant à ma mère, qui répertoriait avec des photos explicites toutes les maladies connues et leurs symptômes. C'est ainsi que, isolée du regard de mes parents, je mémorisai jusqu'à ma douzième année la bible de l'altération du corps humain. Voir l'horreur de la décrépitude en photos me faisait faire des cauchemars.

Ces connaissances donnèrent lieu à des incidents qui eurent tôt fait de choquer mes enseignants. Lorsque, par exemple, je parlais du problème d'acétylcholine de ma vieille tante atteinte d'Alzheimer comme du dernier spectacle rock. Ou encore lorsque j'insistai pour dire à mon institutrice de sixième année, qui boitait et se plaignait de son mollet bouillant, qu'elle avait tous les symptômes d'une phlébite. La fumeuse me pria de me mêler de mes affaires et ne vint jamais s'excuser au retour de sa longue convalescence. Le caillot du mollet s'était enfui jusqu'au poumon, provoquant une embolie pulmonaire.

En plus de mon expertise du corps humain, j'avais maintenant celle des mouvements de l'âme masculine. C'est du moins ce que je croyais. J'étais encore mieux préparée pour un nouveau combat.

CHAPITRE 6

Je choisis ma deuxième proie à l'école de langues où je travaillais pour payer mes études: un blondinet aux traits scandinaves, le nez fin et les pommettes saillantes. Chaque fois que je croisais ce professeur d'anglais dans les corridors, il me souriait et s'adressait à moi avec politesse et retenue. Une fidèle reproduction du fameux gentleman anglais.

J'hésitais encore à lui proposer une sortie au cinéma lorsqu'il m'apprit qu'il démissionnait. C'était probablement la dernière fois que je le voyais, à moins de forcer le destin.

— Est-ce que tu veux me laisser ton adresse courriel? Je suis curieuse de savoir comment tu vas aimer ton nouveau boulot au cégep.

— Oui, ça va me faire plaisir de t'écrire, répondit-il en m'adressant un large sourire, dévoilant sa dentition parfaite d'une blancheur étincelante.

À ma grande surprise, il m'envoya un message dès le lendemain, puis chaque jour de la semaine. Je décidai d'imprimer nos échanges épistolaires pour les faire lire à Virginie. Oubliés dans l'imprimante, ces courriels furent interceptés par ma marraine et par ma mère qui tombèrent dessus en faisant imprimer une recette d'osso buco trouvée sur Internet. J'étais tellement désolée de les avoir choquées... Maman, marraine, je suis encore mal à l'aise de vous avoir infligé cette lecture!

De : rob.tremblay@hotmail.com
À : elisabeth_mars@hotmail.com
Date : 16 août 9:31
Objet : Femme fatale

Salut, femme fatale,

Je suis bien heureux qu'on ait échangé nos adresses courriel. J'étais presque déçu de quitter le Collège Platon et d'avoir obtenu ce poste au cégep. Je me disais que je ne croiserais plus cette chère professeure de russe.

Est-ce qu'on t'a déjà pris pour une Italienne ? Je te verrais bien dans un vieux film de Fellini.

SECTION SITE DE RENCONTRE !!!
(C'est un peu à la blague… Mais comme j'avais tellement de questions à te poser – on ne faisait que se croiser dans les corridors brièvement, pas le temps de discuter –, je trouvais que ça ressemblait à une approche de ces fameux sites Internet.)

J'ai toujours voulu savoir ta taille. Un mètre… quatre-vingts, avec des chaussures à talons ?

Famille :
Sport :
Alimentation :
Combien d'ex-copains ? :

Ciao, bella !
Rob

De : elisabeth_mars@hotmail.com

À : rob.tremblay@hotmail.com

Date : 17 août 2:49

Objet : RE : Femme fatale

Salut, Rob,

Je suis également bien heureuse d'avoir eu de tes nouvelles si rapidement.

Femme fatale… tu exagères ! D'ailleurs, ton entrée en matière m'a surprise.

Tu as toujours été plutôt distant. Charmant, bien sûr, mais disons froid comme un Islandais !

Pour répondre à tes questions :

Famille et origine : Mes parents sont tous deux Québécois, leurs ancêtres ont débarqué il y a au moins trois cents ans ! Ma mère est infirmière et mon père travaille aux ressources humaines dans une compagnie d'État. J'ai une sœur et un frère plus âgés que moi.

Sport : Je m'entraîne dans un centre depuis cinq ans : musculation, boxe, Taebo.

Alimentation : 5 fruits et légumes par jour !

Taille : 1,78 m. C'est drôle que tu me poses la question, je me demandais également combien tu mesurais.

Ex-copains : 2. Et toi ? As-tu une copine ? Combien d'ex ?

ДО СВИДАНИЯ (prononcé da svyidanyiya)

De : rob.tremblay@hotmail.com
À : elisabeth_mars@hotmail.com
Date : 17 août 9:32
Objet : RE : Femme fatale

Tu écris tard dans la nuit. Serait-ce que tu fais le trottoir ? Il n'y a pas de sot métier !
Vrai qu'avec le salaire du Collège Platon, une fille de joie fait plus d'argent !
Peut-être pourrais-je t'encourager un jour ?
J'aime le jus de cornichon bien chaud. Et toi ? On pourrait aller en boire un quelque part ?

Rob

P.-S. : Je fais 1,81 m et je viens du Lac-Saint-Jean. Ma mère était complètement folle de Rob Lowe dans le film *Outsiders* de Francis Ford Coppola, sorti en 1983, l'année de ma naissance. Voilà pourquoi j'ai un prénom très, très québécois. Peut-être qu'à cause du choix de ma mère, j'étais prédestiné à devenir professeur d'anglais.

De : elisabeth_mars@hotmail.com
À : rob.tremblay@hotmail.com
Date : 17 août 21:06
Objet : RE : Femme fatale

Pas de chance pour la péripatéticienne ! Je préfère vivre pauvrement !

Je rédige souvent mon mémoire de maîtrise la nuit quand tout est calme et que personne, ni le téléphone ni la télévision (je ne suis pas câblée), ne risque de me détourner de mon travail.

J'accepte pour le jus de cornichon.

Est-ce que tu veux qu'on se rencontre près de chez moi ? J'habite une rue très jolie avec des maisons à colombages... On se croirait quelque part dans les Alpes...

Bon, d'accord, j'en mets un peu pour rendre le coin invitant.

Sérieusement, il y a plusieurs petits endroits sympathiques sur la rue Victoria. À moins que le Montréalais craigne de partir en expédition de l'autre côté de la rive...

Élisabeth

Téléphone-moi pour qu'on se fixe un rendez-vous : 450 555-5555

De : rob.tremblay@hotmail.com
À : elisabeth_mars@hotmail.com
Date : 18 août 8:03
Objet : Rendez-vous

Non, je ne crains pas les grandes aventures... Je vais te rejoindre où tu veux.

D'ailleurs, j'ai hâte de te voir en personne, de retrouver ton sourire et ton humour, parce que je ne les sens pas dans tes courriels...

Je te laisse le temps de te réveiller et je t'appelle.

Rob

De : rob.tremblay@hotmail.com
À : elisabeth_mars@hotmail.com
Date : 19 août 6:36
Objet : Rendez-vous

Désolé de t'avoir embrassée hier, mais tu exerces un effet indescriptible sur moi... sans blague.

Tu es tellement sexy avec ta peau bronzée... à la crème autobronzante, comme tu dis.

Heureusement qu'on était dans un lieu public, sinon j'aurais fait disparaître ta jolie robe d'été. J'aurais glissé mes doigts dans ta chatte et je t'aurais fait miauler, ma grande.

Ah ! ma femme fatale... Je ne pensais jamais qu'une fille comme toi s'intéressait à moi.
On se revoit quand ? L'attente est interminable...

Rob xxx

De : elisabeth_mars@hotmail.com
À : rob.tremblay@hotmail.com
Date : 19 août 12:09
Objet : RE : Rendez-vous

Ce soir chez moi ?
Comment vas-tu procéder pour me faire miauler ?

De : rob.tremblay@hotmail.com
À : elisabeth_mars@hotmail.com
Date : 19 août 12:25
Objet : RE : Rendez-vous

Parfait, à 20 h, j'y serai.

Tout d'abord, tu vas me sucer jusqu'à ce que j'éjacule. Tu vas tellement jouir que tu vas encore me sucer.

Je vais ensuite me frotter entre tes seins, venir... et tu vas encore jouir de plus belle. Alors, pour te donner un maximum de plaisir, je vais te sodomiser, au départ doucement, et ensuite avec vigueur pour qu'on puisse crier en même temps.

Tes voisins ne sont pas trop proches, j'espère ?

De : elisabeth_mars@hotmail.com
À : rob.tremblay@hotmail.com
Date : 19 août 12:40
Objet : RE : Rendez-vous

Et un petit cunni avec ça ?
Élisabeth

De : rob.tremblay@hotmail.com
À : elisabeth_mars@hotmail.com
Date : 19 août 12:42
Objet : RE : Rendez-vous

Hum, je dois t'avouer que je fais tout, sexuellement parlant, mais vraiment tout ce que tu peux t'imaginer, mais pour le cunnilingus, hum, je trouve ça un peu… euh… dégueulasse. La senteur, le liquide, l'intérieur de la vulve… Mais toi, tu peux me manger tant que tu veux. Et je te permets de te masturber devant moi aussi, c'est très cool.

De : elisabeth_mars@hotmail.com
À : rob.tremblay@hotmail.com
Date : 19 août 12:52
Objet : RE : Rendez-vous

Parfait ! Moi, je voudrais commencer par t'enfoncer mon vibrateur dans l'anus. Si je te vois jouir, alors tu pourras ensuite mettre ton membre dans le mien.

De : rob.tremblay@hotmail.com
À : elisabeth_mars@hotmail.com
Date : 19 août 12:57
Objet : RE : Rendez-vous

T'es vraiment très coquine !
Un vibrateur dans l'anus ? C'est la première fois qu'on me propose ça.

Je ne suis pas sûr, mais est-ce une blague ?

Je suis très ouvert, sauf que là, c'est, disons, trop « homosexuel ».
Mon anus est à sens unique, il n'y a rien qui entre là-dedans, on ne fait qu'en ressortir !

À ce soir, bella !
Rob xxx

De: rob.tremblay@hotmail.com
À: elisabeth_mars@hotmail.com
Date: 20 août 6:02
Objet: Proposition

S'il te plaît, ma belle Italienne, accepte ma proposition. J'ai eu la délicatesse de tout te dire avant de baiser avec toi.

Disons que le contexte idéal pour moi serait que ma copine me trompe ou soit si désagréable que je serais obligé de la quitter… Mais je suis dans la réalité.

Je sais que je t'ai dit hier que j'allais tout lui raconter.

Sauf que si tu acceptes ma proposition, comme je te le disais hier, pour qu'on apprenne à se connaître afin que je puisse choisir entre vous deux, je ne dois pas lui parler de notre rencontre.

J'ai passé une très mauvaise nuit. J'étais tourmenté. Ma copine s'en est rendu compte et j'ai dû inventer n'importe quoi.

Rob xxx

De: rob.tremblay@hotmail.com
À: elisabeth_mars@hotmail.com
Date: 20 août 12:09
Objet: Désespéré

Bella,
Est-ce que ça va?
Moi, pas du tout.

Tu n'as pas répondu à mon courriel et tu ne réponds pas au téléphone...
Je suis déchiré. Je ne sais pas qui choisir de vous deux. Accepte ma proposition.

Rob xxx

De : rob.tremblay@hotmail.com
À : elisabeth_mars@hotmail.com
Date : 20 août 17:34
Objet : Prêt à sauter !

Avant de te connaître, je ne savais pas qu'un jour les heures pourraient me sembler des semaines...
Oh ! Bella, j'ai hâte que tu me fasses une fellation, qu'on jouisse enfin ensemble. Vite, réponds-moi !

De : rob.tremblay@hotmail.com
À : elisabeth_mars@hotmail.com
Date : 20 août 17:54
Objet : Aide-moi !

Je suis perturbé. Parfois, je me dis : « Rob, ne fais pas de mal à Élisabeth et range-toi du côté le plus sûr, reste avec Julie. »

Quinze minutes plus tard, je change d'avis : « Rob, tu devrais foncer, tu ne dois pas penser à Julie, seulement à toi. Écoute ton côté le plus aventureux. »

Ah ! que j'aimerais que tu sois un genre de produit que l'on achète dans un magasin et si on ne l'aime plus, on peut le retourner pour revenir avec celui qu'on avait avant…

En m'assoyant à l'ordinateur, là maintenant, je voulais te dire de m'oublier…
Mais j'en suis incapable. Il faut que je te baise quelque part et vite.

Rob xxx

P.-S. : Mon pénis est vraiment hot, il va te faire mouiller, je te jure !

De : elisabeth_mars@hotmail.com
À : rob.tremblay@hotmail.com
Date : 21 août 12:04
Objet : RE : Aide-moi !

Rob, je te l'ai dit clairement l'autre soir.
Je ne veux pas que tu choisisses entre ta copine et moi.
Ça fait deux ans que vous habitez ensemble et vous voulez vous acheter un condo.

Si tu me « choisissais », comme tu dis, et qu'au bout d'un mois tu ne me plaisais plus, je serais très mal à l'aise que tu aies quitté ta copine pour moi.

Reste avec elle !

Élisabeth

CHAPITRE 7

Virginie replaça la culotte de son trikini, un maillot de bain une-pièce échancré, qui dénudait complètement la taille et le dos.

— Je ne suis pas certaine de mon achat finalement, s'inquiéta-t-elle en avançant de quelques pas dans la file d'attente.

— Ma mère avait presque le même maillot que toi dans les années 1980 ! J'ai une photo d'elle avec moi, bébé, sur une plage de la côte est américaine.

— Sauf que dans ce temps-là, les designers appelaient ça tout simplement un maillot de bain…

— Ça te va très bien, tu es super belle !

Avec son mètre soixante-cinq et son poids santé, ma copine entrait dans n'importe quelle boutique, et les vêtements lui allaient toujours parfaitement. Comme si les patrons pour les confectionner avaient été faits à partir de son corps.

Je me levai sur la pointe des pieds en essayant de voir le point de départ de la glissade d'eau. « Encore trente minutes d'attente avant d'accéder à la descente en tube », pensai-je. Virginie avait gagné deux entrées gratuites au parc aquatique dans un concours à la radio.

— Est-ce que je t'ai dit que Martin avait croisé Marc l'avocat la semaine dernière ?

— Je ne crois pas que ça m'intéresse d'entendre parler de lui…

— Il déménage à Paris.

— Ah oui?

Je fis une pause et me mis à repenser à notre dernière rencontre.

— Ça me fait de la peine d'avoir perdu un ami, avouai-je. J'aimais beaucoup sa compagnie, mais j'ai voulu profiter des frissons qu'il me donnait... Je croyais que j'étais capable de faire comme tout le monde, de ne pas m'impliquer émotivement. C'est visiblement raté, puisque cette histoire me rend triste... Bon, est-ce qu'on peut se changer les idées en regardant les sauveteurs? On est venues pour ça, non?

Virginie fronça les sourcils.

— Ton ex-ami Facebook est là.

— Qui?

Elle n'eut pas le temps de répondre. Un homme au look de surfeur s'approcha de nous en souriant. Il portait un *boardshort* aux couleurs flamboyantes et un tee-shirt orné du slogan «Mr. Happy». Il me salua, s'empressa de me faire la bise, puis tendit la main à Virginie avec politesse.

— Je m'appelle Rob Tremblay et toi?

— Virginie. Tu es le professeur d'anglais qui travaillait avec Élisabeth au fameux Collège Platon, spécialisé dans vingt-deux langues! ironisa-t-elle. C'est vraiment ce que leur publicité a déjà tenté de faire croire.

— Oui, et où l'on exploite les professeurs de langues, ajouta-t-il en riant.

Avec les rayons du soleil, ses dents blanches paraissaient fluorescentes.

— Beau maillot de bain, très original, Virginie! Il ressemble à celui de la chanteuse des années 1980,

Samantha Fox. Mon père a encore un vieux *poster* d'elle dans son atelier!

Les joues de ma copine devinrent rouge vif. Et, pour une fois, aucune accusation ne pouvait être portée contre le soleil.

— Ma belle Élisabeth, tu as une mine splendide! poursuivit-il. T'as changé tes cheveux? Avec ta frange, comme ça, coiffée légèrement sur le côté, tu me fais penser à Penelope Cruz.

Cher Rob, toujours un compliment à saveur latine bien placé.

— Au fait, comment va ta copine Julie? demandai-je en essayant avec difficulté de dissimuler le sarcasme dans ma voix.

Il se gratta le nez, son sourire se crispa, puis il regarda autour de lui en se balançant d'un pied à l'autre. Hésitant, il finit par répondre à la question.

— Très bien. On va se marier.

— Ça s'est décidé très vite!

À la dérobée, Virginie et moi échangeâmes un regard surpris.

— Bravo! Tu embrasseras pour moi la future mariée!

Cette fois, le ton sarcastique était bien appuyé.

— Mon copain Justin m'attend là-bas. Je vous quitte, les filles. Heureux de t'avoir revue! dit-il en se sauvant.

Virginie éclata de rire.

— Tu me l'avais si bien décrit que je l'ai reconnu tout de suite. J'avais tellement envie de lui dire que j'avais suivi avec délices tous les rebondissements de vos échanges épistolaires. Bon, d'accord, on s'entend qu'on est loin du livre *Les liaisons dangereuses*... Surtout lorsqu'il faisait son poète de bas étage en utilisant «chatte» et «miauler»! Quel baratineur!

— C'est fou, hein?

Nous étions enfin rendues au départ de la glissade d'eau. Un garçon d'à peine 18 ans, au torse bronzé et découpé, nous tendit des tubes. Nous sautâmes dans notre embarcation respective. Étendue sur le pneumatique, les fesses dans l'eau, la balade était douce. Virginie reprit la conversation.

— Il a l'air d'un gentil garçon poli, respectueux, doux même, qu'on ne voudrait pas blesser, alors qu'en réalité... Ce n'est pas lui d'ailleurs qui te comparait à un produit?

— Oui! Et il osait me l'écrire, sans honte. Comme si c'était normal. Je n'en revenais pas!

— J'ai bien ri quand tu lui as fait le coup du vibrateur! «Je vais te laisser essayer la relation anale en premier, mon homme, et si tu aimes ça, bien je vais reconsidérer la chose!» C'est hilarant!

— Le pire, c'est lorsqu'il s'est mis à déraper dans ses courriels en disant constamment que j'allais jouir en le stimulant.

— Sa copine n'a peut-être pas osé lui expliquer la mécanique féminine, de peur de le perdre.

— Je n'en reviens pas, je te jure, un gars intelligent... Il croit que les femmes ont du plaisir sans se faire toucher! Par la force de la pensée? C'est déprimant. Je pense que je suis incapable de m'intégrer à ma génération. Le sexe mécanique, sans amour, performant. Et nous qui devons imiter les *stars* du porno. Tu ne trouves pas que les limites de la normalité sont constamment repoussées? Qu'est-ce qu'on va bientôt devoir faire pour être une femme assez intéressante sexuellement pour un homme? Faire l'amour avec sensualité, c'est démodé?

Virginie me répondit en rêvassant, une étincelle dans ses yeux bleus.

— Martin est bien rodé ! Ses sœurs aînées se sont tellement plaintes devant lui qu'il a appris quelques notions de base essentielles. Il n'est pas un gars de sa génération, je crois.

— C'est un gars comme ça qu'il me faut : romantique, qui ne pense pas toujours à baiser trois fois par jour, à me sodomiser, à m'éjaculer dans les yeux et à faire des partouzes !

— Je crois que tu es mûre pour rencontrer Le Voisin !

CHAPITRE 8

Bien avant ma rupture avec Guillaume, Virginie tenait à me présenter le voisin de son copain Martin. « C'est en plein ton genre : grand, très grand même, bien bâti, une épaisse chevelure brune. Il me fait beaucoup penser à Guillaume, une beauté atypique. »

Chaque fois qu'elle le croisait, Virginie sautait sur son portable pour me raconter les derniers détails qu'elle avait pu recueillir. « Je n'ai eu que deux conversations de stationnement, mais au premier abord, il est très loquace, il a beaucoup d'entregent. J'ai appris qu'il travaille en informatique, précisa-t-elle, donc je présume qu'il n'est pas une cruche. Bon, c'est un peu dangereux de déterminer la vivacité d'esprit d'une personne d'après son emploi, sauf que les chances qu'il ait un minimum de jugement sont plus grandes que s'il vit de l'aide sociale, non ? Bon, j'espère que ta ligne n'est pas sur écoute, Élisabeth, parce que je vois déjà les activistes antipauvreté brandir leurs pancartes ! »

Étant donné que ma séparation d'avec Guillaume, mon intermède désastreux avec l'avocat et le professeur d'anglais, ainsi que deux déceptions dans le cyberespace m'avaient laissée dans un état lamentable, elle insista pour organiser une rencontre. « Le Voisin informaticien m'a l'air vraiment très intéressant. Je n'ai jamais vu de filles rôder près de son appartement et... je lui ai parlé de toi! Il a très envie de te rencontrer. Il m'en a même glissé un mot hier. Je lui ai dit ton âge… Lui, il a trois ans de moins que toi… 22 ans; il doit tout juste avoir terminé son bac. Mais ne t'inquiète pas, il semble prêt pour une relation sérieuse. Il m'a raconté qu'il est sorti deux ans avec une fille de 34 ans qui avait un enfant.»

Une rencontre à l'aveugle organisée par sa meilleure amie, qui a soigneusement fait le lèche-vitrine pour soi, vaut mieux qu'une autre, obtenue par Internet après un magasinage intensif parmi des candidats qui se surpassent tous dans l'art de la mythomanie.

Le premier vendredi de septembre, alors que je sonnais chez Martin pour lui rapporter ses DVD d'entraînement de boxe extrême – une solution efficace pour évacuer son agressivité sans blesser ceux qui la causent –, Le Voisin arriva au volant d'une Volkswagen décapotable. Avec la description d'enquêteuse experte de ma copine, je le reconnus sur-le-champ. J'esquissai un sourire coincé avant de me réfugier dans l'appartement du premier étage.

— Il est là! Qu'est-ce qu'on fait?

C'est Virginie qui avait répondu. Elle était, je crois, plus excitée que moi.

— Veux-tu sortir sur le balcon?

— Euh... d'accord, je ne sais pas ce que je vais lui raconter, mais on s'en fout!

Une fois dehors, accoudées sur la rampe métallique pour nous donner une contenance, nous le vîmes qui repartait déjà en compagnie d'un gaillard aux cheveux châtains, son colocataire. Virginie s'empressa de leur lancer quelques mots:

— Bonsoir! Vous sortez?

— Oui, on s'en va prendre une bière avec les copains, répondit Le Voisin en souriant.

— À quel endroit ?

— Au 1957, sur la rue Saint-Charles. Est-ce que vous voulez venir avec nous ?

Quelle horreur ! Je fréquentais l'endroit en pleine fleur de la minorité ! Mais l'idée de m'enfuir sans réfléchir dans la décapotable avec ces deux inconnus ne me déplaisait pas. Cheveux au vent, soirées chaudes. Par contre, rencontrer tous leurs amis, nourrir la conversation, n'avoir aucun contrôle sur l'heure du retour...

— Un instant, on se consulte !

Le scénario n'enchantait pas ma copine qui avait prévu une soirée romantique avec son amoureux. Elle me jeta un bref regard et devina ce que j'allais suggérer. Elle enchaîna :

— Écoutez, si on décide d'aller vous rejoindre, on prendra notre voiture.

Et ils s'éloignèrent dans un long frémissement de silencieux modifié.

Virginie voulait un verdict sur le potentiel amoureux et sexuel du Voisin.

— Il faisait noir, dis-je, pour la faire languir. Quand je l'ai vu avec son épaisse chevelure brune et dans cette voiture allemande, j'ai eu l'impression de revoir Guillaume à l'époque où nous allions faire la fête avec ses amis le vendredi soir, que tout le monde rentrait soûl, que je me battais pour prendre ses clés parce que, comme toujours, j'avais prévu être la seule en état de conduire. Je t'avoue que je ne me sens plus dans cet esprit-là.

— Oui, mais il n'est plus étudiant, il a un boulot sérieux.

— On verra bien.

Ma déchéance amoureuse des derniers mois freinait mon enthousiasme.

* * *

Deux semaines plus tard, Virginie et Martin m'avaient permis d'être leur chaperon pour aller voir au cinéma *Twilight: la fascination*. Robert Pattinson sur grand écran réconforterait sans aucun doute mon âme de célibataire. Un couple d'amis nous attendait déjà au méga complexe de Brossard, situé dans un quartier qu'on tentait par tous les moyens de rendre branché. Debout dans le salon de Martin, j'assistais aux dernières retouches de la mise en plis de Virginie.

— Avant la représentation, tu n'aurais pas envie d'une rencontre? demanda-t-elle avec son petit sourire espiègle. Le Voisin est là, je viens de le croiser.

J'avais revêtu un chemisier blanc, orné d'une large ceinture qui affinait ma taille, et mon jean préféré qui galbait le postérieur. Le côté vestimentaire était parfait pour la première impression. Cependant, la coiffure et le maquillage avaient été négligés, l'acteur britannique Robert Pattinson ne prévoyant pas être dans la salle.

— D'accord, j'irai lui emprunter du sucre avant de partir pour le cinéma, mais je dois me faire une rapide transformation extrême.

Je me suis donc présentée devant la porte de l'appartement du rez-de-chaussée coiffée et maquillée, afin de ne pas inspirer la honte à ma copine qui s'était évertuée à faire de la propagande pour mon compte. J'étais calme. La situation m'amusait. J'eus à peine le temps de sonner qu'il vint ouvrir la porte, sourire aux lèvres, m'ayant probablement entendue descendre.

— Je suis l'amie de Virginie, je viens vous emprunter du sucre, dis-je en lui offrant à mon tour un joli sourire et mes yeux de biche.

Virginie s'était surpassée dans son lèche-vitrine : teint basané, tee-shirt ajusté laissant deviner des épaules carrées et un torse juste assez bombé, coiffure tendance, séduisant, belle bête sauvage. Il semblait sortir directement d'une publicité de parfum publiée dans les magazines féminins, d'un musée d'Athènes où l'on exposait les statues des dieux grecs. Sans exagérer.

— Est-ce que c'est pour faire un gâteau ? demanda-t-il en me gratifiant d'un sourire, cette fois, enjôleur.

— Non, des biscuits !

— Alors, on va voir quel film ?

Surprise ! Monsieur décidait de s'inviter. À moins que ce ne fût déjà planifié par mon entremetteuse qui, justement, venait d'arriver pour assister à nos balbutiements.

— *Twilight : la fascination*, déclara Virginie tout sourire en m'adressant un clin d'œil. J'ai lu tous les bouquins qui ont été publiés jusqu'à maintenant, poursuivit-elle. Et mes amis ont accepté de satisfaire mon petit côté « adolescente » !

— Je l'ai vu, mais ça ne me dérange pas de le revoir.

Il nous fit visiter son appartement, nous parla de ses parents divorcés, de sa sœur coiffeuse, de son travail. Ayant en horreur les études, il s'était empressé de les terminer avec un diplôme d'études professionnelles en installation et réparation d'équipements de télécommunication.

— Informaticien? s'exclama-t-il dégoûté. Jamais dans cent ans! Je hais les ordinateurs. Pas question qu'une de ces machines entre ici. J'ai bien assez de les réparer toute la journée! Les jeux vidéo, par contre…

Virginie me jeta un bref regard. Elle me connaissait. Il venait de perdre quelques points! Le Voisin se reprit en insistant sur ses talents de cuisinier, son penchant pour le ménage, sa passion pour le magasinage et pour la danse en couple. Suspect, tout ça…

— Qu'est-ce que tu danses? m'informai-je avec un ton faussement naïf pour vérifier s'il mentait.

— J'ai suivi plusieurs cours de danse.

Sans perdre contenance, il se leva pour me montrer quelques pas de salsa ou de merengue, il avait oublié le nom.

— C'est de la salsa, confirmai-je.

Fausse alerte au baratinage, il savait bel et bien danser.

Nous partîmes tous les quatre pour le cinéma dans sa voiture: une Volkswagen familiale. La décapotable appartenait à son colocataire, vendeur de Volkswagen.

Devant le complexe cinématographique de Brossard, une queue interminable nous attendait. J'aperçus la tignasse couleur châtaigne de Véronique, seule dans une file. Son copain, Jonathan, patientait dans une autre, une stratégie pour s'assurer d'être dans la voie la plus rapide vers les guichets où on vendait les billets. Telle une chorégraphie répétée depuis des centaines d'années, les hommes allèrent rejoindre Jonathan, et les femmes, Véronique.

— Méchant beau *body*! C'est Le Voisin? Seigneur Dieu!

Virginie renchérit, fière de sa trouvaille.

— Je l'ai vu un matin, torse nu. Le spectacle est époustouflant, j'en conviens!

— Tu m'avais caché quelques détails de ton enquête?

— Bien, d'habitude, les corps musclés, ce n'est pas un critère essentiel pour toi. Tu es plus axée sur l'intellect.

— T'as raison, mais c'est toujours bienvenu!

Dans la salle, il s'assit évidemment près de moi. La convention non écrite des comportements en salle de cinéma l'obligeait à me parler dans le creux de l'oreille. Les émanations qui se dégageaient de son cou étaient enivrantes. Hugo Boss. J'avais vu la bouteille de parfum sur le comptoir de sa salle de bain. Je lui proposai de partager ma passion.

— Est-ce que tu veux un peu de crème glacée au chocolat?

— Non merci, ce n'est malheureusement pas très bon pour ma diète.

Réponse un peu surprenante. Mais à en juger par son taux de graisse à la baisse et l'état de ses muscles, enfin de ce que son tee-shirt laissait deviner, on en déduisait que s'astreindre à un régime strict faisait partie de son quotidien.

— Oui, c'est sûr que ça fait engraisser.

— C'est plutôt que je suis diabétique, déclara-t-il.

Ma meilleure copine, à l'école primaire, souffrait de diabète juvénile. J'avais donc grandi avec les tests pour mesurer le taux de sucre dans le sang, l'alimentation ultra-contrôlée, l'exercice physique planifié rigoureusement et, surtout, les injections d'insuline. Dans le livre de médecine de ma mère, j'avais tout appris sur cette maladie.

— J'ai déjà eu une copine diabétique. Lors d'une classe neige, en sixième année, ses parents m'avaient confié la tâche des piqûres. Je prenais mon rôle d'infirmière particulière très au sérieux.

— Je dois m'injecter de l'insuline quatre fois par jour. Maintenant, je le fais avec un crayon spécial. C'est discret. Ça agit aussi très vite, et le diabète se contrôle mieux de cette façon.

Le film commença. Il éloigna sa tête et se replaça bien droit sur le fauteuil.

Je réfléchis un instant : en quoi sa maladie pourrait-elle me déranger ? Durant un voyage à l'étranger ? Il peut toujours trimbaler ses médicaments avec lui. L'espérance de vie diminue quand la maladie est mal contrôlée... Si je me souviens bien, il pouvait devenir aveugle, impuissant et avoir des problèmes aux reins. Ah ! et puis, la vie est courte, un avion aurait bien pu s'écraser à ce moment précis sur le cinéma et nous emporter vers l'au-delà... Conclusion : je me foutais complètement de sa maladie, finalement. Tant qu'il n'avait pas le sida ou des maladies vénériennes !

Pendant la représentation, je sentais son regard inquisiteur posé sur moi. Il observait mes moindres réactions, mes sourires, mes éclats de rire. De retour à son appartement, Virginie, Martin et moi discutâmes avec lui et son coloc jusqu'à une heure du matin. C'est durant cet échange que j'appris que tous deux menaient une guerre sans relâche aux poils, peu importe leur origine ou leur race. Depuis l'âge de 16 ans. En fait, depuis l'apparition des premiers signes de puberté. Ils s'étaient tout d'abord attaqués aux aisselles, à la poitrine, puis au reste. AU RESTE ? Mystère à percer...

En visitant les toilettes, je découvris que lui et son colocataire lisaient des revues pornographiques, et que Le Voisin s'enduisait les cheveux de cire, comme Guillaume. Puis, en jetant un coup d'œil dans sa chambre, je constatai qu'il se passionnait pour les voitures autant que Guillaume et, sur une carte d'assurance maladie déposée sur son bureau, qu'il était né un 5 juin. Guillaume, lui, c'était le 6. Les ressemblances s'arrêtaient là. L'art d'endormir ou de charmer les gens avec les mots ne lui avait pas été légué à la naissance.

Par contre, toute la soirée, j'étais hypnotisée par ses lèvres charnues, invitantes, sans doute délicieuses comme de la crème glacée triple chocolat et *brownies*. Il avait tant d'aisance et de confiance lorsqu'il passait la main dans ses cheveux brillants. Ses doigts semblaient si habiles. Je ne pouvais m'empêcher d'imaginer chacune des parties de son corps dissimulés sous ce tee-shirt ajusté qui lui servait de burka. Dans sa condition, le terme était juste. Le vêtement à manches longues le protégeait des femmes trop faibles qui, à la vue de son torse nu, se seraient jetées sur lui comme des tigresses prêtes à le dévorer. L'appel de la chair... Aussitôt sortie de la maison, ma copine réquisitionna des commentaires.

— Ses fautes de français t'énervent, n'est-ce pas? Il était peut-être gêné, suggéra-t-elle pour dissimuler sa propre déception.

— Non, ce n'est pas ça... Il joue au hockey quatre soirs par semaine, adore le canot-camping... Je ne pourrai jamais en faire avec lui, ça me fait peur. Honnêtement, pour du long terme, je ne crois pas que ça pourrait marcher.

— Mais est-ce qu'il t'attire?

— Tu rigoles ? N'importe quelle femme aurait envie de lui, non ?

— Bien, c'est déjà un début, dit-elle, un peu plus rassurée de son choix.

Elle prenait mes impressions très à cœur.

Le lendemain, il demanda mon numéro de téléphone à Virginie et laissa un message sur ma boîte vocale. Comme j'étais prise dans une séance intensive d'écriture pour envoyer au plus vite un chapitre de mon mémoire à ma directrice de maîtrise, j'oubliai de prendre mes messages. Je le rappelai donc deux jours plus tard, le vendredi soir à 20 h. Nous échangeâmes quelques banalités, puis il alla directement au but :

— On se voit ce soir ?

— D'accord, répondis-je spontanément. J'avais prévu aller chez une copine. Elle a organisé une soirée parce qu'elle vient d'emménager dans son nouveau condo à Montréal. Est-ce que ça te met mal à l'aise de m'accompagner ?

— Non, pas du tout. Je suis très sociable, je parle avec n'importe qui, j'ai beaucoup de facilité. Tu viens me rejoindre chez moi et on y va avec mon auto ?

— Je crois que c'est ce qu'il y a de moins compliqué.

« Quelle idée ! » pensais-je en roulant vers son appartement. Faire tout à l'envers : au deuxième rendez-vous, présenter le prétendant à tous mes amis et à une ribambelle de connaissances sans être en mesure d'espérer un diagnostic positif sur les possibilités d'une relation longue durée.

À la soirée, Le Voisin se sentait parfaitement à l'aise. Il discutait sports et voitures avec le copain de Véronique, Jonathan, et une dizaine de ses amis. Tout le monde savait déjà qui il était : Le Voisin.

Martin était si jaloux des conversations que Virginie avait avec le jeune homme du rez-de-chaussée qu'il avait cru bon demander l'avis des autres mâles. Ils s'étaient tous foutus de sa gueule. Mais en voyant la bête à la fois musclée et charmante, l'un d'entre eux lui avait soufflé à l'oreille: «Je te comprends, le gros, c'est le genre de gars qui sème facilement des doutes dans nos esprits. Mais bâti comme ça, il doit sûrement avoir un petit membre! C'est toujours comme ça!»

Ces quelques phrases entendues par hasard me firent sourire. Je ne pus m'empêcher de chuchoter à l'oreille de Martin et de son interlocuteur: «Dès que j'en aurai le cœur net, je vous fais un rapport là-dessus!»

En saluant tour à tour les invités, j'eus droit à quelques questions sur mon compagnon.

— Ton nouveau copain, Élisabeth? Où l'as-tu déniché? Méchante bête!

— Je n'aurais jamais pensé qu'il y avait des types comme ça encore disponibles. Beau comme un cœur et pas gai?

— Ce n'est pas encore mon copain, les filles.

Elles me lancèrent des regards complices.

À minuit, tout le monde avait quitté le trois pièces et demie ultra-design aux murs blancs, décoré de meubles bleu acier. Un condo acheté à 250 000 dollars avec seulement 5% de mise de fonds!

La crise du crédit aux États-Unis ne semblait effrayer personne de ce côté de la frontière. Pas même de nouveaux travailleurs comme mes amis qui, malgré leur emploi précaire et leur absence d'économies, se sentaient invincibles. Les films d'horreur se multipliaient pourtant à l'affiche des économies du monde entier. Les dirigeants de la planète, les différentes Bourses et les médias se chargeaient de donner de grands frissons à la population. Une occasion rêvée pour ma génération friande d'« extrême », et ce, bien au-delà des sports, à la recherche d'émotions secouantes ; ma génération blasée depuis la naissance puisqu'elle n'a jamais eu besoin de se battre pour manger et survivre.

Nous allâmes terminer la soirée, ou plutôt la nuit, chez lui, et j'attendis patiemment un rapprochement, un effleurement et, surtout, que son coloc se décide à aller dormir. Vers 3 h, il s'abandonna enfin aux bras de Morphée. Le Voisin calculait chacune de ses paroles, chacun de ses gestes. Il n'osait tenter quoi que ce soit. Je ne rêvais pourtant que d'une chose : qu'il se déshabille, là, devant moi. Ce n'est pas tous les jours qu'une belle bête sauvage est disposée à nous mordre ! J'étais curieuse aussi de voir LE RESTE... Mais la raison me rappelait à l'ordre. Je n'étais qu'au deuxième rendez-vous. À 3 h 30, je décidai qu'il était temps de lever les pattes.

— Bon, eh bien... à bientôt, alors...

Il se pencha tranquillement vers moi pour me faire la bise de politesse. Je tournai légèrement la tête afin que ses lèvres bien rouges dévient de leur trajectoire et viennent se déposer sur les miennes. Comme prévu, sa bouche était à point, à la fois douce et puissante.

— Tu sens bon, ton parfum est vraiment incroyable, susurra-t-il en caressant délicatement mes cheveux, puis le contour de mon visage.

Voyant l'intérêt suscité par son baiser, il entreprit d'effleurer de façon très sensuelle mes épaules, mes bras, évita mes seins - il n'était pas encore assez confiant. Lorsqu'il s'attarda sur mes fesses, j'eus brusquement envie de le basculer sur la table de la cuisine. Personne n'avait encore réussi à érotiser mon arrière-train de cette façon. Avant de succomber complètement – les théories de psycho-pop me revenaient constamment en tête, me rappelant que nous n'en étions qu'au second rendez-vous –, je me défis de ses mains habiles et m'enfuis dans ma voiture.

Le soleil s'était levé. Ma montre indiquait 4 h 30. Nous avions fait la promesse de nous revoir le dimanche après-midi.

Le jour dit, je ne cultivais qu'une seule envie : enfermer la bonne morale avec mes romans du XIXe siècle. Je pris soin de m'épiler les jambes, les aisselles, coupe brésilienne pour le pubis, primordiale quand on visite un guerrier antipoils. J'enfilai mon uniforme de combat : parfum irrésistible, vernis couleur perle sur les ongles d'orteils, sandales à talons hauts, décolleté plongeant, soutien-gorge pigeonnant et pantalon ajusté. Il devait tomber. Succomber. Crever de désir. À la guerre, on ne fait pas de cadeaux, on doit laisser les sentiments de côté !

Il m'attendait, torse nu. Son tee-shirt blanc était encore dans la sécheuse. Bien sûr ! Il avait fait exprès, j'en étais convaincue. Il était encore plus fort que moi. Plusieurs médailles à son uniforme. Il voulait me mettre en appétit ? C'était réussi. Quel corps ! Mieux que le David de Michelangelo. Tout ça pour moi ? Je n'osais baisser mon regard en dessous de son menton. Trop risqué. Ma raison m'aurait abandonnée sur-le-champ !

Il était ravi de me voir et me proposa d'aller faire les boutiques.

— J'adore magasiner !

Suspect... J'aurais préféré redécorer sa chambre à coucher, mais le coloc était là. Il poursuivit :

— J'adore les vêtements, la mode et les designers. Surtout québécois. C'est important d'acheter ce qui est fait chez nous.

Ça y était : un point commun au sujet duquel nous pourrions discuter. À cause de la profession de ma marraine, styliste et acheteuse pour un grand magasin, je connaissais plusieurs créateurs.

— Tu dois aimer, euh... Dubuc, ou peut-être plus Evik Asatoorian, le créateur de Rudsak ?

— C'est qui, lui ?

— Dans les marques italiennes, le genre Gucci ? Moi, j'adore ce qu'ils font ! Diesel ?

— Connais pas.

— C'est qui, ton designer préféré ?

— Bien, Simons, c'est vraiment mon magasin préféré.

— Est-ce que tu magasines parfois au centre-ville, sur Saint-Laurent ou Saint-Denis, où il y a des boutiques de designers québécois ?

— Non. Je vais plutôt aux Promenades Saint-Bruno.

Il n'y connaissait rien, contrairement à ce qu'il voulait me faire croire. Qu'importe, puisque j'appréciais sa façon de s'habiller avec goût.

Au centre commercial, il prit ma main et se pencha à plusieurs reprises pour m'embrasser. Décidément, il était vite sur la gâchette ou très démonstratif en public !

—Tu veux voir un magasin en particulier ? demanda-t-il.

— Non, moi, je te suis. Tu peux aller où tu veux, je m'en fous.

— Moi aussi. On pourrait faire n'importe quoi, ça ne me dérange pas. On pourrait aller n'importe où. Dans le fond, ce n'est pas ça qui est important, non?

Petit romantique... J'eus alors cette réflexion: Le Voisin incarnait le stéréotype du jeune premier qui peut enfiler les filles les unes après les autres. Assurance, regard charmant, un corps d'œuvre d'art bien habillé, passion des voitures, en plus de faire les bons gestes et de dire exactement tout ce qu'une femme veut entendre. Il excellait dans la profession de Don Juan. Était-ce sa maladie qui le rendait plus sensible aux sentiments de ses semblables?

— J'avais peur que tu ne veuilles pas me rappeler, me confia-t-il. Que ta copine me dise que je ne t'intéressais pas. Mon orgueil en aurait pris un coup.

Faiblesses dévoilées... Intéressant. J'aurais dû fondre sur-le-champ, entre le kiosque de crème glacée et la boutique de chaussures. Mes études poussées sur le comportement de la gent masculine me dictaient une retenue émotive. Mon cerveau avait d'ailleurs bien assimilé l'information, puisque je n'avais pas cherché à analyser l'échec ou le succès des deux premières rencontres. Je n'avais d'ailleurs ni espéré ni attendu qu'il m'appelle.

Sur le chemin du retour, il se mit à me brosser le portrait de ses meilleures cuites, des pires fiestas à la marijuana, de ses incursions dans le monde de l'acide, et détailla la première fois qu'il avait essayé la cocaïne. Plutôt que de freiner cette descente aux enfers, je renchéris avec mes premiers déboires arrosés.

— Un soir, j'avais tellement ingurgité de vodka que je fus incapable de me souvenir du déroulement de la soirée. Le lendemain, ce sont les gens qui assistaient à cette fête qui m'ont tout raconté.

— La noirceur totale ! Wow ! Ça ne m'est jamais arrivé !

Bravo, Élisabeth, c'était un à zéro pour l'alcool. Battu à plate couture. Mais blanchiment complet du côté de la cocaïne.

Pendant qu'il s'évertuait à me décrire ses copieuses libations de la veille, écorchant au passage le conditionnel, ponctuant ses phrases de sacres qui faisaient office tantôt d'adjectifs tantôt d'adverbes, je dressais mentalement une liste des meilleurs endroits où il aurait pu étendre son imposante anatomie d'un mètre quatre-vingt-dix sur la mienne afin que je puisse profiter rapidement de sa peau bien dorée, prête à être consommée, dégustée, savourée. Je voulais m'empiffrer. J'avais envie d'excès. Quitte à vomir par la suite.

— C'est drôle, mais je n'ai jamais bu pour vomir ! conclut-il.

Il avait de l'à-propos, ce Voisin. Je n'avais pas suivi ce qu'il racontait, mais à mon grand soulagement, nous étions enfin arrivés. Heureusement, car sa familiale ne s'avérait pas un bon choix pour entamer une histoire : spacieuse oui, cependant trop exposée à la lumière du jour.

Le coloc était sorti. Baiser tendre dans le salon…

— Tu sens vraiment bon, dit-il en me regardant dans les yeux.

Il prit mon visage dans ses mains, m'embrassa délicatement sur les lèvres, puis dans le cou, dévêtit mon épaule avec la lenteur d'un film de Wong Kar-wai, y posa sa bouche.

Les préliminaires risquaient d'être longs. Il avait sûrement lu *Comment la rendre folle de vous* ou

177 façons d'emmener une femme au septième ciel. J'entrepris d'enlever son tee-shirt blanc, qui lui seyait parfaitement en accentuant la couleur caramel de sa peau. Puis, je caressai chacun de ses muscles. Des courbes dessinées avec la perfection d'un plan d'ingénieur - excluant ceux qui ont servi à construire la plupart des viaducs montréalais -, calculées avec des formules mathématiques complexes.

Je déboutonnai son pantalon, le fis tomber tranquillement en caressant ses fesses bien rondes et aussi solides qu'une carrosserie de Porsche! J'avais toute une sportive entre les mains! Il prit justement mes mains pour arrêter un instant mes démarches.

— Je dois prendre des forces avant l'exercice qui s'en vient, dit-il en me terrassant avec ses yeux ensorceleurs. Je dois tout prévoir pour ne pas tomber en hypoglycémie. Tu comprends?

Il se dirigea vers la cuisine en soutenant mon regard, ouvrit le réfrigérateur, me sourit, puis but une gorgée de boisson gazeuse sucrée. Son diabète rattrapait nos ébats. Une interruption qui me fit réaliser que je ne pouvais plus reculer. Nous devions faire de l'exercice, sinon je serais responsable de son hyperglycémie, de son «trop de sucre».

Nous pénétrâmes dans sa chambre à pas de félins, gracieux et langoureux. Debout, il fit danser ses doigts de virtuose sur les bonnes notes, suscitant rapidement une ovation de ma part pour cette ode au plaisir. Je retirai d'un coup son caleçon Calvin Klein afin qu'il n'y ait aucune interruption à cette prestation. C'est à cet instant précis que je découvris LE RESTE. Il était imberbe de la tête aux fesses. Son membre avait l'air complètement perdu dans ce désert de peau. Abandonné à lui-même. Dépourvu de poils, son pénis avait des airs juvéniles. Il manquait de masculinité. J'essayai de rester impassible.

— Je n'avais pas prévu qu'on fasse l'amour, alors je ne me suis pas rasé. En fait, ça fait trois jours que je ne me suis pas rasé. Excuse-moi!

Je m'entendis lui répondre:

— Ça ne me dérange pas.

Je n'étais quand même pas pour dire à cette belle bête sauvage baraquée qu'il manquait de virilité. La police se serait empressée de m'emmener dans un hôpital psychiatrique. Pour détourner mon attention, je lui demandai s'il avait des condoms. Il se leva, fouilla dans quelques tiroirs - son dos me coupa le souffle -, puis revint avec un condom.

— C'est mon dernier.

La symphonie reprit de plus belle. Ce surnom, «bête sauvage», lui allait comme une deuxième peau. Je me transformai en gazelle pour mieux me faire dévorer. Le concert s'était vite perverti en affrontement torride. Après avoir crié mes dernières notes, j'évaluai les dégâts: morsures d'homme bien visibles à trois endroits dans le cou et sur l'épaule, bleus sur les seins et les fesses. Et une irritation du côté des parties intimes.

— C'est la première fois que je fais l'amour avec quelqu'un qui se rase le pubis, et je crois que l'expression «se raser de près» devient primordiale dans une telle circonstance. Disons que ça écorche un tantinet!

— Excuse-moi, je vais me raser la prochaine fois.

— Tu dois trouver que je suis poilue avec ma coupe brésilienne, que je suis un peu comme l'homme du couple? risquai-je.

— Euh... ça va. C'est pas trop pire. Il y a des filles qui ont vraiment des forêts amazoniennes. On les appelle, mon coloc et moi, les « chtougnes », parce que lorsqu'elles enlèvent leurs petites culottes, ça fait « chtougne » : tous les poils rebondissent !

Il riait aux éclats. Dans la lumière de l'après-midi qui s'achevait, je le regardais rire de bon cœur et je me disais à quel point j'avais de la chance d'être étendue à ses côtés.

— Tu me disais que tu excellais dans la cuisine ? J'aimerais bien que tu viennes chez moi me cuisiner quelque chose. Disons jeudi ?

Il acquiesça en m'embrassant lascivement. Puis, sa bouche se dirigea vers ma poitrine.

— Tes seins sont vraiment incroyables, susurra-t-il entre deux baisers.

J'étais impressionnée. Malgré ses 22 ans, Le Voisin me renversait par sa maturité sexuelle. J'avais l'impression qu'il connaissait la femme par cœur, ses moindres zones érogènes, tous ses désirs secrets et ses appréhensions. Il battait à plate couture ses comparses plus âgés. Une ribambelle de néophytes, voire d'ignares, qui n'avaient pour seule référence que le porno, parce que trop paresseux ou trop orgueilleux pour chercher plus loin. Savoir baiser, pour l'homme, c'est inné, non ? NON !

CHAPITRE 9

Quatre jours plus tard, Le Voisin sonna à mon appartement de la rue Woodstock avec quarante-cinq minutes de retard. Un problème de réseau l'avait retenu à son boulot.

— Heureusement que je ne suis pas peureux ! Avec la boutique qu'il y a en bas de chez toi, tu as sûrement eu des rendez-vous manqués ? Des gars qui se sont sauvés en courant avant même d'avoir sonné à ta porte ?

— C'est vrai que pour un homme du XXIe siècle, ça peut être effrayant de fréquenter une fille qui habite au-dessus de l'atelier d'une designer comme celle-là !

— Quand j'ai vu les robes de mariée dans la vitrine, j'ai trouvé ça charmant, mais je suis certain que ceux qui ont peur de l'engagement doivent trouver ça un peu fatigant. C'est comme s'ils s'en allaient se pendre chaque fois qu'ils te rencontraient chez toi.

— Belle conception du mariage ! Mais je suis contente que tu ne sois pas effrayé par deux robes blanches sur des mannequins de plastique !

— Je t'ai apporté une boîte de sushis et des muffins pour me faire pardonner, dit-il en souriant. Est-ce que je peux prendre une douche ? Je me sens sale, j'ai travaillé toute la journée.

Est-ce qu'il essayait de me jouer une scène du film *Top Gun* ? Contrairement à la vedette féminine du film, j'avais faim, mais je lui permis de se doucher pendant que je m'empiffrais de sushis. La salle de bain donnait directement sur la cuisine, et il prit soin de laisser la porte ouverte.

Lorsqu'il sortit de la douche, il se dressa nu devant moi et entreprit de s'essuyer en me regardant dans les yeux. Je n'attendis pas d'invitation plus formelle. Baiser langoureux, caresses évocatrices... Au bout d'une demi-heure de préliminaires, debout dans la salle de bain, il sortit de son sac à dos, déposé un peu plus tôt à côté du bain podium, une boîte de condoms fraîchement achetée. Une fois la protection enfilée, nos deux corps s'unirent plus en profondeur, lui debout, moi la moitié des fesses dans le lavabo. La position étant peu confortable, nous décidâmes de changer d'endroit. C'est alors que j'aperçus le condom. Déchiré. La première fois de ma vie sexuelle que cela se produisait.

— Heureusement qu'on n'a pas de maladies vénériennes! lançai-je.

— Dégueulasse, je n'ose pas y penser.

Il essaya de remettre un autre condom de la même marque, puis un deuxième, un troisième, sans succès. Il était incapable de les remonter jusqu'à la base de son pénis sans qu'ils se déchirent.

— C'est quoi, ces foutus condoms?! Laisse-moi la boîte, je vais écrire à la compagnie. En attendant, reste ici, je vais aller à la pharmacie pour en acheter d'autres. C'est à deux minutes à pied, au coin de la rue Victoria.

— Non, non, je viens avec toi.

À la pharmacie, je choisis deux boîtes de marques et de sortes différentes: super sensibilité et extra large. On n'est jamais trop prudent. J'attrapai ensuite de l'huile à massage et du lubrifiant, ce que tous les sexologues, infirmières et médecins conseillent contre les bris de condoms.

— Voyons, t'as pas besoin de ça, tu mouilles assez! s'écria-t-il, assez fort pour que les clients de la dernière rangée du fond, en train de se choisir du savon à lessive ou des papiers-mouchoirs, puissent entendre.

J'aurais voulu me dissimuler sur la tablette en face de moi, derrière les boîtes de préservatifs et de lubrifiant, mais il n'y avait pas assez de place pour mon mètre soixante-dix-huit.

— Je sais que je suis très excitée en ta compagnie, lui susurrai-je bien loin au creux de son oreille. C'est pour prévenir les déchirures. T'as coulé tes cours de sexe au secondaire? ajoutai-je avec un sourire narquois.

De retour à l'appartement, les festivités purent reprendre leur cours. J'avais acheté une bonne bouteille de vin rouge, et il cuisina l'agneau que j'avais pris à boucherie du coin. La nuit fut chaude et agréable, nus l'un contre l'autre.

Le lendemain, il partit tôt pour faire du canot-camping avec ses copains. En sortant du lit, j'allai comme chaque matin aux toilettes. Je me sentais un peu irritée. À cause des ébats bestiaux, probablement. Le soir, lors d'une autre visite aux toilettes, j'aperçus des pertes blanches. Bientôt, les démangeaisons se mirent de la partie. Ah non! Pas une maudite vaginite!

Le matin suivant, c'était intolérable. Je décidai de jeter un coup d'œil aux parties endommagées. Ce que je vis dans le miroir me rappela brutalement une phrase qui m'avait marquée à l'école secondaire dans un cours sur la sexualité : pertes blanchâtres qui ressemblent à du fromage cottage = MTS. Ouache! Encore une fois, j'allais tomber dans les damnées statistiques: recrudescence de MTS chez les jeunes.

Je pris l'annuaire téléphonique et composai le numéro des cliniques d'urgence, ouvertes le samedi matin, pour dénicher un médecin de sexe féminin. Horrifiée par ma découverte et incapable de maîtriser mes séances de grattage extrême, je courus vers le centre médical que j'avais réussi à trouver.

Le docteur Long, une Asiatique dans la cinquantaine qui estropiait le français, fut catégorique:

— Oh là là! Très infecté! C'est peut-être vaginite, mais très infecté. Pas prendre de risque, donner tous médicaments pour vaginite et chlamydia. Nouveau partenaire?

— Euh... oui, bredouillai-je, mal à l'aise.

— Vous, le revoir?

Pour qui elle me prenait? Je ne couchais pas à gauche et à droite!

— Oui, oui.

— Son nom? Je vais faire prescription. Il faut traiter ensemble.

Il ne manquerait plus que ça. Que son nom de famille ne me revienne pas à l'esprit!

— Il est diabétique, est-ce qu'il peut prendre ce genre de médicament? demandai-je, trop attentionnée envers celui qui venait probablement de me refiler une maladie qui peut rendre infertile.

— Oui, pas problème. J'appelle quand résultat de test. Deux semaines environ.

Le dimanche soir, j'attendais le retour du Voisin, impatiente, à côté du téléphone. À 22 h, comme il n'avait pas encore donné signe de vie, je composai son numéro.

— Je viens juste d'arriver.

— Tu as passé une belle fin de semaine? dis-je avec charme et sourire dans la voix.

— Oui, excellente!

— Est-ce que je peux aller chez toi?

— Maintenant? répondit-il, surpris.

— Oui.

— D'accord, je t'attends.

Dans les circonstances, l'attitude appropriée et légitime aurait été de l'engueuler jusqu'à la rupture de mes cordes vocales ou de le frapper en lui lançant au visage des insultes minutieusement choisies. Cependant, j'avais élaboré un autre plan en attendant mon tour au centre médical. J'avais choisi d'opter pour un comportement inattendu dans le but de le désarçonner, de le déstabiliser et de lui faire perdre tous ses moyens.

Debout devant la porte de son logement, j'adoptai une contenance détendue, confiante et séduisante. Je portais un top irrésistible, mes cheveux chocolat étaient bien coiffés et j'avais le teint parfait. Il ouvrit et m'embrassa doucement en me serrant dans ses bras. Son coloc était là. Ce n'était pas le moment.

J'eus droit au récit complet et détaillé des exploits de la fin de semaine. Tout à coup, Le Voisin se rappela qu'il devait aller chercher du lait à l'épicerie. Là-bas, j'attendis encore le bon moment. Finalement, dans la voiture, je pus lui jouer mon petit scénario:

— J'aimerais te poser une question et que ta réponse soit honnête.

— O.K., vas-y.

— Avant de coucher avec moi, c'est quand, la dernière fois que t'as eu des relations sexuelles avec une fille?

— La semaine dernière, dit-il sans hésiter.

Merveilleux! Quelques jours d'intervalle. Heureuse de savoir que je faisais partie d'une collection abondante! Telle est la solution à l'énigme de ta grande maturité sexuelle: la pratique intensive.

— Est-ce que tu te protèges toujours?

Il prit un temps pour réfléchir. Mauvais signe.

— Euh... Bien, je pense que oui.

— Tu penses?

Nous étions de retour dans l'aire de stationnement à côté de son appartement.

— Eh bien, mon cher, j'ai un joli cadeau pour toi, dis-je doucement avec mon plus beau sourire.

Je sortis un papier de mon sac à main.

— Voilà ton ordonnance. Tu as une ITS, une infection transmissible sexuellement ou, si tu préfères l'ancienne appellation, une MTS!

Il avait maintenant très chaud. Éclairé par la lumière au plafond de sa voiture, son front luisait.

Le Voisin resta sans voix un moment. Des gouttes de sueur se mirent à perler sur ses tempes, puis descendirent le long de son visage.

— C'est agréable, non? Une belle expérience? ajoutai-je, toujours avec mon grand sourire et mon calme olympien. Tu vas voir, les médicaments sont faciles à prendre. Tu as cinq comprimés à ingurgiter d'un coup. Par contre, ça donne la diarrhée et des maux de cœur.

— Je m'excuse, essayait-il d'articuler, le souffle coupé.

La sueur avait maintenant envahi le col de son teeshirt bleu. Il réussit à formuler une phrase complète.

— J'essaie de penser qui aurait bien pu me donner ça...

Les lettres rouges du slogan « Sauvons Kyoto », imprimées sur son vêtement, devenaient plus foncées à cause de la sécrétion de ses liquides organiques qui s'intensifiait.

— C'est peut-être la coloc de mon ami. Un party, on était soûls et on a couché ensemble sans condom. Mais c'était en avril, affirma-t-il. J'aurais ça depuis avril ? T'es bien sûre que c'est une MTS ?

Le Voisin m'avait raconté qu'il avait subi récemment un test de dépistage et qu'il se protégeait à chaque relation... Balivernes ! Sans hésitation, même si le Dre Long avait un très léger doute, je répétai le diagnostic :

— Oui, oui. La médecin est certaine que c'est une ITS. Est-ce que tu vas en parler à la coloc de ton ami ?

— Non. C'est pas si grave que ça…

— Pas si grave ? Si elle tarde à se faire soigner, elle sera infertile. Comme c'est probablement la chlamydia, elle aura des trous dans les trompes de Fallope. Moi, j'ai eu des symptômes, mais d'habitude il n'y en a pas. Ce serait *cool* que cette fille-là puisse décider elle-même si elle veut avoir des enfants plus tard.

La bête sauvage s'était transformée en gazelle aux pattes cassées. C'est moi qui le dévorais tout cru et m'acharnais sur sa chair fraîche. Son tee-shirt nécessitait un essorage. Le Voisin aurait besoin de beaucoup d'imagination pour expliquer la situation à son coloc en rentrant chez lui.

Les jours suivants furent étranges. Le Voisin me téléphona plusieurs fois, voulut dormir avec moi, me laissa des messages à la fois retenus et enflammés. Je ne l'avais peut-être pas assez remué puisque, sans honte, il me recontactait.

J'écoutais ses messages et, pour me convaincre de ne pas lui téléphoner, je me rappelais qu'il sacrait beaucoup et qu'il avait la fâcheuse manie de se décrotter les oreilles à tout moment. Son plus grand talent était sans contredit l'art de baiser. Vu l'état de mes routes, et ne disposant d'aucun bilan honnête sur les conditions réelles des siennes, il était hors de question d'emprunter le chemin de l'amour. Qui sait? Après une commission d'enquête, on découvrirait peut-être de l'herpès contrôlé avec des médicaments, le VPH ou un VIH oublié.

Je le rappelai finalement une semaine plus tard, après avoir reçu le diagnostic précis du docteur Long.

— Vous avez eu chlamydia. Il faut faire examen dans six semaines pour vérifier que maladie partie. Dire aussi à votre partenaire.

Je choisis un moment durant lequel j'étais certaine de tomber sur son répondeur: l'après-midi. Son coloc allait revenir avant lui et prendre le message suivant:

— Salut, c'est Élisabeth. Je t'appelle pour te dire que la maladie vénérienne que tu m'as transmise, c'est la chlamydia. La médecin m'a dit de transmettre le message suivant à la personne qui m'avait transmis l'ITS ou, si tu préfères, la MTS: tu dois aller te faire examiner dans six semaines pour t'assurer que la MTS ou ITS a disparu. Et la médecin a ajouté que tu devrais en profiter pour faire un test de dépistage du VIH. Bonne soirée.

* * *

Comme je n'apprenais pas de mes erreurs, trois autres histoires pathétiques succédèrent à celle du

Voisin. Si bien qu'à bout de souffrance, je tentai de me suicider en mangeant des gras trans. Je croyais vraiment que la mort viendrait. Seulement quatre petits craquelins par jour, des craquelins cuisinés avec des huiles hydrogénées, peuvent entraîner des problèmes cardiaques.

Donc, je m'en gavai. Je m'empiffrai aussi de beignes aux gras trans, de biscuits aux pépites de chocolat aux gras trans, ainsi que d'un mélange de noix et fruits séchés aux gras trans. Hélas ! oui, même dans certaines collations dites « santé », on camoufle du *shortening* et des huiles hydrogénées. Après sept jours à ingurgiter ce poison légal, la mort ne vint pas me visiter. Je retournai à mon régime équilibré.

Mon dossier prioritaire « hommes » m'avait fait prendre du retard dans la rédaction de mon mémoire. Je dus alors opter pour une vie de monastère et me consacrai uniquement à mes études. Un hiver ensevelie sous mes papiers, à l'image de la nature qui se détraquait en battant des records de précipitations. Aux bulletins de nouvelles, le déneigement des rues de Montréal semblait encore plus terrible que la reconstruction de l'Afghanistan.

CHAPITRE 10

De retour au 1er juin, dans le bar branché où je célèbre l'obtention de mon diplôme...

Ma montre indique maintenant 23 h. Notre soirée exceptionnelle ne s'est pas encore pointée. Aucun homme n'a attiré notre regard. J'ai finalement accepté de partager la bouteille de champagne de Virginie. Cependant, les bulles n'ont pas réussi à alléger mes idées.

— Ça me prend un homme romantique, quelqu'un qui ne pense pas qu'au sexe. Quelqu'un qui n'insistera pas pour que j'embrasse d'autres filles parce que c'est soi-disant la mode. Qui n'essayera pas de me convaincre qu'il faut absolument faire tout ce qu'on voit dans les films pornos parce que c'est ça, la norme. Non mais, c'est quoi, cette propagande?!

— Justement, le lavage de cerveau fonctionne. Je suis tombée sur un sondage qui disait que 30% des femmes consommaient de la porno, entre autres parce que les films contribuent à l'apprentissage de leur sexualité.

— Ça y est! On recule! Mis à part ton amoureux, est-ce que ça se peut, un gars romantique?

— Martin t'a présenté plusieurs de ses copains... Tu es trop difficile, mon amie!

— Peut-être... T'as oublié celui qui passait ses soirées à discuter de ses concours de haut-parleurs de voiture? Si au moins il avait modifié lui-même les haut-parleurs pour qu'ils sonnent le plus fort possible.

— C'est vrai qu'il n'avait pas grand-chose à raconter. Mais les deux ingénieurs ?

— Ils étaient sympathiques, mais j'ai besoin de ressentir quelque chose en leur présence, un frisson, un vertige, des palpitations, tu comprends ? Je ne veux pas me contenter d'un amour ennuyant.

— Et quoi d'autre, sur ta liste impossible ?

— Tout ce que je veux ?

— Pourquoi pas !

— Intelligent, conversation agréable, qui aime danser, faire la cuisine, voyager. Et même si je sais que les féministes des années 1970 me lanceraient leurs soutiens-gorge au visage en signe de désapprobation, j'ajoute également : savoir se servir d'un marteau. C'est toujours pratique dans une maison !

— Bonne chance ! En attendant ton prototype, on se commande autre chose à boire !

Virginie marque une pause, recoiffe ses cheveux blonds d'une main et ajoute d'un ton alarmiste en me regardant droit dans les yeux :

— Demande au serveur quelque chose de très fort.

— Qu'est-ce qui se passe ?

— Je te paye le verre.

— Mais non, c'est à mon tour.

— J'en ai encore des remords...

— Mais dis-moi ce qu'il y a, Virginie ! Tu me fais une blague ou quoi ?

En jetant un regard par-dessus mon épaule, je comprends tout de suite pourquoi ma copine est soudainement en proie à une angoisse subite. Je tente une millième fois de la rassurer.

— Arrête, je ne t'en ai jamais voulu. Ça partait d'une bonne intention. D'ailleurs, ça ne me déprime pas du tout de le revoir, celui-là. Je te dirais même que ça m'amuse. On est là pour célébrer, non?

Un sourire malicieux vient de se pointer sur mon visage, en même temps que ce fantasme me revient à l'esprit. Une idée qui m'a longtemps obsédée et que je croyais ne jamais voir se concrétiser. Le destin a décidé ce soir de me donner un coup de pouce, et je compte bien en profiter. Virginie n'arrive pas à saisir ce qui trotte dans ma tête. Elle me regarde, interloquée.

— Je ne comprends pas comment la présence du Voisin peut te réjouir.

— T'as envie de t'amuser?

— Je ne te suis pas...

— Ma chère amie, tu seras aux premières loges. Viens avec moi!

Virginie se lève avec la lourdeur de ses regrets sur les épaules. Elle replace sa jupe à volants et accepte de m'accompagner.

Le Voisin se tient à côté du bar. Sa chemise ajustée à manches courtes nous indique qu'il continue de faire de la musculation. Ses cheveux, qui semblent noirs avec l'éclairage sombre de la pièce, ont suivi la dernière tendance. Cette page de magazine de mode format humain est en train de discuter avec une jolie rousse au teint clair. Il se penche vers elle, à intervalles réguliers, pour lui dire des mots qui la font chaque fois éclater de rire. Toujours crédible dans son rôle de bête sauvage séductrice, puisqu'il s'en tient au même scénario qu'il a sûrement joué des centaines de fois.

La musique n'empêche pas encore les clients du bar de s'entendre. Mon fantasme n'attend que moi pour être réalisé. Je m'avance vers Le Voisin, me positionne entre lui et sa victime. Virginie vient se placer à mes côtés. Puis, je m'introduis brusquement dans leur conversation, telle une bombe, sans avertissement, en faisant éclater ma joie comme si je revoyais mon meilleur ami perdu et enfin retrouvé.

— Comment vas-tu, ma belle bête sauvage?!

Je crie un peu trop fort, mais impossible de reculer. Je lui colle de gros bisous sur les joues. Visiblement, il est secoué. Sa victime ne rit plus. Aucun mot n'arrive à sortir de sa bouche si douée pour les baisers. Il ne retrouve pas son scénario. Virginie l'embrasse à son tour en bredouillant un timide bonsoir. Je poursuis mon monologue avec un enthousiasme exagéré:

— Est-ce que c'est ta nouvelle copine?

Il n'a pas le temps de répondre. Je me penche vers la rousse, me présente tout en l'embrassant à son tour.

— Élisabeth, ma copine Virginie, la voisine de ton amoureux. La soirée est super, non? J'espère que vous vous amusez bien.

Les deux protagonistes de mon fantasme modifient légèrement l'expression de leur visage, ce que j'interprète comme une réponse affirmative. Le moment arrive enfin. Je prends une grande respiration à partir de mon diaphragme, comme les chanteurs d'opéra, pour pousser la bonne note très forte, aux limites du hurlement. La dernière note doit être entendue par un public élargi.

— Est-ce que ta chlamydia est enfin guérie?

Les deux têtes blanches, qui n'ont pas quitté leurs tabourets, se retournent. La barmaid arrête un instant de verser une bière dans un verre. Je répète encore une fois pour être certaine que tout le monde a bien entendu.

— Ta chlamydia, que tu avais depuis des mois et que tu as distribuée à gauche et à droite, est-elle guérie?

La serveuse, qui passait derrière nous avec son plateau, éclate de rire en retenant ses verres. Deux clientes assises au bar se retournent et font une moue de dégoût. Le Voisin s'empresse d'articuler un « oui » à peine audible pour s'assurer que je ne répéterai pas une fois de plus la question humiliante. Ses tempes s'humidifient. Une impression de déjà-vu...

— Bon, alors tant mieux! C'est réglé. Heureuse de savoir que tu es en bonne santé. Bonne chance à vous deux, les tourtereaux.

Je les salue de la main et retourne tranquillement m'asseoir avec Virginie à notre table. Martin arrive au même moment. Il s'assied avec nous après avoir embrassé langoureusement sa copine.

— Ce n'est pas « monsieur Bibittes » qui est au bar, là-bas?

— Oui, et tu as raté tout un spectacle, mon amour, s'esclaffe Virginie. Vraiment, Élisabeth, tu m'as épatée.

— Toutes les conditions gagnantes étaient réunies. Je ne pouvais pas laisser passer ma chance.

— Bon, arrêtez le suspense, les filles!

Il marque brusquement une pause pour envoyer la main au Voisin qui marche d'un pas rapide en direction de la porte. Seul. Martin poursuit:

— Est-ce que je vais être obligé de vous payer des *shooters* pour réussir à vous faire parler?

Pendant que Virginie consent à lui révéler le dernier épisode de la saga *Le Voisin*, je sens déjà l'euphorie de cette réussite se dissiper tranquillement. Le but premier de la soirée, c'est de fêter la consécration de plusieurs années de travail, mais ma condition de célibataire me pèse. Tous les représentants du sexe opposé, présents ce soir dans ce bar, m'indiffèrent. Un constat décourageant.

Je suis prostrée sur ma chaise, abattue. Ma bière goûte la déprime. Tous mes échecs sentimentaux de la dernière année me reviennent en tête. Un groupe de musique vient de commencer son concert. Je n'entends plus Virginie et Martin. Mon fessier est toujours posé sur cette chaise en bois, mais je me sens loin, à l'extérieur de mon corps. Mon regard erre sans itinéraire précis.

Soudain, mes yeux croisent par hasard ceux d'un inconnu qui pénètre avec ses amis dans le bar sombre. Il soutient mon regard tout en s'avançant tranquillement, dans un effet de ralenti. J'ai la vue brumeuse, même s'il n'y a plus de fumée depuis des années dans les débits de boisson. Ce contact dure un moment, que j'ai de la difficulté à quantifier. J'ai le souffle coupé. L'homme se trace un chemin et disparaît à travers les fêtards maintenant nombreux et les prédateurs de célibataires. Je n'ai même pas remarqué son visage.

Je repense à ce qui vient de se produire et j'ai l'impression d'être projetée dans un chef-d'œuvre cinématographique. Un film d'époque dont l'action se déroule pendant les années du romantisme, au XIXe siècle. Sans les immenses robes au corset pigeonnant. Sans le décor de château extravagant de style rococo. Faute de budget, ça coûte trop cher à produire. Mais cette grande émotion romanesque est bien là et m'a envahie lorsque j'ai regardé vers la porte d'entrée.

J'ai à peine le temps de me ressaisir, d'essayer de comprendre pourquoi mes yeux sont tombés, sans raison, dans ceux de ce nouveau client, qu'il passe à côté de moi en m'adressant un sourire. Un visage aux traits fins et réguliers. Il poursuit sa route. Son profil est agréable, puis voilà son dos, solide, avec des épaules carrées.

L'inconnu et ses copains choisissent de s'installer debout près du bar, en diagonale avec notre table. Lui se positionne directement face à moi. Son tee-shirt noir ajusté trahit son torse svelte et ferme. Ses cheveux sont savamment décoiffés. Il me regarde. J'en suis sûre. Je ne divague pas. Même si j'ai vu de la fumée, un effet de ralenti et un décor de cinéma…

CHAPITRE 11

Martin décide d'aller au bar chercher des *shooters*. Des recettes spécialement conçues pour l'occasion, promet-il, pour célébrer à la fois nos maîtrises et l'audace dont j'ai fait preuve avec « monsieur Bibittes ». Virginie se tourne vers moi et me demande quel est l'objet de mon attention si soutenue.

— Le gars là-bas, aux cheveux châtains. Il me regarde du coin de l'œil. Je ne sais pas quoi faire.

— Il a l'air mignon.

— Oui. Si je me fie à son look branché, il doit sûrement être serveur ou barman. Avec un peu de chance, il a peut-être son diplôme d'études secondaires.

— Que de préjugés !

— Je sais... Ce sont mes échecs amoureux qui me font parler comme ça...

— C'est sûr qu'il n'a pas l'air d'un ingénieur. Quoique j'ai fait du bon travail avec mon Martin, tu ne trouves pas ?

— Effectivement, les vêtements que tu lui achètes sont très *cool* !

J'aperçois justement Martin, avec une chemise originale et bien coupée, qui vient d'entamer une conversation avec un client qu'il semble connaître depuis longtemps.

— Bon, mis à part sourire - ce que je fais depuis quelques minutes et si ça continue je vais avoir une crampe à la mâchoire –, comment dois-je procéder? Est-ce que je vais lui parler?

— Non, surtout pas, lance-t-elle, presque effrayée par mes propos. Tu as déjà testé cette technique et, si tu te souviens bien, elle ne fonctionne pas.

— T'as raison. Selon toutes les études que j'ai consultées, quand on joue le rôle de l'homme, il a peur et se sauve en courant. On doit les laisser nous chasser.

— Oh! merde! s'écrie soudain Virginie. Il y a des filles dans leur petit groupe.

Je n'ai pas le temps d'être déçue qu'un garçon aux cheveux noirs s'éclipse de la cohorte pour s'approcher de nous.

— Je suis d'accord avec vous, lance-t-il en guise d'introduction, avec l'accent du pays de mes ancêtres, à moins qu'il n'ait fait ses études au Collège français.

— Avec quelle partie de la conversation, au juste? réplique Virginie.

— La dernière. Je crois que c'est une hypothèse maintes fois confirmée, affirme-t-il avec un mélange d'intelligence et de gentillesse. Moi, c'est Laurent, dit-il en nous tendant la main.

— Je m'appelle Élisabeth, et voici ma copine Virginie.

Comme si ma vie devait se jouer à cet instant précis, sans réfléchir, je fonce droit au but.

— Est-ce que c'est ton ami là-bas, près du bar, avec le tee-shirt noir et les cheveux en l'air?

— Oui.

— Est-ce qu'il a une copine?

— Oui.

Virginie me donne un coup de pied. Ses pupilles rondes, exorbitées, me signalent que j'y vais un peu fort, que je suis trop rapide.

— Dommage…

— Est-ce que c'est tout ce que tu veux savoir?

Il n'attend pas ma réponse et repart vers le bar pour ramener son copain avec lui. Virginie a tout juste le temps de me glisser à l'oreille que mon audace, cette fois, est mal contrôlée.

— Je n'ai rien à perdre, il a une copine. Et comme ce n'est pas ma soirée, il doit être trop jeune.

L'inconnu m'offre un large sourire et me tend la main.

— Simon-Yakim. C'est ma mère qui a lancé la mode des noms composés qui ne vont pas ensemble, s'empresse-t-il d'ajouter. Mais tout le monde m'appelle simplement Simon.

Il s'adresse ensuite à son ami:

— Elle a un beau sourire, tu ne trouves pas? Et elle est très jolie.

— Entièrement d'accord avec toi.

Je suis décontenancée par leur technique de drague et peine à trouver une question intelligente.

— Je m'appelle Élisabeth. Que faites-vous dans la vie, chers messieurs?

— Mon ami travaille dans la pub et moi, je suis ingénieur, répond Simon.

Virginie me défonce le tibia avec le bout pointu de sa chaussure. Douloureux, le retour de la mode des années 1980!

Martin revient avec une dizaine de *shooters* variés. Laurent et Simon ne semblent pas effrayés par le coq qui entre dans sa basse-cour. Nous trinquons ensemble. Lorsque les deux gaillards apprennent que je parle russe, ils se mettent à fredonner en chœur un air que je ne connais pas, un grand succès du Chœur de l'Armée rouge. Le concert terminé, Simon me demande mon numéro de téléphone, qu'il inscrit dans le paquet de cigarettes de Laurent. Puis, il ajoute avant de nous quitter :

— Si jamais vous avez envie de nous suivre, un nouveau bar vient d'ouvrir sur le boulevard Saint-Laurent. Nous partons dans une dizaine de minutes. Vous êtes les bienvenus. Ce serait agréable de vous voir là-bas.

CHAPITRE 12

— J'ai l'impression que tu viens enfin de rencontrer quelqu'un de bien, déclare Martin. Si je me fie à mon flair de mâle, on est loin de tous ces crétins que tu nous as présentés ou qu'on t'a présentés depuis un an, ajoute-t-il en faisant un clin d'œil à Virginie.

— J'abonde dans le même sens que toi, mon amoureux. Un ingénieur, c'est toujours un bon choix, roucoule-t-elle en lui caressant la nuque. En plus, il semble cultivé, gentil, il est très sexy... Bon, pas autant que Martin, évidemment ! Il parle russe, comme son ami d'ailleurs ! C'est un signe. Ah oui ! Je le sens, c'est un signe du destin ! Ils sont rares, les Québécois qui prennent des leçons de russe.

— Et il a une copine, dois-je vous le rappeler.

— Avant de déchanter, les filles, je dois vous dire ce que son ami Laurent m'a dit avant de partir. La copine en question, ça ne serait pas du sérieux, selon lui. Bon, pourquoi a-t-il tenu à me dire ça ? Je n'en ai pas la moindre idée... Mais c'est peut-être vrai.

Je ne sais pas à quelle conclusion me ranger. Au fond de la salle, les membres du groupe de musiciens reprennent leurs instruments et entament la deuxième partie de leur prestation. Les décibels s'élèvent et interrompent nos réflexions. Résigné, le couple se tourne en direction du spectacle.

Je regarde ma montre DKNY offerte par ma marraine: elle indique 1 h 30. Tout à coup, une langue attaque mes lèvres et s'enfonce dans ma bouche. Elle farfouille pour trouver la mienne. Cette salive, ce goût... un peu acide, m'est familier. Je lève les yeux. J'en étais sûre. Virginie et Martin me regardent, abasourdis par cette scène surréaliste.

— Et puis, ma chérie, êtes-vous avancées dans vos célébrations?

Le choix de ses mots, qui laissent présumer une complicité digne d'un couple, me plonge dans une honte profonde. Aucune réplique ne me vient à l'esprit, seulement un malaise intense. C'est Virginie qui prend les devants.

— On ne t'a pas invité. Va-t'en!

— Comment ça, on ne m'a pas invité? Élisabeth, tu ne leur as pas raconté?

Le couperet tombe. Je suis démasquée. Mes idées se bousculent si vite dans ma tête que j'en suis tout étourdie.

— Je suis étonné que tu n'aies pas tout raconté à ta copine, comme tu l'as fait pendant huit ans, insiste Guillaume. Parfois j'avais l'impression qu'on était trois dans le lit, puisque tu détaillais tous mes gestes. Tu n'as pas eu le temps de lui glisser un mot à propos de samedi dernier?

Six pupilles braquées sur moi attendent une explication.

J'ai honte. Je n'ai pas osé dire à quiconque que j'avais revu Guillaume. J'ai menti à tout le monde, même à ma meilleure amie qui m'est très chère. Parce que je me sentais lâche de m'abandonner à un comportement illogique, moi, l'universitaire cartésienne. Indigne de mon intelligence émotionnelle, je n'ai pas su résister. Des faiblesses inavouables. Et en faisant ces choix vils et bas, j'avais pourtant l'impression de contrôler la situation.

Lorsque Guillaume rentra de Toronto, une semaine plus tôt que prévu, il insista pour me revoir. Déprimée par mes lamentables conquêtes, j'avais abdiqué déjà depuis plusieurs semaines et renoncé aux relations sexuelles. Par conséquent, le retour de mes bonnes vieilles pantoufles confortables et satisfaisantes me fit revoir mes traités de guerre.

Pour rendre cependant la possession de mon corps ardue - mon ex m'avait quand même larguée un an plus tôt -, je l'astreignis à une séance intensive de rabrouement à propos de l'amoralité de ses gestes et de leurs conséquences. Plus il se faisait insistant, plus je répétais des théories à propos de la confiance perdue et de l'impossibilité de la faire revivre. Il finit par jouer le tout pour le tout: « Je t'invite dans le resto de ton choix, le plus cher si tu veux. J'ai les moyens maintenant, j'ai fait beaucoup d'argent à Toronto. Je ne suis pas passionné par mon travail, mais je fais du *cash*, c'est ça qui compte. Alors, choisis où tu veux aller et j'aurai le temps du repas pour te convaincre de te marier avec moi. Je suis revenu pour ça. »

Je n'arrivais pas à comprendre comment un homme logique, au jugement aguerri, pouvait croire un seul instant que la femme qu'il avait quittée sauvagement puisse accepter si facilement, non seulement de revenir avec lui, mais, par-dessus le marché, de l'épouser.

L'audace et l'absence totale de culpabilité me firent choisir le Toqué, l'endroit le plus cher que je connaissais à Montréal. « Je passe te prendre vers 15 h. On pourra en profiter pour aller faire les boutiques du centre-ville.»

J'obtenais ma vengeance. Il se plia toute la journée à mes moindres caprices. Guillaume m'offrit, sans que je le lui demande, une crème glacée Ben & Jerry's: trois boules immenses aux parfums différents, ensevelies sous une épaisse couche de chocolat fondant. Il insista pour m'acheter de nouvelles chaussures que je reluquais dans la vitrine de chez Browns, sur la rue Sainte-Catherine, sachant très bien que ma marraine pouvait me les procurer à un prix dérisoire.

Mes papilles gustatives explorèrent avec délice de nouvelles contrées au cours des sept services du réputé restaurant de la place Jean-Paul-Riopelle. Sept chefs-d'œuvre mariés à un vin précis pour nous entraîner vers un état de délectation suprême. Pour la première fois de ma vie, aucun remords ne vint poivrer le repas lorsque je songeai à tout le fric que Guillaume déboursait pour moi. La vengeance m'en empêchait. En même temps, jamais je ne le lui ai avoué, mais ça me faisait vraiment très plaisir de le revoir.

Nous terminâmes la soirée dans un hôtel au décor le plus branché de la ville, mais toujours sombre, peu importe l'heure de la journée. Un endroit situé juste à côté du restaurant. Le champion du cunnilingus battit de nouveaux records. Je ne regrettais rien... pas même cette phrase assassine, que je pris soin de retourner contre lui avec l'aide de la littérature scientifique pour qu'elle puisse l'égorger.

— Tu jouis toujours avec ton petit plaisir artificiel! lança-t-il. Je croyais qu'avec tous les amants que tu as eus durant la dernière année, tu aurais enfin accédé au vrai plaisir de femme, à l'orgasme vaginal, sans qu'on soit toujours obligés de stimuler ton clito. Ça me soulage de constater que ce n'est pas parce que je suis nul à chier au lit que tu n'y arrives pas.

— Encore une fois, mon cher Guillaume, tu viens de me donner la preuve de ton manque de culture ! rétorquai-je. C'est bien beau d'être un spécialiste des chiffres, mais tu sais, un minimum de lecture, ça élargit les horizons. Au lieu de dire n'importe quoi comme un ministre du Parti conservateur, et surtout avec ce même petit ton arrogant, renseigne-toi un peu. L'orgasme vaginal, ça n'existe pas.

— Qu'est-ce que tu racontes ?! Je les vois, les filles sur Internet. Elles jouissent avec leur vagin !

— Quand les femmes accouchent dans les vidéos sur Internet ou à la télévision, est-ce que tu les vois au bord de l'extase ? poursuivis-je. Une tête de bébé, c'est comme un gros pénis, finalement, ça devrait multiplier la jouissance. Mon grand spécialiste, tu dois savoir que le vagin n'a pas de terminaisons nerveuses, parce que sinon les femmes mourraient pendant l'accouchement !

— Où as-tu lu ces niaiseries-là ?

— Tu iras voir sur Internet. Ou non, attends, tiens, viens plus près, je vais te montrer.

Nous étions étendus sur le grand lit moelleux de l'hôtel. Je me mis à cheval sur lui, à la hauteur de son visage, et pris mes doigts pour lui pointer les éléments de mon cours d'anatomie express.

— Regarde, le clitoris est là, comme tu vois, et il a deux racines qui vont de chaque côté de la vulve, qui est ici. Et ce sont ces deux racines-là qui vont être stimulées par certaines positions de la pénétration. Si le clitoris est plus rapproché du vagin, c'est plus facile de solliciter les racines, mais si le clitoris est placé comme ici, allez, approche-toi, donc si le clito est plus loin du vagin... bonne chance! Est-ce que tu jouis en te frottant les testicules? demandai-je sans attendre de réponse. Pas facile, n'est-ce pas, de jouir seulement en te tapotant les testicules? C'est la même chose!

Le visage prisonnier sous mon sexe ouvert, Guillaume semblait assommé par ce cours détaillé. Il risqua une réplique.

— Euh... est-ce que je pourrais lécher ton clitoris puisqu'il est déjà bien placé?

— Pourquoi pas! Je crois qu'il mérite d'être chouchouté après toutes les insultes que tu lui as dites.

Au matin, Guillaume vint me reconduire chez moi et je profitai encore une fois de ses connaissances approfondies de mon corps pour jouir sur la table de la cuisine, juste à côté de mon portable, laissé à l'abandon depuis la fin de la rédaction de mon mémoire.

— Tu as profité de la dernière année pour sculpter ton corps à la perfection. Je suis vraiment épaté par tes courbes sublimes. Mais... tu n'as pas les abdos aussi développés que Delphine, lança-t-il d'un ton faussement désinvolte.

Encore une fois, le pot suivait les fleurs! Je pris soin de l'esquiver avec un uppercut avant qu'il ne m'arrive en plein visage.

— Au moins, j'en ai un peu. Toi, c'est plutôt la bedaine qui se pointe!

Guillaume me harcela toute la semaine pour que je lui donne la réponse suprême à sa grande demande. Il avait déjà acheté une bague super craquante chez

Birks, disait-il, même s'il savait très bien que je n'en avais rien à cirer, du prix qu'il avait payé le bijou. J'ai étiré ma vengeance jusqu'à ce soir, 1er juin, jour de célébration de l'obtention de mon diplôme, où je me retrouve submergée par la honte.

Virginie décide finalement de se lever, Martin la suit. Elle agrippe mon bras et m'entraîne de force vers la sortie. J'ai à peine le temps de crier à Guillaume qu'on est attendus dans un autre bar. « Je te téléphone ! » Mon ex reste debout, pantois, sans bouger, et me regarde disparaître dans la foule.

DEUXIÈME PARTIE

CHAPITRE 1
24 décembre

Dès que j'ouvre les yeux, je sens une violente douleur m'envahir. Impossible de dire exactement d'où elle provient. Elle me tombe dessus, d'un coup brutal. Elle bombarde tous les recoins de mon corps. Avec difficulté, mon regard tente de balayer un instant la pièce. J'ai besoin d'aide. Personne dans mon champ de vision.

Chacun de mes membres semble prisonnier sous une locomotive. J'essaie de remuer un doigt, mais le mal augmente d'intensité. Je ne suis que souffrance intolérable… La tête vidée de toutes pensées, seulement une hantise, un leitmotiv, qui crie entre mes deux tempes: douleur.

Une femme en uniforme vert s'approche de moi. Délivrance. Je parviens à faire sortir ces mots de ma bouche:

— J'ai mal.

— Combien sur une échelle de un à dix?

— Dix.

Elle retire le drap qui me couvrait, puis remonte le côté droit de mon vêtement de coton.

— Est-ce que vous êtes capable de vous tourner un peu?

— Je ne crois pas, dis-je, le souffle court.

Elle soulève délicatement ma cuisse pour atteindre ma fesse. Une autre secousse m'assaillit. Elle m'injecte un produit calmant à travers la chair, replace ma cuisse, la jaquette bleue et le drap.

— La morphine agira très vite, assure-t-elle. Si vous avez besoin de quoi que ce soit, vous n'avez qu'à appuyer sur ce bouton, ici, dit-elle en me pointant l'objet. Je place la sonnette juste à côté de votre main gauche.

La dame aux cheveux courts disparaît vers la porte de la chambre. Le mal est toujours aussi aigu. J'essaie de respirer. C'est difficile, même avec l'aide du masque à oxygène qui couvre mon nez et ma bouche. Dix minutes peinent à s'écouler. Finalement, mes paupières tombent.

CHAPITRE 2
Flash-back

Le lundi matin, 9 h 30, j'étais assise dans la salle d'attente d'une tour du centre-ville de Montréal. Vacances Air Liberté, pouvait-on lire sur la porte. Vêtue d'un tailleur classique brun et d'un chemisier blanc, empruntés à Virginie pour l'occasion, je me sentais prête pour l'entrevue d'embauche. Non seulement mon habit faisait le moine, mais mon père avait pris soin de me laver le cerveau avec un de ses meilleurs détergents.

En tant que directeur des ressources humaines, il connaissait toutes les questions qu'un futur employeur était susceptible de poser aux candidats potentiels, tous les tests de psychologie, toutes les postures et les inflexions de voix analysées par ses pairs.

— Ma fille, retiens bien ceci, m'avait-il déclaré d'un ton solennel la veille, lors d'un déjeuner de famille. Les employeurs sont tous débordés et prévisibles. Je suis tenté d'ajouter stupides, mais je me retiens puisque, après tout, tu commences ta vie de travailleur et tu auras bien le temps d'être désillusionnée. Mais j'insiste, ils ont autant d'imagination qu'une machine à capsuler les bouteilles de bière chez Molson. Ils se fient sur les employés des ressources humaines pour leur fournir des questions d'entrevue, qui eux, franchement, ont l'imagination d'un poisson des chenaux qui remonte la rivière chaque année pour aller frayer au même endroit. Tu comprends ?

Mon père adorait faire des comparaisons, pour rendre ses théories plus claires, précisait-il.

— Je te donnerai la liste des questions avant que tu quittes la maison. Pour réussir, c'est facile, avait-il poursuivi, il faut s'informer afin de savoir ce que l'employeur veut et recherche exactement. Et lors de « l'interrogatoire », je répète, « l'interrogatoire », même si on tentera de te faire croire que c'est une conversation décontractée, tu n'auras qu'à déblatérer tout ce que l'employeur veut entendre. Si tu souhaites vraiment décrocher cet emploi, ne dis surtout JAMAIS la vérité. Il faut que tu sois la plus grande menteuse du monde. La plus habile. Oublie tes vraies valeurs, tes vrais projets de carrière. Tu dois absolument réinventer tes désirs futurs pour qu'ils fonctionnent avec l'esprit de l'entreprise et de l'emploi pour lequel tu postules.

Il s'était ensuite levé pour aller préparer du café. Toujours aussi mince à 56 ans grâce à ma mère, selon lui, qui prenait soin de concocter des menus santé et d'organiser des activités sportives de couple. Mon frère Olivier, de trois ans mon aîné, journaliste pour un quotidien montréalais depuis deux ans, avait confirmé ses thèses.

— Quand j'ai passé mon entrevue d'embauche pour le journal, je savais qu'ils cherchaient quelqu'un pour les faits divers. J'en avais rien à foutre, ce que je souhaitais, c'était écrire dans la section des sports. Mais je leur ai dit que c'était ce dont je rêvais depuis mon adolescence, que j'étais fasciné par les différents tueurs en série et les grands procès de l'histoire. J'ai cité quelques passages de livres sur le sujet et c'était dans la poche. Bon, je me suis fait chier pendant un an… Mais me voilà maintenant rendu où je voulais, aux sports. Papa a raison, il faut toujours mentir à ses patrons.

Ma sœur Julie, âgée de 28 ans, s'était mise de la partie et avait renchéri :

— Imagine si j'avais dit à mon futur employeur à l'hôpital que je ne voulais pas travailler la nuit ni les fins de semaine, et encore moins faire des heures supplémentaires. Il m'aurait rabrouée : « Eh ! ma grande, tu n'avais qu'à choisir une autre profession, les patients ont besoin d'infirmières vingt-quatre heures sur vingt-quatre. »

Ma mère avait approuvé en soulignant toutefois que la vie d'infirmière n'avait plus de sens, qu'au début de sa carrière, le travail était plus humain et que le système s'était écroulé dans les années 1990. C'était à cause, avait-elle insisté, du premier ministre de l'époque qui avait décidé de fermer des hôpitaux pour rendre le service plus efficace. Le fameux virage ambulatoire. Encore aujourd'hui, elle se questionnait sur cette équation : comment peut-on améliorer des services en coupant ?

Ma mère ne faisait pas ses 55 ans, malgré toutes les nuits qu'elle avait passées auprès des patients. Elle prétendait qu'elle avait réussi à freiner les effets du vieillissement en évitant la mode du bronzage extrême des années 1970.

— Même si je suis de gauche depuis mon adolescence, je songe sincèrement à capituler et à terminer ma carrière dans le privé, avait-elle conclu.

Nous savions tous qu'elle ne le ferait jamais, parce que ma mère tenait trop à ses valeurs, qu'elle m'avait d'ailleurs transmises. Et elle haïssait le modèle américain à en vomir, tout comme les trios hamburger-frites-boisson gazeuse qui la rendaient malade.

Mon père était revenu s'asseoir en apportant des fromages au lait cru qu'il avait déposés sur la table.

— Avant que j'oublie… Aie toujours en tête ces recommandations : solide poignée de main ; ne jamais croiser les bras ; les mains toujours visibles ; répondre aux questions de façon précise sans s'étendre avec des détails inutiles. Prépare-toi aussi une question à propos de la compagnie, dont tu connais déjà la réponse, et qui n'est pas controversée. Ça paraît toujours bien d'avoir l'air intéressée.

Fidèle à mes habitudes, j'avais accompli une préparation sans faille. Je ne cherchais pas à décrocher le boulot de mes rêves, mais jouer la guide touristique était une solution enrichissante pour commencer à rembourser mes dettes d'études au plus vite. L'été, il m'aurait été impossible d'enseigner quoi que ce soit dans un collège. Et je dois avouer que, par conséquent, je repoussais le moment de tenter ma chance pour réaliser mon rêve. La peur de l'échec me poussait à procrastiner.

Une dame très mince, aux traits sévères, me nomma et m'invita à la suivre. C'était la directrice de la section « Forfaits voyages pour les Européens ». Nous échangeâmes une solide poignée de main, puis elle me pria de m'asseoir. Elle me posa toutes les questions sélectionnées par mon père et, de surcroît, dans le même ordre. Lorsqu'elle crut me piéger avec la classique « Pourquoi voulez-vous être guide touristique alors que vous avez une maîtrise en histoire ? », ma belle réponse, à la fois réfléchie et romantique, alluma une étincelle dans ses yeux.

— Écoutez, je viens tout juste de terminer mes études et je suis à la croisée des chemins, récitai-je en essayant de bien rendre mon texte de façon naturelle. Toutes les possibilités s'offrent à moi. Je suis maintenant libre de façonner mon destin. J'ai envie de commencer ma vie de travailleur en tant que guide touristique parce que vous offrez des forfaits à des touristes allemands et russes, ce qui correspond exactement à mes études. Sans compter que mes connaissances historiques pourront être utilisées à bon escient.

— Je vous comprends, confia-t-elle. Lorsque j'ai terminé ma maîtrise en littérature, j'étais exactement dans cet état d'esprit. Et vous voyez, ce ne sont pas les études qui déterminent d'emblée le chemin vers lequel vous irez, mais bien ce que vous décidez d'en faire. En rédigeant mon mémoire sur *La symbolique du rythme et les effets de l'ironie dans l'émancipation des chevaliers à travers des textes de poésie du Moyen Âge de 1162 à 1398,* je n'avais pas planifié que ça m'amènerait ici, chez Air Liberté.

La directrice, qui maintenant souriait, m'engagea sur-le-champ. À 100 dollars pour une journée d'environ douze heures, j'étais une très bonne affaire. Je devais revenir le lendemain pour une formation. Mon premier groupe de touristes français m'attendrait le samedi suivant à l'aéroport de Toronto pour le forfait de sept jours à travers l'Ontario et le Québec. À l'horaire : un tour guidé par moi-même de la magnifique ville de Toronto, que je n'avais encore jamais visitée.

CHAPITRE 3

Mardi matin, alors que j'essayais de discipliner mes cheveux, la sonnerie du téléphone retentit. Mon cadran, qui indiquait 8 h 59, passa à 9 h au deuxième coup. Qui pouvait bien attendre l'heure convenable pour me parler? Je décrochai le combiné, interloquée.

— Oui, allô?

— Bonjour, dit une voix grave et profonde. Je ne sais pas si tu vas te souvenir de moi... C'est Simon. On s'est rencontrés vendredi soir dernier, au bar de la rue Rachel.

Quatre jours s'étaient évaporés avec mes espoirs que ce beau jeune homme me rappelle.

— Je me souviens très bien de toi, le rassurai-je, un sourire dans la voix.

— Je voulais te rappeler samedi, mais ton numéro de téléphone était chez mon ami Laurent. Tu te souviens, je l'avais inscrit dans son paquet de cigarettes. Le problème, c'est que Laurent avait fumé toutes ses cigarettes vendredi soir, et il avait jeté aux poubelles son paquet avec ton numéro. J'ai dû fouiller dans trois sacs à ordures différents pour espérer pouvoir te revoir. J'étais très motivé, n'est-ce pas?

— Oui, je suis flattée.

— Je ne pourrai pas te parler longtemps, parce que je suis au travail... Mais je voulais savoir si tu étais libre ce soir. On pourrait aller prendre un café quelque part?

— Parfait, répondis-je sans hésitation. Je passe te prendre à 19 h. À quelle adresse?

Cet appel me réjouit toute la journée. Contrairement aux autres mâles de son espèce, Simon n'avait pas joué à ces jeux d'orgueil mal placé, qui m'auraient fait douter de son véritable désir de me revoir.

* * *

La formation de base pour devenir guide touristique accompagnateur me fut donnée en une journée. D'habitude, Air Liberté organisait un circuit spécial de quatre jours - sans touriste, juste pour les futurs guides - à Ottawa, à Toronto, aux chutes Niagara et à Québec. Les employés devaient alors affronter la réalité du terrain, soit la confirmation des réservations d'hôtels, de restaurants, d'activités, sans oublier les petits pépins. Je n'avais pas eu ce luxe. J'allais donc partir avec des stratégies de moins dans ma valise.

Je reçus le manuel du parfait guide. Il m'indiquait que le client avait toujours raison, que je devais avoir une tenue soignée puisque je représentais l'image de la compagnie, qu'il fallait réciter chaque matin aux touristes le programme du jour dès leur arrivée dans le bus et, surtout, qu'il ne fallait jamais mentir aux clients. Le guide qui me donnait la formation m'informa que plusieurs employés inventaient des données sur le pays plutôt que d'avoir l'air ignorants devant les touristes. Je me fis la promesse de ne jamais avoir recours à cette vile solution.

À 18 h 59, ma voiture était garée devant l'appartement de la rue Rachel, juste en face du parc

La Fontaine. Une minute plus tard, Simon descendit du deuxième étage. Je fus estomaquée. Dans la pénombre du bar, je n'avais pas remarqué à quel point il était séduisant. Alors qu'il dévalait les marches d'escalier, je n'en revenais pas que cet homme si beau se dirigeait droit sur moi et qu'il allait bientôt grimper dans ma voiture.

Avec ses cheveux couleur de miel, il me faisait penser à Brad Pitt, ou peut-être à Matt Damon, à moins que ce ne soit à Leonardo DiCaprio. J'étais confuse. Mon pouls s'accéléra.

— Bonsoir, dit-il en ouvrant la portière.

Simon afficha un sourire sincère qui lui laissa les yeux à demi fermés. Il m'embrassa sur les deux joues.

— J'espère que tu n'es pas trop déçue?

— Pourquoi serais-je déçue? demandai-je, sans comprendre le sens de sa question.

— Bien, tu sais, parfois, on voit quelqu'un dans une soirée alors qu'on a beaucoup bu et on ne reconnaît plus cette personne en plein jour.

Il avait raison. Mais je ne pouvais pas lui révéler que, dans ce cas précis, le contraire s'appliquait. J'offris plutôt une réponse brève, adaptée à la situation.

— Non, je ne suis pas déçue, et toi?

— Je t'avais bien regardée. Tu es toujours aussi jolie.

Mes pulsations cardiaques atteignirent d'un coup le niveau d'une course à pied. Je le remerciai d'un sourire. Ses yeux lumineux souriaient aussi.

— Où va-t-on?

Il proposa un petit café sympathique de la rue Saint-Denis, dans le Quartier latin. L'endroit n'était pas très achalandé en ce mardi de juin. Nous choisîmes une table à côté de grandes fenêtres qui offraient la rue en spectacle. Dehors, des gens se massaient devant le théâtre Saint-Denis pour une représentation.

Simon commanda un café au lait, et moi, un thé vert. Puis, il plongea ses yeux dans les miens. Des iris d'un bleu clair, limpide comme l'eau des rivières encore non polluées du Grand Nord. J'étais déstabilisée.

Durant le trajet qui nous avait menés jusqu'ici, mes idées s'étaient entrechoquées à un rythme effréné pour me nourrir de sujets de conversation et combler mon malaise. J'étais revenue sur son anecdote de paquet de cigarettes jeté aux ordures ; je lui avais peint un bref portrait de ma famille ; je lui avais expliqué mon sujet de maîtrise, soit *Les similitudes entre les stratégies de propagande utilisées par les nazis en Biélorussie durant la Deuxième Guerre et les stratégies de convergence médiatique au Québec.* Tout ça en dix minutes, top chrono !

Maintenant, je devais cesser d'entasser les mots les uns sur les autres, au risque de me transformer en cliché de la femme qui jacasse sans arrêt.

— Est-ce que tu as voyagé un peu en Europe ? demandai-je.

— Oui, mais je ne suis pas allé en Biélorussie ni en Russie.

— Tu parles un peu le russe, non ?

— À cause de mon nom, Simon-Yakim, et de la chanson de l'autre soir au bar ? dit-il, toujours en me regardant dans les yeux. C'est à cause de ma mère. Elle avait plusieurs disques de musique russe. Je crois qu'elle a déjà été amoureuse d'un gars de Saint-Pétersbourg, mais l'histoire n'est pas très claire. Je soupçonne qu'il s'appelait Yakim, sauf qu'elle n'a jamais voulu me l'avouer. Bref, elle écoutait cette musique très souvent et j'ai fini par apprendre les paroles par cœur. Enfin, je devrais dire les sons, parce que je ne comprends pas un seul mot de ce que je chante, pouffa-t-il.

— Tu m'as bien eue, m'esclaffai-je à mon tour. J'étais sûre que tu avais suivi quelques cours de russe.

— Je ne sais même pas dire oui ou non!

— Да, НеТ (prononcé da, niét).

— Pourquoi le russe? Pour la maîtrise?

— Oui, et je voulais un défi de plus: apprendre une langue compliquée que personne ne parle. J'ai appris l'allemand aussi.

— Tant qu'à faire, tu aurais dû apprendre le chinois ou l'arabe. Tu aurais fait beaucoup d'argent!

— Peut-être... Mais sincèrement, ce n'est jamais ce qui guide mes choix dans la vie. J'y vais avec mon cœur, avec ce qui me rend heureuse, confiai-je. J'espère que je ne te déçois pas trop. Je sais que c'est très branché de se passionner pour l'argent, mais je ne suis pas cette mode-là.

Ça y était, je commençais à me déshabiller l'âme. J'espérais que ce ne fût pas trop rapide pour lui. Je poursuivis:

— Si j'avais voulu faire de l'argent, je n'aurais pas étudié en histoire. Et pour l'arabe, imagine un séjour d'apprentissage linguistique en Arabie Saoudite. C'est un peu plus stressant qu'à Munich, en plein Oktoberfest!

— Un endroit dans le monde où j'aimerais vraiment aller, c'est en Israël.

— Tu aimes les émotions fortes?

— Moui..., admit-il. Pas les sports extrêmes. Je te le dis tout de suite, on ne sautera pas ensemble en parachute. Mais, oui, je peux dire que certaines émotions fortes me plaisent. Pour Israël, c'est surtout l'histoire du conflit israélo-palestinien qui m'intéresse. Les nombreuses tentatives de paix qui ont échoué.

Cet homme venait de mettre le doigt sur une de mes zones érogènes: la politique internationale. J'étais complètement sous le charme. Évidemment, aucune héroïne de *Sex and the City* n'aurait trouvé romantique de se faire parler de ce conflit lors d'un tête-à-tête avec un prétendant. La télésérie aurait été un flop total, inutile de réunir un *focus group* pour le savoir.

Pour moi, cependant, sa capacité d'analyse était hautement sexy. À 70 ans, quand ses fesses seraient tombées avec ses pectoraux, que les années auraient pollué la limpidité de ses yeux, il pourrait toujours me séduire avec son cerveau! Un investissement à long terme. Plus sûr que le papier commercial!

Je souris en pensant à Virginie qui m'aurait trouvée complètement craquée d'avoir succombé à cause de ce conflit. Une guerre usée, selon elle, dont les reportages télé n'émeuvent plus parce qu'ils racontent toujours la même histoire.

— Ça t'ennuie? s'inquiéta-t-il.

— Au contraire, le rassurai-je.

Une serveuse s'approcha pour nous demander si nous désirions autre chose.

— Quel est ton dessert préféré? s'enquit-il.

— La crème glacée.

Simon se tourna vers la jeune femme.

— Nous allons prendre l'addition.

Son regard me pénétra une fois de plus.

— Quel est ton bar laitier préféré ?

— La gelateria Tutto Gelato, à Québec, sur la rue Saint-Jean. Ils font de la crème glacée comme les Italiens, dis-je, les yeux pétillants et le sourire taquin. Mais j'en conviens, c'est un peu loin. Sinon, j'adore à m'en gaver celle de La Cabosse d'Or à Otterburn Park, sur la Rive-Sud de Montréal. Noisettes et chocolat. Ils la font sur place. C'est incroyablement délicieux ! Par contre, on peut toujours se rabattre sur Ben & Jerry's, pas très loin d'ici. Le parfum « Chocolat thérapie », et on ajoute du chocolat chaud coulant dessus.

— Parfait, madame Crème glacée. C'est la première fois que je rencontre quelqu'un qui a fait des tests exhaustifs dans les différentes crémeries du Québec. Et dire que j'allais te proposer le Dairy Queen.

— C'est dégueulasse ! m'exclamai-je. Premièrement, c'est du lait glacé, moins engraissant, certes, mais pas très satisfaisant. Et en plus, on a l'impression de manger de l'air. Les *sundaes* au lait glacé de McDonald's, c'est de la haute gastronomie à côté du Dairy Queen. En ce qui concerne le travail de recherche, c'est probablement une déformation professionnelle ! Si tu savais tous les sujets que j'ai approfondis et sur lesquels je pourrais rédiger un mémoire, ajoutai-je en me gardant bien de préciser.

Une fois à la crémerie du boulevard de Maisonneuve, alors que nous attendions en file pour passer notre commande, il me prit par la taille. D'un coup, mes jambes ramollirent comme un parfait oublié au soleil. Je dus contracter mes muscles pour ne pas m'écrouler dans ses bras.

Simon m'apparaissait être un amoureux potentiel. Il me faisait tressaillir. Je devais absolument démarrer cette histoire sur des bases solides. Pas question d'être reléguée au rôle de maîtresse, d'amie de baise ou de fille « en attendant ». Je profitai de ce rapprochement de sa part pour jouer le tout pour le tout. Mes pulsations cardiaques se mirent à frapper à la fois mes tempes, ma poitrine et mes poignets.

— Est-ce que ta copine est au courant que nous sommes ensemble ce soir ?

— Non, dit-il sans hésitation ni bredouillement.

— Elle serait sûrement triste de l'apprendre, non ?

— Vrai.

— Si tu veux qu'on se revoie, Simon, la situation doit être claire. Tu ne dois plus être en couple avec ta copine.

J'avais dit cette phrase en le regardant droit dans les yeux, avec un aplomb qui me surprit. L'homme qui me tenait la taille possédait plusieurs qualités que je recherchais, et je jouais à la roulette russe.

— Parfait, c'est entendu.

Je pris soin de ne poser aucune question sur cette fille, ni sur ses ex-petites amies d'ailleurs, tel que me le dictaient mes leçons de psycho-pop. Et bien sûr, pas un mot à propos de Guillaume !

Il retira doucement son bras de ma taille en faisant glisser ses doigts dans le bas de mon dos, provoquant de légers frissons. Sa main se faufila ensuite dans la poche de son pantalon pour en ressortir un portefeuille. Il insista pour payer nos glaces. Puis, il me proposa de m'asseoir à une table en retrait, au fond de la crémerie.

Tout en dégustant mes deux boules de « Chocolat thérapie » noyées dans le chocolat fondant, et lui, ses boules à la vanille du spécial Alaska avec des spirales de guimauve et des ours polaires en chocolat blanc, j'eus envie qu'il me parle de sa famille.

Les moindres détails de la mienne, il les avait appris dans la voiture en trois minutes. Nous incarnions les banlieusards dont on aime se moquer dans les films. Enfance heureuse dans notre bungalow classe-moyenne-pelouse-verte-bien-tondue. Famille unie, dans laquelle la générosité et l'entraide fleurissent au-delà du terrassement. Vie joyeuse, sans problèmes de drogue, d'alcool, d'inceste ou d'avortement. En somme, rien d'assez intéressant pour inspirer Victor-Lévy Beaulieu ou une émission spéciale de Claire Lamarche en période de sondages. Ce portrait de famille aurait pu être celui de mes copines.

— Est-ce que tu as des frères et sœurs ?

— Oui, mais je ne les vois plus. Mon frère qui a 27 ans, le plus jeune, est entré dans une secte. Il a complètement dérapé. Ma sœur de 30 ans s'est mariée avec un gars hyper jaloux qui l'a tranquillement éloignée de sa famille et de ses amis. Imagine : Estelle, une femme indépendante, qui a fait un bac en architecture, qui a vécu seule en Chine six mois, s'est laissé convaincre par sa brute de quitter son emploi pour rester à la maison et lui cuisiner des repas. Et elle n'a même pas d'enfants !

En quelques phrases, Simon avait écrit le synopsis d'un téléroman qui aurait pu durer au moins vingt ans sur une chaîne américaine.

— Quand je pense à toutes ces années d'études durant lesquelles j'ai bûché, et à toutes les dettes que j'ai accumulées pour pouvoir les faire, ce serait épouvantable de gaspiller mon savoir en me retirant du marché du travail…

— Mes parents, poursuivit-il, je les ai visités la dernière fois il y a… deux ans, je crois, oui, c'est ça. Mon père voulait absolument déménager aux Îles-de-la-Madeleine pour sa retraite. Et avant qu'ils partent là-bas, je ne les voyais que très rarement. Même pas à Noël.

Sa voix changea soudain de tonalité. Des cordes plus graves se mirent à vibrer. Il me confia des côtés sombres de sa vie. Je me sentais privilégiée qu'il me fasse assez confiance pour me faire de telles révélations à notre premier rendez-vous.

— Mon père était extrêmement sévère. Jusqu'à l'âge de 15 ans, je devais être couché à 20 heures. Et je n'exagère pas. Dès que j'arrivais de l'école, je devais tout de suite faire mes devoirs. Je n'avais pas le droit de regarder la télévision durant la semaine, ni de voir des amis ou de leur téléphoner. On habitait alors à Trois-Rivières. Le matin de mes 18 ans, j'ai fait ma valise et j'ai pris l'autobus pour Montréal.

Il gratta le fond de son bol avec sa cuillère pour récupérer ce qui restait de guimauve. Tous les traits de son visage étaient dessinés à la perfection : sa mâchoire d'un carré discret, sa bouche juste assez grande et pulpeuse, sa lèvre supérieure ponctuée de deux collines symétriques, son nez fin et droit d'aristocrate. J'investiguais d'un œil de diamantaire, tentant de déceler une petite erreur de confection. Rien à faire. Sa peau n'avait même pas un pore dilaté ! Il continua sa confession :

— Ma vie a été très difficile à Montréal. J'étais timide, j'avais l'air d'une tronche même si j'essayais de copier le look des vedettes à la mode. Mais j'ai quand même réussi à me dénicher un boulot de serveur. C'est ce qu'il y a de plus payant, au fond, quand tu n'as pas de métier précis. Un jour, j'ai servi une propriétaire de boîte de nuit qui m'a trouvé mignon. Elle m'a engagé. Malgré mes deux jobs, j'habitais toujours seul dans un logement minable. Je me suis mis à sniffer de la cocaïne pour me donner un semblant de confiance en moi et pour oublier mon appartement de paumé. Évidemment, plus je m'empiffrais de poudre blanche, plus je risquais de croupir longtemps dans ce demi-sous-sol... Pourtant, j'ai fini par faire beaucoup d'argent. Les filles soûles qui fréquentaient l'endroit me donnaient de très bons pourboires. J'avais le look à la mode, quoi.

Nous quittâmes la crémerie et il continua son autobiographie.

— Je ne devrais pas te dire ça, je vais avoir l'air prétentieux, mais j'aurais pu repartir chaque soir avec une cliente différente : mineure, de mon âge, trop vieille ; elles m'attendaient à la fermeture. Souvent, j'étais trop bourré et gelé pour réussir à les satisfaire. Lors de ma dernière année à la discothèque, un nouveau barman a été engagé, un gars qui faisait une technique en ingénierie au cégep. Il me parlait chaque soir de ses études. Au bout de six ans, à 24 ans, j'ai décidé que ça ne pouvait plus continuer. Je me suis inscrit pour faire cette technique. Et j'ai tellement aimé mes études, j'étais très doué finalement, que j'ai poursuivi mon cours d'ingénieur à l'École de technologie supérieure. Voilà, tu sais tout.

Sur ces mots, nous arrivâmes devant son appartement. Il se pencha vers moi, me plaqua deux baisers sur les joues et plongea une fois de plus ses iris bleus dans mes yeux, en silence. Une fraction de seconde, qui dura une éternité. Je croyais que j'allais me noyer dans cet océan clair, j'avais de la difficulté à respirer. Il sourit et me sauva d'une mort précoce en prononçant ces mots :

— J'aimerais qu'on se revoie.

Ouf ! Il me réanimait.

— Quand ? osai-je.

— Je pars toute la fin de semaine au chalet d'un ami mais je t'appelle vendredi. On essayera de se voir durant ton passage à Montréal.

Il promettait de me téléphoner la veille de mon premier tour guidé. En le regardant remonter l'escalier, aucun doute n'ennuagea mon esprit ni mon enthousiasme. J'étais convaincue qu'il le ferait. Toute la nuit, je me laissai bercer par le souvenir de cette première rencontre réussie.

CHAPITRE 4
24 décembre

Mes paupières s'ouvrent avec difficulté. Je vois embrouillé quelques instants. Puis la mise au point se fait, tout d'abord sur un mur jaune pâle, ensuite sur une forme humaine. Un homme dans la trentaine, les cheveux bruns, un uniforme vert. Il s'approche de mon lit, regarde le soluté, décroche un sac vide et s'apprête à le remplacer par un autre rempli d'un liquide. Mon pouls s'accélère.

Des dizaines de reportages télévisés témoignant de l'horreur des erreurs de médication m'assaillent. Maintenant que j'ai survécu, je suis déterminée à rester en vie. Et s'il se trompait de sac ? De dossier ? De chambre ? Si ma mère ou ma sœur étaient à mes côtés, elles pourraient vérifier. Leurs collègues médecins suggèrent d'être toujours accompagné de quelqu'un, lorsqu'on entre dans un centre hospitalier, pour être certain d'en sortir vivant.

Je me sens extrêmement faible mais, par miracle, je trouve des forces pour arrêter l'action de l'infirmier.

— Qu'est-ce que vous placez dans le soluté ?

— Un antibiotique.

— Lequel ?

J'essaie de fouiller dans ma mémoire. Que pourrait-on m'administrer ? Mes connaissances, puisées dans le livre de ma mère, datent de plusieurs années. Je ne suis plus à jour! Avant qu'il n'ait le temps de répondre, j'ajoute:

— Est-ce que c'est bien celui qui est inscrit dans mon dossier?

— Oui.

— Puis-je le voir?

L'infirmier soupire. C'est peut-être la première fois qu'un patient lui demande de voir le contenu de son dossier en plein milieu de son quart de travail de nuit. Il se penche vers moi, approche le sac de liquide près de mes yeux, puis me montre l'ordonnance d'un médecin:

gentamicine 240mg I.V. die
flagyl 500mg I.V. q̄ 8 hres
ampicilline 1gm I.V. q̄ 6 hres
morphine 5mg s-c q̄ 4-6 hres prn
gravol 50mg I.V. q̄ 4-6 hres prn[2]

— Vous êtes satisfaite? soupire-t-il de nouveau.

— Désolée, dis-je d'une voix faible, mais de nos jours, vous savez, on ne se sent plus en sécurité dans les hôpitaux.

Il hausse les épaules et quitte la chambre.

Cet événement traumatisant m'a fait oublier la douleur qui revient tout à coup secouer mon corps. Cette fois, elle se concentre dans deux régions: mon ventre et mes épaules. Incapable de bouger ma tête, figée sur un cou meurtri, je baisse les yeux pour regarder ce qui me fait souffrir.

---

2. 240 mg gentamicine par voie intraveineuse une fois par jour; 500 mg Flagyl en intraveineuse trois fois par jour; 1 gm d'ampicilline par voie intraveineuse quatre fois par jour et 5 mg de morphine sous-cutanée toutes les 4-6 heures avec Gravol.

C'est la première fois qu'il a cette forme. Il est gonflé, comme celui d'une femme enceinte de six mois. Des couteaux invisibles le piquent et le transpercent sans arrêt. Je repense soudain à Simon, à la souffrance émotionnelle qu'il m'a infligée. Un mal tout aussi aigu que celui qui accable mes membres. Une histoire d'amour comme celle-là n'avait pas d'autre issue possible.

CHAPITRE 5
Flash-back

J'attendais ce vendredi avec l'impatience d'un enfant devant ses cadeaux de Noël emballés sous l'arbre. Je savais que Simon allait téléphoner, mais l'absence de données sur l'heure précise me plongeait dans un état de fébrilité. J'en oubliais même mes angoisses à la veille de ma première journée de guide accompagnateur.

Parce que, entre nous, je dois l'avouer avec honnêteté, mon expérience dans le tourisme était limitée. Des tours de ville çà et là dans les endroits que j'avais visités sac au dos. Des visites de musées avec un audioguide branché sur les oreilles. Un échange franco-québécois, lors de ma troisième année du secondaire, durant lequel les enseignants passèrent le séjour à essayer de contrôler la bande d'adolescents indisciplinés.

Jusqu'ici, mes seuls maîtres guides se nommaient *Michelin, Routard, Ulysse* ainsi que celui qui vous trahit coup sur coup, le pire ennemi du touriste sans le sou, qui fait miroiter des hôtels et des restaurants bon marché: *Let's go* et ses adresses toujours fermées.

Adepte de recyclage jusqu'au bout du monde, les pages du *Let's go* me furent d'un grand secours à Minsk, en Biélorussie, lorsque je découvris, horrifiée, que toutes les toilettes étaient sans papier hygiénique...

Tandis que je m'affairais à rassembler tout ce dont j'aurais besoin pour me sortir indemne de cette nouvelle aventure, dans un monde qui m'avait été expliqué en une journée de formation, le téléphone retentit. Enfin… Je retins mon souffle, le sourire aux lèvres.

— Allô, Élisabeth? Comment vas-tu?

Une voix chaude et profonde était bien au rendez-vous. Je me sentais toutefois comme cet enfant qui vient de déballer la boîte dans laquelle se trouve une paire de bas plutôt que le jouet qu'il convoite depuis des mois.

— Ça va, répondis-je d'un ton las.

— Puis, as-tu réfléchi à ma proposition? demanda Guillaume d'un ton rempli d'espoir et d'impatience, comme s'il eut attendu l'accord d'un client pour conclure un contrat ultra-lucratif.

J'avais cependant de la difficulté à croire en sa véritable naïveté envers ma réponse.

— Guillaume, peux-tu m'expliquer concrètement pourquoi je devrais retourner avec toi?

— Parce que je fais beaucoup d'argent et que tu n'auras jamais de soucis financiers, argua-t-il avec sérieux et conviction. Ce n'est pas avec ta maîtrise en histoire que tu vas réussir à gagner des millions, on s'entend là-dessus!

— Ça fait au moins huit ans que tu me connais, non? Depuis quand l'argent influence-t-il mes décisions importantes? martelai-je, stupéfaite par ses arguments.

— Je pourrais rembourser demain matin ta dette d'études, proposa-t-il.

Je n'avais aucune envie de répliquer. Il poursuivit:

— Tu me trouves beau et séduisant, je fais bien l'amour et, tu me l'as dit toi-même, durant la dernière année, tu n'as rencontré que des crétins. Je suis donc le meilleur choix qui s'offre à toi sur le marché.

— Je n'ai que 26 ans, j'ai encore quelques années devant moi pour trouver quelqu'un dont je vais tomber amoureuse...

« Et c'est déjà fait », pensai-je.

— Tes 20 ans sont derrière toi, souligna-t-il, persifleur, fidèle à lui-même.

— Voilà une bonne raison pour ne pas me remettre en couple avec toi ! explosai-je. Tes petites flèches, que tu lances toujours sans remords.

— Tu le sais que ce ne sont que des petites blagues d'amour sans méchanceté. Allez, on fait un autre essai. En vivant à Toronto avec Delphine, qui était une folle finie et jalouse en plus, j'ai réalisé à quel point tu étais taillée sur mesure pour moi. Tu es la femme de ma vie.

— Non ! m'impatientai-je. Tu aurais dû y penser avant. Deuxièmement, avant que tu me quittes, ça n'allait déjà plus et, troisièmement, je suis trop jeune pour me marier.

— C'est exactement ce que mes amis m'avaient dit. Que tu ne reviendrais jamais avec moi. Mais je vais te convaincre.

— J'ai vraiment l'impression que tu essaies par tous les moyens de me reconquérir justement parce que je ne veux pas qu'on se remette ensemble. Tu insistes, parce que tu n'as pas ce que tu veux. Sérieusement, tu peux te trouver d'autres défis.

— Tu pars demain matin, enchaîna-t-il rapidement, je passe te chercher pour aller te reconduire au train.

— Non, non, non ! m'écriai-je, je vais prendre l'autobus.

— Trop tard, c'est décidé !

Il s'empressa de raccrocher le combiné afin d'éviter d'entendre mes protestations.

CHAPITRE 6

What do you say to taking chances, What do you say to jumping off the edge?, suggéra soudainement Céline Dion à la radio. C'était mon réveille-matin qui me rappelait non seulement que je devais me lever, mais que samedi venait de se pointer. Ce qui me ramena à un constat navrant, à une déduction qui me chagrina: vendredi s'était écoulé sans la moindre nouvelle de Simon.

Cette tristesse survint sans crier gare, sans être attendue, comme un bête accident, une chute banale sur la chaussée sèche, parce que pour la première fois dans ma vie de jeune femme amoureuse j'avais la certitude que l'homme que je venais de rencontrer me rappellerait. Une assurance, une évidence, la garantie d'un lundi qui arrive toujours après un dimanche. Il semblait si sincère l'autre soir...

Tout en prenant ma douche à jets de massage multiples – que c'est réconfortant d'habiter chez sa marraine plutôt que dans un appartement minable d'étudiant –, je tentai de me rassurer. Peut-être avait-il eu un imprévu de dernière minute? Justement, un bête accident? Mais ma logique me ramena à une autre évidence: il avait sûrement choisi de rester avec sa copine.

Mes nuits avaient été si douces ces derniers jours, tandis que je rêvais et revivais en boucle notre première rencontre. Avec regret, je devais refermer ce livre au plus vite et me concentrer sur ma prochaine lecture qui s'avérerait complexe et remplie d'embûches : mon nouvel emploi.

Valise à la main, je verrouillais la porte de mon appartement lorsque je sentis deux mains me prendre la taille. Je ne pris même pas la peine de sursauter. Je savais à qui elles appartenaient.

— Comme prévu, comme un serviteur dévoué, je suis au rendez-vous, s'exclama Guillaume, ses yeux verts étincelant comme une forêt luxuriante du Brésil après la pluie.

Je devais l'admettre : sa chemise gris foncé ajustée lui donnait un style craquant.

Mon accueil hostile quintupla son enthousiasme. Sans me demander la permission, il s'empara de mon lourd bagage et se dirigea vers la voiture de son père, une Mercedes sport décapotable argentée.

— Tu ne vas quand même pas te faire chier dans les transports en commun quand un séduisant jeune homme comme moi te supplie de monter à bord de sa voiture de James Bond ?!

Il se tenait maintenant à côté du bolide et mimait quelques gestes d'agent secret en espérant me faire esquisser un sourire. Au point où j'en étais...

En silence, le visage impassible, je pris place sur le siège en cuir noir. Il mit le moteur en marche, quitta la petite rue Woodstock et ses maisons à colombages pour s'engager sur la rue principale de Saint-Lambert et aller rejoindre l'autoroute.

Ma crinière chocolatée volait au vent au rythme de *Sunday Bloody Sunday*. Guillaume adorait U2. Moi non plus, « je ne pouvais pas croire les nouvelles d'aujourd'hui ». Une vie sentimentale aussi pathétique ! Qu'est-ce qui m'avait fait croire que Simon pouvait être sincère? Ses paroles? Ses gestes? Comment avais-je pu candidement espérer qu'il quitterait sa copine sur une simple requête de ma part?

Arrivé à la Gare centrale, Guillaume trouva rapidement un endroit pour se garer. Il avait chaque fois de la veine pour le stationnement. Le gentleman se précipita pour m'ouvrir la portière et prendre la valise aux imprimés animaliers dans le coffre. Si j'avais insisté pour qu'il ne m'accompagnât pas, il l'aurait fait quand même. Je me terrai dans le silence.

Sur le quai, billet en main, le train ne se fit pas attendre. J'allais prendre ma valise pour procéder à l'embarquement lorsqu'il détourna brusquement ma main de sa trajectoire pour la mettre sur son cœur.

— La décapotable d'agent secret, le quai de gare, je n'ai pas le choix, Élisabeth, je dois absolument te jouer une scène de film.

Sur ces mots, il me fit basculer vers l'arrière et m'embrassa tendrement. Les spectateurs qui se pressaient autour de nous auraient pu croire à une scène touchante de romantisme et de passion. Mais l'héroïne acceptant le baiser n'était qu'une mauvaise actrice qui ne ressentait pas l'émotion du moment. Guillaume me remit sur pied, et ce fut le temps de grimper dans un wagon.

— Merci, dis-je simplement en fixant ses yeux verts.

Je fis au revoir des doigts et disparus parmi les passagers.

CHAPITRE 7

Vêtue d'un veston vert et d'un chemisier jaune aux couleurs de la compagnie, j'attendais l'arrivée de mon groupe de vacanciers à l'aéroport international Lester B. Pearson de Toronto. Si je n'avais pas eu la pancarte Air Liberté dans les mains, on m'aurait sûrement prise pour une candidate d'un parti écologique ou peut-être même pour un pissenlit. La compagnie exigeait le port de cet uniforme pour l'accueil des touristes. Les Français qui venaient de subir sept heures de vol, coincés dans un avion nolisé à rabais, devaient se sentir rassurés en repérant tout de suite leur guide accompagnateur ainsi affublé.

Deux heures plus tard, les cinquante-quatre touristes étaient bien assis dans l'autocar et nous roulions en direction de l'hôtel. Après les avoir tous salués au micro, le sourire coincé par la nervosité, et leur avoir transmis les conseils pratiques à propos de l'argent, des taxes, du courant électrique, etc., je devais leur proposer un repas au restaurant qui n'était pas inclus dans le forfait. C'était une des tâches reliées à cet emploi de guide qui m'horripilait: vendre des extra de toutes sortes. Tous les guides de la planète doivent le faire! Peu importe la destination dans le monde, peu importe la compagnie qui vend le voyage, le touriste se fait toujours avoir quelque part...

Épuisés, ils auraient pu simplement souper à l'hôtel où nous allions dormir. Mais j'avais l'obligation de les convaincre qu'il était plus avantageux pour eux de déposer rapidement leurs valises et de reprendre l'autocar pour aller manger à l'extérieur. La première foutaise de leur séjour. Le chauffeur me mettait une pression énorme sur les épaules, parce que le seul avantage était pour lui et moi : 4 dollars chacun par mangeur et un repas gratuit.

Extrêmement mal à l'aise, dégoûtée par les propos que je devais prononcer, j'exposai l'offre alléchante avec la conviction d'une politicienne qui doit vanter les mérites de son adversaire.

— Comme vous le voyez sur l'itinéraire de votre séjour, le repas de ce soir n'est pas inclus... À cause du décalage horaire et des services de repas en vol.

Je fis une légère pause. Personne ne broncha devant ces arguments stupides. Je renchéris avec ceux que le chauffeur m'avait suggérés et que, selon lui, tous les guides utilisaient.

— Vous pouvez prendre une bouchée à l'hôtel, mais on vous le déconseille, parce qu'ils ne sont pas spécialisés dans les repas et vous risquez d'être extrêmement déçus. Vous venez d'un pays où la gastronomie est d'une haute importance, alors vous serez sûrement choqués par ce premier repas, et votre séjour débutera d'une mauvaise façon. Donc, pour ceux qui sont intéressés, le chauffeur peut vous conduire à un restaurant pas très loin. Ça coûte 40 dollars par personne, taxes et pourboires inclus... Levez la main ceux qui sont intéressés !

Je ne savais pas si c'était la crédibilité de mon costume aux couleurs du pissenlit, la fatigue extrême des voyageurs qui avaient perdu leur jugement, ou l'usage de compliments envers leur peuple. Contre toute attente, les cinquante-quatre passagers optèrent pour le repas au restaurant. En quelques secondes, je venais de gagner 216 dollars et la reconnaissance de Roger, le chauffeur, qui en profita pour se recoiffer la moustache avec ses doigts.

Le lendemain matin, au petit-déjeuner dit « continental » à l'horaire, Roger m'attira à l'écart pendant que les touristes dégustaient ce qui était inclus dans le forfait, soit un croissant et un café.

— Ils n'ont que ça pour déjeuner ? m'insurgeai-je en chuchotant.

— Oui, mais ne t'inquiète pas, personne ne se plaint jamais. En France, de toute façon, ils ne mangent presque rien le matin, affirma-t-il avec le ton de ses vingt-cinq années d'expérience.

Roger s'adressait à moi en se cassant le cou puisque vingt centimètres nous séparaient. Il poursuivit :

— Je voulais te dire de ne pas oublier de proposer les activités non incluses dès que nous serons en route vers les chutes Niagara. Comme ça, on a plus de chances qu'ils les achètent toutes, tu vas voir. Insiste sur l'escapade en hélicoptère, c'est très payant pour nous. Bon, allez, je retourne m'asseoir avec eux.

Encore une fois, j'allais devoir me transformer en vendeuse. C'est ainsi qu'après l'exposé du déroulement de la journée, déjà bien remplie d'activités intéressantes, selon moi, je m'extasiai sur ce tour en hélicoptère saisissant et époustouflant de beauté que je n'avais jamais fait, et je leur proposai un film Imax incontournable sur l'histoire des chutes. Sur ces dernières paroles, un des touristes, assis à l'arrière de l'autocar, s'écria :

— On n'en a rien à foutre du film ! On n'a pas fait sept heures de vol pour voir Imax. On veut voir les chutes.

— Il a raison ! hurla un autre. C'est ce qu'on attend depuis des années, voir les chutes du Niagara.

— Pourquoi s'enfermer à l'intérieur alors qu'il fait soleil? lança une dame. Vous nous la raconterez, l'histoire des chutes. Vous êtes la guide.

Dépourvue du talent des avocats, les faux arguments ne me vinrent pas à l'esprit. J'abondai dans le même sens qu'eux. Le chauffeur ne recoiffa pas sa moustache grise; il me fusilla du regard.

— Je vais passer dans l'allée pour prendre en note ceux qui veulent faire le tour d'hélicoptère, annonçai-je pour clore le sujet.

L'escapade, si époustouflante fût-elle, coûtait 120 dollars par personne. En fait, le prix réel était de 100 dollars, plus la commission de 20 dollars pour le chauffeur et le guide. Le problème, c'est que si j'avais demandé un prix moins élevé et que nous avions croisé sur place d'autres autocars, les touristes en auraient inévitablement discuté entre eux en attendant le tour d'hélicoptère. Aux yeux des autres guides, je serais devenue une traîtresse. Ils n'auraient pas hésité à me lapider d'injures.

Dix Français décidèrent de tenter l'expérience inoubliable: cent dollars de plus dans ma bourse et dans celle de Roger. Heureusement pour ma conscience, les dix touristes s'extasièrent pour vrai après leur aventure.

Je me gardai bien de révéler à mon groupe à quand remontait la dernière fois que j'avais vu les chutes et visité la ville de Niagara. Le débit d'eau et sa force de tsunami n'avaient pas changé depuis mes 15 ans. Bien hydratée, la merveille avait traversé les années sans ride depuis que j'avais fait la célèbre croisière à bord du *Maid of the Mist* en compagnie des correspondants français de mon école secondaire. J'avais bien révisé mes notes. Je répétais par cœur toutes les statistiques et les détails historiques aux Français subjugués, certains saisis d'une grande émotion devant le spectacle de la nature. Ma confiance en moi, qui ne ressemblait en rien au monstre déterminé qui s'agitait mais plutôt à un minuscule ruisseau, se traçait doucement un chemin.

Ce soupçon d'assurance me fut très utile en fin de journée. C'était la première fois de ma vie que je mettais les pieds à Toronto, et c'est moi qui devais faire le tour de ville guidé. Roger me suggéra de m'asseoir dans les marches d'escalier et de mettre le livre de la Ville Reine sur mes genoux. Pour me sauver d'une avanie certaine, il voulait m'indiquer discrètement chaque bâtiment et monument. Je n'aurais qu'à répéter. Il allait devoir chuchoter, sinon les touristes des premiers bancs se rendraient compte du subterfuge. Un bon gaillard, ce Roger... puisque ses commissions étaient tributaires de mes exploits.

Lorsque nous arrivâmes à la rue Yonge, mes mains devinrent moites, mes pulsations cardiaques plus rapides. Je ne pouvais plus reculer.

— Votre attention, tout le monde ! Nous sommes actuellement à Toronto, annonçai-je au microphone. Nous roulons sur la plus longue rue du monde, selon le livre des records Guinness, la rue Yonge. Elle mesure 1 896 kilomètres. Elle part du lac Ontario et se finit à la rivière Rainy. Pour être en mesure de mieux vous décrire la ville, de mieux vous expliquer les bâtiments que vous allez voir, je vais m'asseoir dans les escaliers de l'autocar.

« N'importe quoi », pensai-je. Je racontais vraiment des insanités. Puis me vint un autre argument, plus solide.

— Si je suis debout face à vous, je ne vois pas les immeubles qui s'en viennent derrière moi et dont je dois vous parler.

« Bon, ça suffit, les justifications ! hurlai-je dans ma tête, sinon, tout ça aura l'air louche. » Roger se pencha vers moi et me chuchota : « Parc Bercy, à gauche. » Mes yeux se ruèrent dans le guide au titre en caractère gras qui correspondait.

— Si vous regardez à votre gauche, vous pourrez admirer le fameux parc Bercy. William Bercy arriva à Toronto en 1794 avec un groupe de colons. Il a été le premier maître de poste.

Roger chuchota à nouveau : « Édifice Goderham, gauche. » Encore une fois, mon regard se mit au pas de course pour trouver la description du bâtiment dans le guide.

— Toujours à gauche, l'édifice Goderham, construit en 1892 par Danio Roberts Jr. C'était la distillerie la plus importante de tout l'Empire britannique au tournant du XXe siècle.

Le chauffeur me fit signe d'approcher.

— On s'en va sur Bay Street. Il n'y a rien d'intéressant pour l'instant. Parle de la ville en général pour combler le temps.

Je repris ma place, assise dans les marches d'escalier.

— La rue Yonge est une des rues les plus animées de Toronto, et...

— On arrive sur Bay, m'interrompit Roger.

Je toussotai pour gagner du temps.

— Excusez-moi pour vos oreilles ! Je disais donc que nous arrivions au district financier du Canada. C'est un peu, si on veut, le Wall Street de notre pays. C'est ici aussi que le TSX a dégringolé, comme partout.

— Banque de commerce impériale canadienne à gauche, m'indiqua Roger d'une voix selon moi trop audible pour les passagers des premiers bancs.

En fidèle perroquet, je répétai l'information.

— Si vous tournez vos yeux vers la gauche, vous verrez un immeuble argenté… C'est la Banque de commerce impériale canadienne. La première banque qui a été construite.

— Banque de Montréal, à droite.

Sans même lever les yeux, je poursuivis mon récit.

— À droite, vous avez la Banque de Montréal. Et ça va sûrement vous intéresser de savoir que l'édifice est aussi haut que la tour Eiffel. Mais moins joli, évidemment…

Pendant près d'une heure trente, ce fut le même refrain: les indications de Roger en sourdine et moi qui les redisais au micro. J'eus le nez dans le guide tout au long du circuit, si bien que, finalement, je ne vis pas la Ville Reine. À la fin de mon récit, toujours assise, j'osai demander au groupe s'il avait des questions sur la ville.

— Oui, madame Laliberté. Pourquoi répétez-vous systématiquement ce que le chauffeur vous dit?

L'atroce cauchemar tant redouté! Décontenancée, honteuse, j'aurais dû rester terrée dans mon trou. Je décidai plutôt d'affronter celle qui m'avait démasquée, au risque de subir des diatribes. D'un bond, je fus debout en face d'une cinquantaine de visages tantôt mécontents, tantôt surpris. J'affichai un grand sourire chaleureux et utilisai la technique Barack Obama.

— Je suis heureuse que vous me posiez la question. J'étais très mal à l'aise de vous en parler.

Vraiment très gênée. Je ne savais pas comment aborder le sujet. Enfin, puisque madame Lautru me l'a demandé...

Mes neurones s'activaient si vite que je me sentis un peu étourdie. Comme un éclair, la solution traversa mon cerveau.

— Je suis dyslexique. Toute ma vie, j'ai dû combattre ce problème. Ç'a été très difficile à vivre, à l'école par exemple, où j'étais rejetée par les autres élèves. Mon frère aussi est dyslexique. Pour lui, ç'a été encore plus terrible : il s'est fait battre par ses camarades de classe. Il a même été hospitalisé. J'ai travaillé très fort pour réussir à lire et à écrire. Une guerre de tous les jours. Après des années de labeur, je m'en suis sortie. J'ai réussi à obtenir ma maîtrise en histoire. À l'exception de ce problème de latéralité. Je suis incapable de reconnaître ma gauche et ma droite. Parfois, aussi, j'ai de la difficulté à comprendre les cartes géographiques. C'est pour ça que Roger a eu l'amabilité de me souffler les réponses.

Devant moi, un tout autre spectacle : des mines attendries et compréhensives. Accompagnée d'une musique mélancolique, mon explication aurait même pu arracher quelques larmes à madame Lautru et à son mari. Je mentais, mais sans déroger à ma règle. Aucun fait historique n'était altéré.

Arrivé à l'hôtel après un repas douteux, Roger attendit que tous les touristes aient récupéré leurs valises, alignées en face de l'autobus, pour venir me rejoindre.

— Bravo pour ton histoire. Je pense que nos pourboires n'en souffriront pas trop.

— Merci encore pour tes indications, Roger !

— C'est du travail d'équipe!

Sur ces mots, monsieur Caradec, un maigrelet dans la cinquantaine, et sa femme, la jeune trentaine, aux courbes voluptueuses, s'approchèrent.

— Ma femme et moi discutions des congés parentaux. Il paraît qu'ici, le système ressemble à celui des Scandinaves.

— Effectivement! répondis-je de façon spontanée, heureuse qu'ils ne reviennent pas me hanter avec mon récit familial ou le menu infect du dernier restaurant. Les femmes peuvent bénéficier d'un congé de maternité, un congé parental peut être divisé entre les deux parents et le père a un congé réservé juste pour lui.

— Je crois que tu te trompes, corrigea le chauffeur. La femme peut donner une partie de son congé à son mari si elle veut, mais il n'y a pas de journées spécialement pour les hommes.

— Non, non, insistai-je, il y a cinq semaines réservées au père. S'il ne les prend pas, les cinq semaines sont perdues.

— Non, ce n'est pas comme ça que ça fonctionne, insista Roger. La femme a un an de congé et elle peut donner des semaines à son mari.

— La loi a changé, dis-je calmement, en souriant.

Quel travail d'équipe! Il s'évertuait à me contredire devant les clients, attaquant la crédibilité que je tentais de bâtir une pierre à la fois. Le couple mit fin au débat.

— Merci pour les informations. La bureaucratie semble aussi complexe ici qu'en France!

Je fis en sorte de ne pas succomber à l'envie de cracher des invectives à Roger. Je rentrai dans ma chambre réviser mes notes pour les visites du lendemain.

Et j'en profitai pour sauter à la corde et boxer devant le miroir. En trente minutes, le tee-shirt imbibé de sueur, j'avais mis le chauffeur hors de combat une centaine de fois!

Le troisième jour du séjour, en route vers Ottawa via Kingston, je passai dans l'allée prendre en note le nom de ceux qui désiraient acheter l'extra « Visite du musée des civilisations ». Je répondais poliment aux clients, discutais de la vie canadienne. Au fond du car, j'entendis monsieur Caradec, le maigrelet, répéter à son confrère que contrairement à ceux de la Suède, les pères du Québec n'avaient pas de congé spécifique pour eux. Aux yeux des Français, la moustache grise de Roger offrait plus de crédibilité que mon diplôme de maîtrise en histoire. Je bouillonnais.

Dès que je mis les pieds hors du bus, que mes touristes furent embarqués pour la « Croisière dans le merveilleux paysage des Mille-Îles », telle qu'indiquée dans l'itinéraire, je courus vers un accès Internet. En trois clics, j'avais l'information précieuse en main, que je fis photocopier en une vingtaine d'exemplaires. J'attendis cependant le cinquième jour pour exécuter mon plan, le temps que l'information erronée se propage.

C'est ainsi qu'entre Montréal et Québec, sur le chemin du Roy, je proposai d'aborder le thème « Famille québécoise ». En expliquant les mesures implantées par Jean Talon pour favoriser la natalité dans les années 1600 et celles, plus récentes, de nos derniers gouvernements, je distribuai la page du site Internet du Régime québécois d'assurance parentale. Et vlan! dans la moustache!

Ma naïveté de néophyte me laissait croire que le chauffeur incarnait le pire ennemi qu'un guide puisse avoir dans l'exercice de ses fonctions. Je n'avais encore rien vu.

CHAPITRE 8

En déposant ma valise dans le salon de l'appartement, j'aperçus tout d'abord des vêtements sur le sofa. Ma marraine m'avait encore apporté des échantillons d'une collection de designer écologique. Combien de femmes rêvaient que des robes griffées apparaissent comme par magie dans leur maison?! Mes yeux furent ensuite attirés par la lumière rouge du répondeur qui clignotait, indiquant qu'il y avait des messages.

Ma mère s'enquérait de mon nouvel emploi. Virginie voulait connaître les derniers détails au sujet de Simon. Et trois phrases suffirent à me propulser dans un état de soulagement et d'excitation:

— Bonjour, c'est Simon. Est-ce que tu voudrais m'accompagner chez mes copains ce soir? J'attends ton appel.

Huit jours de retard, mais il rappelait. Lorsque j'entendis sa voix dans le récepteur, je m'interdis de lui demander pour quelle raison il ne m'avait pas téléphoné le vendredi précédent. Simon décida finalement de m'inviter au restaurant, sur les recommandations de ses copains. Ils trouvaient inappropriée une première rencontre officielle en groupe. Je les adorais déjà.

Je le retrouvai devant chez lui, et il m'emmena dans sa voiture hybride noire. Simon avait choisi un restaurant marocain au décor ultra-kitsch dans un demi-sous-sol de la rue Rachel : La Gazelle. Les tapis dorés suspendus aux murs, les sofas moelleux recouverts de tissu pailleté et les petites tables basses faisaient penser à un décor de carte postale des années 1960.

— C'est un collègue marocain qui m'a suggéré cet endroit, précisa l'organisateur de la soirée, l'œil inquiet. Il m'a dit que c'était vraiment comme au Maroc et que les mets étaient excellents.

— J'aime les nouvelles expériences culinaires, le rassurai-je. Si tu voyais les petits restaurants où j'ai mangé dans la Biélorussie profonde, tu ne t'inquiéterais pas !

Une serveuse au look branché très étudié, qui semblait anachronique dans ce refuge de sultans, nous apporta le menu.

— Est-ce que vous voulez quelque chose à boire ?

— Nous allons sûrement prendre du vin, mais laissez-nous quelques minutes pour le choisir, répondit d'emblée Simon. En attendant, est-ce que vous pouvez nous apporter de l'eau ?

— Évian, Perrier ?

— De l'eau du robinet, ce sera parfait, affirma-t-il.

— Je suis désolée, mais l'eau de Montréal est très mauvaise. Il y a de grands risques de contamination, alors nous recommandons de l'eau en bouteille, déclara la serveuse.

— Ah oui ? Depuis quand est-elle contaminée ? demandai-je avec une inflexion faussement naïve. La Ville a demandé de faire bouillir l'eau aujourd'hui ? Je n'ai pas entendu ça aux bulletins d'information.

— Non, non, ce n'est pas nouveau d'aujourd'hui. C'est toujours très dangereux de boire l'eau du robinet à Montréal, renchérit-elle.

— Eh bien ! J'ai toujours bu l'eau du robinet et je ne suis pas encore morte ! Alors pour moi, ce sera, encore ce soir, de l'eau du robinet.

— Même chose pour moi, conclut Simon.

J'aurais voulu m'emporter. Lui dire qu'elle racontait n'importe quoi pour trois dollars et demi. Qu'elle n'était pas très forte en mathématiques puisque le prix de la bouteille d'Évian n'aurait pas un gros impact sur son pourboire. La pauvre nous prenait sûrement pour des touristes, mais ce n'était pas une raison pour propager de fausses informations sur l'eau de Montréal. J'imaginais un de mes Français, terrassé par la crainte non fondée d'être gravement malade à cause de l'eau de la ville. Le genre de touriste qui en parle à son agent de voyages, à ses amis, à sa famille, sur son blogue, sur Facebook et, en vingt-quatre heures, toute la France est au courant. Je pris grand soin de me retenir, car j'en étais à mon premier rendez-vous officiel.

Les sofas étaient si moelleux qu'il nous fut impossible de manger nos couscous assis, le dos bien droit. Je tentais par toutes sortes de contorsions de garder une posture séduisante dans ma nouvelle robe de designer écolo. Mon compagnon s'en sortait bien. Il tenait le bol de terre cuite dans une main et portait les morceaux de merguez à sa bouche avec grâce. En jetant un coup d'œil autour de nous, je remarquai que les autres clients avaient l'air de s'être affalés comme des adolescents en train de bouffer des croustilles devant un téléviseur.

En compagnie du Voisin ou de Marc l'avocat, le mobilier m'aurait inspiré une partie de jambes en l'air. Simon me causait plutôt de la nervosité qui inhibait tout geste de rapprochement. Sans compter qu'aux dernières nouvelles, il était toujours en couple.

Je calculais chacun de mes mouvements, réfléchissais à toutes mes paroles avant de les prononcer pour éviter un faux pas, un mauvais choix de mot. Je voulais être parfaite puisque plus il me parlait, plus je le regardais, plus je constatais avec exaltation qu'il était parfait pour moi.

Le repas fut succulent. Or, je savais que je ne remettrais jamais les pieds à cet endroit. Non seulement la serveuse racontait des bobards pour renflouer sa caisse, mais en plus, elle inclut le service dans l'addition.

En sortant du restaurant, Simon me dit furtivement qu'il avait rompu avec sa copine. J'en fus toute remuée. La naissance de cette nouvelle histoire me remplissait d'espoir.

De retour en face de son appartement, ma montre indiquait 23 h. Trop tôt pour rentrer à la maison. C'est moi qui proposai de prendre un thé vert chez lui. Simon m'avait raconté durant le repas que son coloc envahissait les armoires avec sa collection de thé vert, qu'il prenait, disait-il, comme potion contre le cancer.

— Tu pourrais contribuer à ma longévité, dis-je avec un sourire taquin.

— Tu as sincèrement envie de monter chez moi ?

— Oui, répondis-je, surprise par son hésitation.

— Bien, j'en suis ravi !

L'appartement de six pièces était construit en longueur. Simon m'invita à le suivre dans un long corridor aux murs gris charbon, ornés de tableaux aux dessins abstraits, qui menait au salon. Dans cette pièce, peinte aussi en gris, un fauteuil et un sofa en cuir rouge, soutenus par leurs pattes métalliques, nous attendaient. Devant le mur opposé, un téléviseur à écran plat trônait sur le plateau de verre trempé d'un meuble en acier.

— En passant, le téléviseur à cristaux liquides 52 pouces, les meubles contemporains, tout ça n'est pas à moi. C'est à mon coloc. Je n'aurais pas les moyens de me les payer, du moins pas pour l'instant, avec toutes mes dettes.

— Tu ne m'as pas dit qu'il était étudiant?

— Oui, oui. Il a un bac en design industriel, et là, il en fait un autre en ingénierie. C'est comme ça que je l'ai connu. Je cherchais quelqu'un pour partager les frais d'un logement. Sa copine venait de le quitter, il ne voulait pas déprimer seul dans ses six pièces et demie...

— S'il est étudiant, comment a-t-il fait pour se procurer tous ces meubles? On est très loin de chez Ikea!

— Bonne observatrice! Ses parents sont riches, il sortait avec une copine dont les parents sont riches et là, il cherche comment poursuivre son père qui ne veut pas lui acheter un condo. En fait, c'est pour ça qu'il avait emménagé ici avec sa copine, en attendant d'avoir son condo. Imagine, le pauvre, il est condamné à vivre dans un appartement et, de surcroît, avec un coloc. Je fais de l'ironie, mais il est très sympathique, Sacha-Samuel.

Je suivis Simon jusque dans la dernière pièce en enfilade, la cuisine, peinte elle aussi en gris. Une table en aluminium, au dessus laqué jaune, occupait presque tout l'espace. Les pattes des chaises, formées de plusieurs branches métalliques, rappelaient un module d'exploration lunaire. L'œil de Sacha-Samuel avait déniché des meubles tendance incroyables.

— C'est original, hein? Tu n'as pas vu sa chambre! lança Simon tout en cherchant dans les armoires le nécessaire pour concocter un vrai thé vert japonais.

Les armoires de cuisine en mélamine blanche et le plancher de linoléum trahissaient Sacha-Samuel. Malgré son goût certain pour la décoration raffinée et le luxe, il n'était que locataire.

J'observai mon prétendant qui suivait les précautions d'infusion à la lettre, celles qui permettent de conserver toutes les vertus du thé. Son pantalon noir ajusté seyait à merveille à son postérieur. De belles fesses étroites et bombées. J'eus soudain envie de voir le torse qui se cachait sous sa chemise turquoise.

Après une heure de badinage, yeux dans les yeux, côte à côte sur le sofa sans accoudoirs, je décidai qu'il était temps de tenter un rapprochement. De toute façon, il aurait été impossible de prolonger la conversation assis sur ce meuble inconfortable. Je ne pouvais pas repartir chez moi sans avoir goûté à ses lèvres.

Pour agir, j'attendais le bon moment, cette seconde où son regard bleu serait le plus profond.

Il posa sa tasse de thé sur la table du salon, une surface en verre épais avec de grosses bulles à l'intérieur – design, évidemment. Puis il se tourna vers moi. Mon cœur se mit à battre à un rythme qui semblait défier la vitesse de la lumière. Je ne le regardais pas dans les yeux, j'étais concentrée sur sa bouche. Entre deux battements, je posai sans avertissement mes lèvres sur les siennes.

Je voulais transformer ce baiser en échange à la fois romantique et langoureux. Or, ses lèvres manquaient de souplesse, sa langue, d'habileté. Un coup de dents ne tarda pas à venir. Je chassai vite la déception de ma tête en me disant qu'il fallait s'adapter l'un à l'autre.

En caressant délicatement son visage, je m'aperçus que, malgré un rasage de près, il avait la barbe forte. Pendant quelques instants, je craignis le pire : un torse velu, des poils en laine d'acier comme mon ami de collège, l'avocat. Impossible de quitter les lieux sans constater *de visu*.

Sans réfléchir aux conséquences de mes gestes, je déboutonnai tranquillement sa chemise en fixant ses yeux et en retenant mon souffle. Mes doigts heurtèrent finalement sa ceinture. J'inspirai profondément et déplaçai mon regard sur son torse.

Moi qui croyais me retrouver en Amazonie, j'atterris dans la toundra près du cercle polaire. L'expression de mon visage, que je croyais pourtant impassible, attira son attention.

— Si tu aimes les hommes poilus, tu ne seras pas bien servie avec moi, s'exclama-t-il, inquiet.

— Non, non, non, tout est parfait, j'adore les torses imberbes ! le rassurai-je.

Nous nous retrouvâmes, à cause de ma curiosité, dans une situation qui, selon les schémas établis par la littérature, les médias et la tradition orale, en entraînait une autre : la relation sexuelle imminente.

Étrangement, Simon me faisait frissonner, me causait un vertige sans fin, soumettait mon cœur à une épreuve d'endurance olympienne, mais les réactions biologiques causées par le désir n'y étaient pas. Aucune lubrification. Le stress de la perfection. Il me faisait un effet si intense que je n'arrivais pas à me détendre.

Le résultat fut décevant. Comment aurait-il pu en être autrement ? J'étais aussi nerveuse et maladroite qu'une adolescente qui perd sa virginité. De son côté, il conclut rapidement en me pénétrant sans me caresser.

Quelques minutes plus tard, il voulut se reprendre et m'invita dans sa chambre.

— Ce sera plus douillet que ce foutu sofa design! dit-il en m'entraînant par la main jusqu'au bout du corridor.

La pièce double, située à côté de l'entrée, nous projetait dans un autre décor tout à fait inattendu: *vintage* et chaleureux.

— Ma chambre n'a rien à voir avec le reste de l'appartement, n'est-ce pas? Ce sont des meubles des années 1950 que j'ai achetés dans une vente de garage quand je suis arrivé à Montréal. La commode et la table de chevet sont en placage de teck.

— Tu sais que les pattes de tes meubles, effilées en cône, ça revient à la mode?

— *Cool*, tant mieux. À vrai dire, je m'en fous un peu..., avoua-t-il en m'enlaçant. Je crois que c'est de style art déco.

— Oui, je crois que c'est ça, mais il faudrait vérifier, disons que je ne suis pas très calée en histoire de l'art.

Cette deuxième fois, il me pénétra longuement, dans diverses positions. J'attendis toutefois la conclusion avec hâte. Tétanisée, je n'osai rien tenter. Parce qu'il était de six ans mon aîné, je ne fis aucun geste pour prendre le contrôle de nos ébats. Je me disais qu'avec toutes ses expériences sexuelles, il devait savoir quoi faire d'une femme entre ses mains. Un seul mot me hanta lorsqu'il cessa son va-et-vient sans jouir: médiocre.

Mais faut-il abandonner lorsque les prémices sont médiocres? Ma génération du *zapping* aurait sûrement passé à un autre appel. Ma génération du sans effort aurait jeté rapidement ce mauvais numéro dans la corbeille. Mes études poussées sur le couple m'avaient appris qu'il fallait persévérer, s'apprivoiser, se découvrir tranquillement. J'espérais que Simon ait lu les mêmes bouquins que moi ou que, par instinct, il en arriverait à ces mêmes conclusions.

Ainsi, je sentis encore une fois une vague de soulagement me submerger lorsqu'il m'invita à célébrer son trente-troisième anniversaire avec ses copains, la semaine suivante. C'était au retour de mon deuxième circuit touristique.

CHAPITRE 9

Roger et sa moustache nous attendaient dans l'autocar en lisant un tabloïde. Lorsqu'il s'aperçut de mon arrivée, il me fit un signe de la tête et me sourit. Ma dernière performance lui avait permis de repartir avec un bon pourboire et de bonnes commissions. Nous avions empoché en tout 1450 dollars chacun pour sept jours, plus nos salaires de base. Les touristes nous avaient donné en moyenne trois dollars par jour de pourboire. Rare pour des Français, selon lui, les Allemands étant les plus généreux.

Cette fois, je guidais un groupe de plombiers français, certains accompagnés de leurs femmes, qui avaient gagné ces vacances en vendant de la tuyauterie pour les toilettes. Je me sentais plus confiante puisque je refaisais le même circuit que la semaine précédente, à l'exception du fait que nous commencions par Montréal.

L'avion atterrit à l'heure prévue. La moyenne d'âge des cinquante-deux touristes frôlait la quarantaine. Un groupe plus animé et curieux que les retraités du premier tour.

Au matin du troisième jour, tous assis dans l'autocar en direction de Québec, l'un d'entre eux, trapu et chauve, leva la main.

— Madame la guide, dites-nous pourquoi les véhicules n'ont pas de plaque d'immatriculation à l'avant, comme chez nous. Vos plaques ne sont fixées qu'à l'arrière.

— En toute honnêteté, je ne sais pas, répondis-je spontanément. Mais je vais m'informer et vous revenir avec la réponse.

Il m'avait prise par surprise. J'aurais pu lui retourner la question: pourquoi en Europe fixe-t-on des plaques à l'avant et à l'arrière des voitures? Peut-être sa réponse aurait-elle élucidé la question... Je me tournai vers Roger. Il haussa les épaules.

Trente minutes plus tard, un autre plombier, à la chevelure noire et bouclée, assis tout au fond de l'autocar, me questionna à son tour.

— Combien y a-t-il de mètres de distance entre chaque étage des gratte-ciel de Montréal?

— Vous voulez connaître la hauteur des étages? Ou peut-être la hauteur totale des gratte-ciel?

— Non! Je veux savoir la distance entre chaque étage.

— D'accord, je vais vérifier s'il y a une distance standard. Je vous reviens plus tard avec la réponse.

À Québec, nous attendions un guide spécialisé pour le tour de ville, devant le Château Frontenac. Un jeune homme aux cheveux longs en bataille me fit un signe de la main. Il avait, lui aussi, une question. Je commençais à avoir chaud malgré le temps frais.

— Est-ce que le Château Frontenac est un vrai château?

Ouf! Je connaissais la réponse.

— C'est un hôtel. Il a ouvert ses portes en 1893.

— Mais est-ce que c'est un ancien château transformé en hôtel?

— Non, non, c'est bel et bien un hôtel au style inspiré de celui des châteaux du Moyen Âge et de la Renaissance.

— Vous en êtes certaine? insista-t-il.

Pendant une seconde, il me fit douter. Je fouillai rapidement dans ma mémoire: cours d'histoire du Québec, première année.

— J'en suis certaine, répondis-je, soulagée d'avoir retrouvé si vite l'information à travers tout ce que je stockais dans mon cerveau depuis des années. Par contre, précisai-je, à l'emplacement de l'hôtel, juste avant sa construction, il y avait autrefois, entre 1784 et 1892, le château Haldimand, un tout petit château. Il a servi de salle de réception, d'atelier de peintres, d'assemblée législative pour le gouvernement et d'école.

— La brique orange provient de quel endroit?

Je furetai dans ma tête. J'avais l'impression de passer un examen d'histoire.

— De l'Écosse, je crois.

— Vous croyez ou vous en êtes certaine?

— Certaine à 99%.

— Combien a-t-on utilisé de briques pour construire l'hôtel?

— Là, par contre, vous me posez une colle! Peut-être que le guide de Québec le saura. Nous le lui demanderons.

Je ne pus m'empêcher de juger ce touriste au look de cancre. Probablement qu'il ne saurait pas répondre à de telles questions précises sur son propre pays. Probablement aussi qu'il n'en avait rien à foutre de mes réponses. Il voulait tester ma confiance, comme se plaisent à le faire certains fainéants à l'école pour déstabiliser leur professeur. Une façon de se venger pour les mauvais résultats scolaires, ou simplement par lassitude... Sauf que c'était mon devoir de leur parler de l'histoire du Canada. J'étais payée pour le faire. Je me mettais une pression énorme.

L'ami avec qui il voyageait, sûrement le plus âgé du groupe avec sa cinquantaine avancée, renchérit :

— Ça vous fait plusieurs choses à vérifier. Vous ne connaissez pas grand-chose, madame Laliberté.

Sur ces mots, un homme bedonnant aux cheveux argentés monta à bord de l'autocar et s'empara du micro. « Enfin une pause », pensai-je.

Et c'était reparti ! Ma confiance disparaissait un peu plus à chaque kilomètre d'autoroute. Même lorsque le guide de Québec avoua ne pas savoir combien de briques on avait utilisées pour construire le Château Frontenac.

— C'est une blague ! affirma-t-il d'un ton péremptoire. Vous l'avez lu sur Internet et vous voulez vérifier si j'ai surfé sur le même site que vous ? Bon, est-ce qu'il y a des questions plus pertinentes ? lança-t-il, énervé.

Voilà l'expérience qui s'exprimait. Une bonne leçon de gestion de groupe, que je pris en note.

En fin d'après-midi, la dizaine de Français assis à l'arrière décida de boire un pastis.

— Est-ce que vous venez prendre un apéritif avec nous, Élisabeth ? cria monsieur Ducourant, le trapu.

Roger me fit signe d'approcher.

— Tu ne peux pas boire pendant que tu travailles.

— Non, sans blague ! répondis-je du tac au tac. Penses-tu vraiment que j'ai envie d'aller me soûler avec les touristes assis en arrière ? chuchotai-je, insultée par ses recommandations à la sauce parentale.

— Tu sais qu'ils n'ont pas le droit de boire dans l'autobus. Ça fait partie du règlement. Tu dois aller leur dire.

— Mouais…, marmonnai-je sans enthousiasme.

— Je suis sérieux. Je ne peux pas tolérer ça dans mon autobus.

— Bon…

Faire de la discipline. Je n'avais pourtant pas postulé pour un poste d'enseignante au secondaire ! Je me dirigeai donc vers l'arrière, à contrecœur, le plus lentement possible, en essayant d'avoir un pas *cool*, sans tomber. Les routes du Québec étant ce qu'elles sont, un cours d'acrobate m'aurait été fort utile pour garder l'équilibre.

— Vous vous êtes décidée à venir prendre un pot avec nous ? s'empressa de dire monsieur Chaillan, l'aîné du groupe.

— En fait, je dois plutôt vous dire que vous n'avez pas le droit de boire de l'alcool dans l'autocar.

— Rabat-joie, déclara le trapu en me déchiquetant du regard.

— Ce sont nos vacances ! Nous avons payé ! Nous faisons ce que nous voulons ! affirma un autre, maigrelet, aux cheveux en brosse.

— Écoutez, je vous dis ce qu'il en est, déclarai-je avant de rebrousser chemin vers l'avant.

J'avais autant de leadership et d'autorité que le chef du Parti libéral du Canada du moment. Autant de pouvoir qu'un policier devant un gang de motards criminalisés. Autant de crédibilité que notre système de justice qui donne des sentences ridicules à des pédophiles.

Je retournai m'asseoir à l'avant en pensant à mon beau Simon, à sa gentillesse et à son passé émouvant. J'avais très hâte de le retrouver pour son anniversaire. Hâte de voir si notre histoire allait marcher. Le temps me parut soudain si long. Nous n'étions qu'au début du circuit.

Après avoir réglé des problèmes de chambres soi-disant mal nettoyées et de transformateurs de courant défectueux, la nuit arriva enfin à 1h. Étendue dans un lit moelleux, j'étais heureuse de retrouver mon futur bien-aimé dans mes rêves. Je revoyais son torse nu athlétique, j'avais en mémoire le parfum de sa peau, une senteur douce et sucrée.

Cet agréable sommeil fut interrompu par la sonnerie du téléphone. «Encore un touriste désemparé», eus-je comme réflexion. Je décrochai. Silence au bout du fil.

Une demi-heure plus tard, un autre appel. Encore silencieux. Épuisée par cette interminable journée, l'idée ne me vint même pas à l'esprit de débrancher le téléphone, de toute façon je n'aurais pas eu la force de chercher l'endroit où était située la prise, cachée peut-être derrière le lit impossible à déplacer.

Le lendemain, nous avions beaucoup de route à parcourir. Destination: Ottawa. Afin d'éviter les débordements, je pris le micro pour chanter différents succès québécois et proposai au groupe de m'accompagner. Les plombiers semblaient heureux d'entonner les chansons de Félix Leclerc, Stefie Shock, Pauline Julien et Marie-Mai. Puis, après une heure au micro, j'invitai les gens à prendre la relève avant d'être obligée d'avoir recours à une chirurgie pour des nodules aux cordes vocales. Je ne connaissais pas les techniques des chanteurs professionnels pour les préserver!

Une atmosphère joyeuse flotta dans l'autocar jusqu'à ce que monsieur Ducourant, le trapu, décide de chanter un rap misogyne rythmé par «salope», «pute», «chatte», qui se terminait par «devant ce constat, je n'assurais pas». Certaines touristes assises près de moi étaient mal à l'aise.

À la fin de sa prestation, je repris le micro, sentant qu'il fallait intervenir pour éviter d'autres dérapages vocaux.

— Comme ça, vous n'assurez pas ? dis-je en adoptant un ton narquois. Aïe, aïe, aïe ! Ça ne va pas du tout ! Bon ! Maintenant, y a-t-il quelqu'un qui aurait une chanson moins grivoise à nous fredonner ? Un bel air du répertoire français ?

Silence complet. Plusieurs me jetèrent des regards réprobateurs.

— Personne ne veut chanter quelque chose de plus classique ?

Une femme dans la quarantaine, assise à l'avant, qui avait justement maugréé en entendant les vers misogynes, prit la parole.

— Vous leur avez coupé le sifflet ! pesta-t-elle en fronçant les sourcils. Vous voulez qu'on chante, et ensuite vous empêchez les hommes de s'exprimer.

Une autre l'appuya. Elle avait un visage à la Carla Bruni.

— C'est vrai, maintenant plus personne n'osera s'aventurer au micro.

J'étais stupéfaite par leurs réactions. Moi qui croyais les défendre en réclamant du respect, elles soutenaient leurs conjoints. Choc culturel. J'aurais eu envie de leur répondre : « Parfait si vous êtes des salopes et des putes, mais les Québécoises n'en sont pas. » L'éthique professionnelle m'en empêchait. Je représentais la compagnie, m'avait-on précisé. J'aurais été virée sur-le-champ ou, du moins, à mon retour, car nous roulions sur la 417 en direction de la capitale canadienne, et Roger ne pouvait pas m'abandonner sur le bord de l'autoroute. Quoique…

— Bon, alors, profitons-en pour regarder le DVD du film québécois *Crazy*, déclarai-je.

« Pendant ce temps, pensai-je, vous ne me ferez pas chier et je pourrai reprendre mes heures de sommeil. » En catimini, évidemment. Il ne faut jamais faire confiance à un touriste qui paye son forfait voyage. Pour éviter d'être prise en faute, j'utilisai la technique du guide qui m'avait donné ma formation accélérée : assise dans le premier banc de l'autocar, lunettes fumées, crayon à la main et papiers de réservations sur les genoux.

Lorsque nous arrivâmes à l'hôtel et que toutes les chambres furent distribuées, ma valise avait disparu. Comme par magie, elle se retrouva devant ma porte le matin suivant. Juste à temps pour me changer avant le déjeuner. J'avais donné rendez-vous au groupe à 7 h pour le petit-déjeuner, et à 8 h devant l'autocar pour le départ vers Toronto.

Ma montre indiquait 8 h 45 lorsque le dernier plombier prit place dans le bus. Quarante-cinq minutes de retard. Roger renâclait.

— Pas question de faire de la vitesse pour arriver à temps à la croisière dans les Mille-Îles ! C'est de ta faute, Élisabeth ! Tu dois leur dire que c'est important de respecter les horaires. Tu dois leur répéter ça chaque fois que tu leur parles, chaque fois qu'ils quittent l'autobus, après les repas, avant d'aller se coucher. C'est comme des enfants ! Là, à cause de toi, on est en retard.

C'en était trop ! En plus des clients qui s'acharnaient sur moi, voilà que le moustachu se mettait de la partie. Je ne pouvais pas lui faire une scène devant tous les témoins, mais je ne devais pas me laisser accuser sans protester. Au lieu de l'engueuler, ce qui aurait été approprié dans un autre contexte que celui du travail, je pris un ton exagérément mielleux accompagné d'un sourire qui se voulait faux. Ma voix était basse. Mon collègue était le seul à l'entendre.

— Mon cher Roger n'a pas pris son Nescafé, comme dirait la publicité. Je comprends que tu aies peur pour tes pourboires et tes commissions. C'est ton principal gagne-pain. Tu n'as pas d'autre emploi. C'est ta vie, être chauffeur d'autobus... Je me souviens, mon cher Roger, d'avoir précisé au groupe de plombiers que l'heure des départs était très importante. On m'avait dit de le faire dans ma formation, mais j'avoue que je ne croyais pas tomber sur des touristes aussi irrespectueux.

— Qu'est-ce que tu vas faire si on arrive en retard à la croisière ? pesta-t-il à nouveau.

— Eh bien, nous la raterons. Voilà. Ils s'expliqueront entre eux.

Le chauffeur démarra, pas convaincu de ma stratégie. Je pris le micro en conservant mon ton et mon sourire. Ce qui me restait de confiance en moi avait quitté l'autocar depuis longtemps. Je dus puiser très loin à l'intérieur de moi pour dénicher le courage qui me permit de prononcer ces quelques phrases :

— Mesdames et messieurs, bon matin.

Avant que je n'aie eu le temps d'articuler la suite, une voix masculine me coupa :

— C'est un anglicisme ! Il faut dire « bonjour » ou « bon avant-midi ».

— C'est vrai, vous avez raison, la fatigue me fait oublier ma langue, répliquai-je.

Marc l'avocat se serait bien marré s'il avait assisté à la scène ! Au lieu de m'offusquer, j'eus le fou rire.

Je dus vite me concentrer afin de poursuivre le scénario initial.

— Tout d'abord, je voudrais remercier la personne qui m'a rapporté ma valise. J'étais bien heureuse parce que j'ai pu changer de bobettes. Ah oui! c'est vrai, je dois préciser, pour ceux qui n'auraient pas compris mon expression québécoise: j'ai pu mettre des sous-vêtements propres. Comme je suis menstruée, mes sous-vêtements étaient tout tachés, il y avait du sang partout, jusque dans mes pantalons. Je me disais: «Merde, c'est embêtant de devoir passer une autre journée dans mes vêtements tachés sans pouvoir changer de serviette sanitaire.» Euh, je devrais plutôt dire, de serviette hygiénique, c'est vrai, c'est ce que vous dites chez vous et, oui, je sais, «serviettes sanitaires», c'est une traduction littérale de l'anglais. Donc, mes serviettes étaient, elles aussi, dans ma valise. Bref, merci encore, c'est vraiment très gentil de m'avoir rapporté ma valise. Merci aussi d'être presque tous arrivés en retard, même si j'avais précisé qu'il fallait partir à 8 h. J'en déduis que la croisière qui est prévue à l'horaire ne vous intéresse pas. Vous auriez dû me le dire hier. Nous aurions pu dormir une heure de plus.

Sur ces mots, je déposai le micro et allai m'asseoir sans prêter attention aux mines horrifiées de dégoût, ni au chauffeur mal à l'aise qui grimaçait. Je fouillai dans mon sac pour en sortir des documents, que je plaçai sur mes genoux, et mes précieuses lunettes de camouflage. Cette fois, pas de film. Ils allaient se contenter du merveilleux paysage qui défilerait par la fenêtre: la 401, l'autoroute la plus ennuyante et inintéressante du pays.

Derrière mes verres teintés, mes yeux se remplirent d'eau. Je luttais pour éviter l'inondation de mes joues. Quelle bande de salopards ! Quel emploi de merde ! Moi qui croyais m'amuser en racontant l'histoire du Canada. Me croyant blindée avec ma ribambelle de diplômes, j'avais sous-estimé la tâche. Sur l'offre d'emploi, Air Liberté avait omis d'inscrire dans les qualités recherchées : « Savoir contrôler un groupe de délinquants indisciplinés » et « Expérience en garderie un atout ».

L'air frais de la climatisation me fit frissonner. J'enfilai mon caban en laine turquoise, en remontai le large col et m'enfonçai dans le siège. Je me sentais terriblement seule dans ce véhicule bondé de Français.

Mes pensées s'égarèrent spontanément vers Guillaume plutôt que vers Simon. Un réflexe qui me choqua sans me surprendre. Une liaison embryonnaire est excitante, mais à mille lieues des pantoufles réconfortantes… Ce n'est pas ce qu'on lui demande, de toute façon.

Mon ex me connaissait par cœur, il aurait su comment me rassurer. Il savait si bien le faire quand nous étions amoureux et qu'il ne trouvait pas de raison de me blesser. Malgré la liste de défauts qui s'allongeait au fil des années, je savais, au plus profond de mon âme, que Guillaume ne m'abandonnerait jamais dans un malheur. Qu'en serait-il de Simon ? Allais-je développer cette confiance envers lui ? L'assurance qu'il serait là pour moi dans les pires moments ? Là pour me secourir au bord de n'importe quelle route ?

Pour me changer les idées, j'essayai d'imaginer comment se déroulerait son party d'anniversaire.

* * *

Le sixième jour arriva, le moment le plus important du circuit, du moins pour les Français : l'excursion aux chutes Niagara. Microphone en main, je récitai mon texte d'une voix monocorde, sans regarder les touristes. Même si je m'efforçais d'être endormante, le contenu était fort sympathique. Pour une des rares fois, aucun ne chuchotait en sourdine, j'avais toute l'attention.

— La ville de Niagara a une grande tradition de voyages de noces, de lunes de miel. Pour certains étrangers, c'est peut-être une destination de rêve, mais pour les Québécois, c'est très quétaine, c'est kitsch, ringard. Cette tradition vient de chez vous, car ce serait le frère de Napoléon Bonaparte, Jérôme, qui aurait lancé la mode avec sa femme, Élizabeth Patterson.

Je n'en revenais pas. Ils étaient tous captivés. Tant pis pour eux, je poursuivis cette fois, non pas en récitant le texte, mais carrément en le lisant et d'un ton capable de déprimer un nouveau gagnant à la loterie.

— Niagara, en iroquois, signifie – et là, les versions varient selon les traducteurs –, « Tonnerre des eaux », « Là où le tonnerre gronde », « Grondement des eaux » ou « Eaux du tonnerre et du rugissement ». C'est ici qu'en 1901, madame Annie Edson Taylor, une institutrice de 63 ans, est devenue la première personne à se jeter dans les chutes à bord d'un baril. Elle a survécu. En 1995, monsieur Overacker a eu moins de chance…

Tout en lisant les mots, je me demandais ce que j'allais faire de cette bande de crétins. C'en était vraiment trop : les tests de connaissances du Canada, les Françaises soumises, les appels en pleine nuit, le vol de ma valise, les rendez-vous manqués à cause des retards volontaires. Je n'avais pourtant encore rien vu.

À bord du *Maid of the Mist*, le bateau qui mène les curieux armés d'imperméables à l'assaut des chutes, un groupe de plombiers se jeta sur moi. Figée dans le ciré bleu, je n'eus même pas le réflexe de me débattre. Rapidement, la dizaine d'hommes me souleva dans les airs et fit un mouvement en direction de l'eau. Pendant une fraction de seconde, j'eus en tête cette image de femme offerte en sacrifice au monstre puissant qui rugissait près de nous. Ils n'allaient quand même pas me balancer à la mer?!

Soudain, je réalisai qu'une vingtaine de mains me tenaient bel et bien au-dessus de l'eau, «Là où le tonnerre gronde», selon la traduction... Personne autour pour s'opposer! Personne pour crier à cette bande de rustres de me poser par terre. La dangereuse plaisanterie devait sûrement avoir l'air marrante. Allaient-ils m'échapper par mégarde? J'étais trop stupéfaite pour avoir peur.

Pas question cependant de passer à l'histoire en tant que première guide touristique à risquer sa vie dans le «Tonnerre des eaux». Avant que ces bâtards ne me jettent par-dessus bord, je poussai un cri strident. Un cri qui aurait réussi à faire fuir des spécialistes du braquage à domicile. Pris de panique, ils retirèrent tous leurs mains d'un coup. Par miracle, je fus projetée par terre, et non dans l'eau.

Les fesses sur le sol, une cheville tordue, les poignets pliés pour absorber le choc, je relevai la tête. Mon visage reçut une pluie froide. Le *Maid of the Mist* venait de s'approcher plus près des chutes. Les yeux brouillés par l'eau et, je dois l'avouer, par les larmes, j'arrivai à distinguer le trapu au crâne dégarni, le maigrelet à la coiffure en brosse, le jeune aux cheveux longs et même l'aîné, monsieur Chaillan, qui s'enfuyaient.

À travers le bruit sourd de la cascade puissante, j'entendis des rires. Puis, des flashs en rafale me firent plisser les yeux. Incroyable. Des Asiatiques me prenaient en photo. N'y avait-il que moi qui ne croyais pas en cette farce?

La croisière s'acheva enfin. Je quittai le bateau, abattue. En rendant mon imperméable à l'employé de la compagnie, je n'eus pas l'énergie nécessaire pour exprimer mon mécontentement. Encore moins pour demander à qui je devais m'adresser afin de porter plainte. M'engueuler en anglais, c'était au-dessus de mes forces.

Où était passée cette boxeuse? La fille qui fantasmait sur les exploits de Sarah Connor dans *Terminator 2: le jugement dernier*, l'amazone qui met au tapis une dizaine d'infirmiers? Bon, j'imagine que les plombiers sont plus costauds que les hommes en uniforme blanc...

De retour à l'autocar, je racontai mon agression au chauffeur et lui demandai conseil. Il avait plusieurs années d'expérience.

— Je t'avoue que je n'ai jamais vu ça! s'exclama-t-il en grimaçant. Ils s'en prennent à toi physiquement... Je vais te surveiller, proposa-t-il.

Ma relation avec Roger et sa moustache n'était pas toujours harmonieuse. Aussi je crus percevoir, durant un instant, du contentement sur le visage de l'homme pendant que je lui racontais mon récit. À moins que ce ne soit la fatigue et l'abattement qui m'entraînèrent vers la paranoïa. « Ne te réjouis pas trop, pensai-je, le pourboire sera à coup sûr d'une médiocrité jamais égalée.»

Trempée et défaite comme une vieille lavette, je profitai de l'heure libre des touristes pour changer de vêtements. Pourquoi ces crétins voulaient-ils me faire chier à ce point? C'était pourtant leurs vacances, et non un voyage scolaire obligatoire! Qu'est-ce que je pouvais bien dégager qui leur inspirait autant de mépris?

Lors du dîner dans un restaurant panoramique sur l'avenue Falls, j'entendis l'aîné du groupe se plaindre de problèmes de digestion et d'un mal de bras. Il était assis avec sa femme à une table jouxtant la mienne. Devais-je l'avertir qu'il était probablement en train de faire une crise cardiaque? Prévenir le salaud qui voulait me faire voir les chutes de plus près, il y a quelques heures à peine? Si je me trompais dans mon diagnostic, le pire était à craindre, pour moi du moins.

Le circuit tirait à sa fin. Il ne restait que la visite de Toronto le lendemain, et en soirée, le soulagement total, au revoir et bon débarras vers Paris. Deux jours encore et Simon serait dans mes bras.

Lorsque monsieur Chaillan se leva pour aller aux toilettes, je l'interpellai:

— Je vous ai entendu vous plaindre d'un problème de digestion et...

Il me coupa la parole:

— C'est votre nourriture canadienne indigeste de merde! renâcla-t-il. Cette saleté me donne des problèmes à l'estomac. Votre café, c'est du jus de chaussette! Et votre bouffe, je n'en donnerais même pas à mon chien!

— J'ai l'impression que vous avez les premiers signes d'une crise cardiaque, risquai-je.

— Vous êtes médecin ou quoi ? Franchement ! s'exclama-t-il en haussant les épaules.

Il disparut aux toilettes.

À la fin du repas, il était en sueur. Et pourtant, j'entendais les autres plombiers assis à sa table se foutre de ma gueule. Je crus même discerner les mots « salope » et « guide » réunis dans une même phrase. Aucune voix féminine pour s'opposer. J'avais hâte de les raccompagner à l'aéroport.

Entre l'entrée et le dessert, j'avais rédigé mentalement ma lettre de démission. La rémunération que m'accordait Air Liberté ne valait certainement pas de mettre ma vie en danger. D'ailleurs, qui risquait sa vie aujourd'hui pour un emploi ? Mis à part les soldats en Afghanistan ?

Arrivé devant notre hôtel à Toronto, alors que Roger sortait les valises de la soute à bagages, le plombier à la cinquantaine avancée s'effondra par terre. Sa femme se mit à crier. Le troupeau de touristes se regroupa autour du malade pour être sûr de l'empêcher de respirer et de l'achever.

Devais-je intervenir ? Sauver mon bourreau ? Procéder aux manœuvres ? Avais-je le choix de laisser mourir quelqu'un ? Au risque de me faire accuser d'avoir mal exécuté le massage cardiaque ? C'est probablement pour ça que la loi canadienne condamne la non-assistance aux personnes en danger : pour éviter qu'on tergiverse. En plus, j'avais dans mon sac un masque pour couvrir la bouche de la victime et éviter toute contamination.

— Laissez-moi passer ! m'écriai-je d'une voix si forte que j'en fus aussi surprise que mes touristes.

Tout le monde recula. Je m'agenouillai à côté du plombier inerte. Je déchirai rapidement sa chemise, mis le masque sur sa bouche. Puis, avec minutie, je pratiquai des compressions thoraciques en alternant avec la respiration artificielle. C'était la première fois de ma vie que je devais appliquer ces techniques de mon cours de secourisme. Au moment où retentit la sirène de l'ambulance, que Roger avait pris soin d'appeler, le plombier se mit à tousser. Il respirait de nouveau. Les ambulanciers vinrent me relever.

CHAPITRE 10

Lorsque nous arrivâmes, Virginie et moi, devant l'immeuble du Vieux-Montréal où se déroulait la soirée d'anniversaire de Simon, j'étais encore secouée. Le quinquagénaire était sain et sauf, hospitalisé pour quelques jours à Toronto. Le reste du groupe était reparti comme prévu dans la Ville lumière. À l'intérieur de la grande enveloppe brune qui servait à récolter les pourboires, j'avais trouvé un montant d'argent inespéré et plusieurs mots de félicitations, dont celui-ci, accompagné d'un billet de 100 euros :

Madame Laliberté,

Je suis extrêmement désolée pour le comportement de mon mari et de ses collègues.

Une femme intelligente, instruite et belle de surcroît, ça ne plaît pas à la cohorte des plombiers.

J'en sais quelque chose.

Mon mari se sent très complexé envers sa propre femme.

Je suis biochimiste et on dit que j'ai des airs de Carla Bruni.

Vous voyez le tableau.

Bonne continuation.

Selon moi, vous valez mieux qu'être guide.

Vous méritez une belle carrière de votre choix.

Madame Ducourant

Devais-je démissionner ? J'avais toujours ma dette à rembourser… Espérer avoir des groupes plus sympathiques ? C'est un des arguments que la directrice de la section « Forfait voyages pour les Européens » m'avait servis pour tenter de me convaincre de rester. Même si certains touristes m'avaient donné une piètre note dans la fiche d'évaluation du guide touristique, parce que, avaient-ils écrit, « mes connaissances du Canada étaient médiocres », j'avais sauvé la vie d'un client, avait souligné la directrice. Jamais dans l'histoire de la compagnie cela ne s'était produit, avait-elle précisé.

Un vent de découragement s'abattit sur moi. C'était la première fois de ma vie que j'avais une mauvaise note. Ma maîtrise en histoire, mes cours universitaires sur l'histoire du Québec et du Canada et le fait que je sois Canadienne ne suffisaient pas aux yeux de ces Français, qui avaient qualifié mes connaissances de médiocres.

Mon erreur ? Avoir voulu vérifier des informations avant de les transmettre. Je ne voulais pas leur baratiner n'importe quoi ! Maintenant, je comprenais pourquoi un grand nombre de guides mentaient aux touristes. L'important n'était pas de connaître les choses, mais d'avoir l'air de les connaître.

En prenant l'ascenseur jusqu'au loft de l'ami de Simon, Laurent, Virginie voulut me changer les idées en me demandant comment je croyais que cette soirée avec des inconnus allait se dérouler.

— J'ai l'impression que je ne verrai pas tellement Simon, puisque c'est lui la vedette de la soirée. Il sera très sollicité. Alors, je suis bien heureuse que tu aies accepté de venir avec moi, sinon je me serais sentie très seule.

— C'est sûr que dans une fête comme celle-là, le fêté essaie toujours de passer du temps avec le plus d'invités possible.

En sortant de l'ascenseur, nous longeâmes un corridor au mur de briques jusqu'au condo 212. L'énorme porte grise s'ouvrit, laissant apparaître le grand sourire de Simon. Sans dire un mot, il me prit dans ses bras, me bascula sur le côté et se pencha pour m'embrasser avec passion. Il me releva d'un coup pour enrouler autour de mon poignet droit les ficelles de trois ballons gonflés à l'hélium.

— Tu es le plus beau cadeau d'anniversaire que je recevrai ce soir, déclara-t-il avec un enthousiasme contagieux.

Virginie était restée sur le pas de la porte, sans prononcer un mot, pour contempler la scène. Elle semblait ravie pour moi. Simon s'avança vers elle.

— Non, pas de baiser romantique pour moi, par pitié, supplia-t-elle en rigolant.

— Ne t'inquiète pas, Élisabeth a l'exclusivité.

— Merci de me rassurer.

Elle lui tendit une bouteille de vin que nous avions apportée. J'en profitai pour lui donner un présent, emballé pour lui. Il déchira le papier aux dessins naïfs et découvrit un livre sur le conflit israélo-palestinien.

— Bon choix ! Merci, dit-il en m'embrassant encore.

Il nous conduisit à travers le loft ultra-design aux murs blancs, décoré avec des rideaux, des coussins, des cadres et des vases aux couleurs turquoise et brun chocolat. Plusieurs invités nous furent présentés en cascade. Aussitôt que je les eus salués, j'oubliai leurs noms. À l'exception d'Estéban. Un nom facile à retenir à cause d'un dessin animé des années 1980 dont tous les épisodes avaient été enregistrés par ma sœur sur cassette vidéo, mais aussi parce qu'on avait précisé qu'il était l'un des meilleurs amis de Simon. Le gaillard aux cheveux cannelle s'occupait des communications d'une maison de disques.

— Tu as vraiment de la chance d'avoir rencontré Simon. Il a beaucoup de vécu et ça lui donne une belle personnalité.

Il passa son pouce et son index sur ses joues, en descendant vers le menton, comme pour mesurer la longueur de ses poils de barbe qui poussaient allègrement depuis sûrement deux jours. Puis il ajouta:

— Est-ce qu'il t'a dit qu'il cuisinait? Quand on se rencontre, c'est toujours lui qui nous concocte des plats. Indien, libanais, français: il sait tout faire.

Nul doute. Son copain faisait le bon métier. La machine promotionnelle fonctionnait déjà à plein régime et aucun album ni spectacle n'était à vendre. Sans craindre une seconde la surexposition médiatique, il s'écria d'un ton emphatique:

— DJ, fais-nous jouer ta meilleure musique kitsch de cha-cha! Mets un cha-cha! hurla-t-il. Simon doit nous faire son numéro extraordinaire. Vous n'en croirez pas vos yeux, les filles!

Le préposé aux disques trouva par miracle un air de cha-cha-cha dans sa collection. Avant de m'apercevoir que les invités créaient un cercle autour de Simon, je sentis un bras déterminé m'entraîner sur le rythme cubain. Parfois, on ne se doute pas à quel point certaines connaissances jugées inutiles au moment où on les acquiert peuvent un jour nous sauver du ridicule.

Guillaume et moi avions suivi des cours de danse sociale trois ans auparavant. Son père lui avait fortement conseillé d'apprendre quelques pas pour faire avancer sa carrière. Un lien douteux, selon Guillaume, pour un étudiant qui se destinait à la finance, mais primordial pour le paternel: « Ça impressionne les clients dans les galas d'affaires », insistait-il. Toujours prête à suivre un nouveau cours, j'avais tenté d'être gracieuse pendant un semestre. Parmi tous les pas appris, ceux du cha-cha-cha nous avaient le mieux réussi. Et ils me permettaient de ne pas trop rougir devant tous ces inconnus réunis autour de Simon.

J'avais l'impression de participer aux auditions de *So You Think You Can Dance - La fièvre de la danse*, sans répétition. Mon partenaire était de haut calibre. Simon me faisait tourner, me projetait à gauche, puis à droite, me poussait à reculer encore à gauche. J'avais de la difficulté à me laisser diriger. Une fille du XXIe siècle, quoi! Rien à voir avec Guillaume qui s'empêtrait, ne retenait aucun enchaînement et m'obligeait à diriger nos pas.

— Ce n'est sûrement pas en travaillant à la discothèque que tu as appris à danser comme ça, susurrai-je au creux de son oreille.

— Non. J'ai fait partie d'une troupe folklorique à Trois-Rivières quand j'étais à l'école primaire.

— Avec les costumes et tout le bataclan?

— Tu peux ajouter: avec les costumes HORRIBLES et tout le bataclan.

Les dernières mesures résonnèrent. Il me fit tourbillonner et termina avec une figure impossible sur le dernier cha-cha-cha.

Un rock à la mode reprit vite le contrôle des haut-parleurs pendant que les convives applaudissaient en riant. Laurent me confia que Simon les avait fait rigoler à l'Halloween en s'exécutant, costumé avec un ensemble paillettes et froufrous.

Virginie vint me rejoindre et nous nous éloignâmes de quelques pas du groupe.

— Toute une initiation ! Mais tu t'en sortais bien, mon amie !

— C'est fou comme il danse bien ! Je n'en reviens pas !

— Alors, sur la liste impossible que tu m'as récitée l'autre soir au bar, qu'est-ce qu'il te manque ? On peut cocher intelligent, conversation agréable, aime danser, faire la cuisine, voyager. Je crois que c'est clair qu'il te donne des frissons.

— Le point « Savoir se servir d'un marteau » est validé, dis-je, le sourire en coin. Maintenant il faut vérifier s'il est romantique.

— Oui, et il ne faut surtout pas oublier un élément essentiel : tu ne veux pas qu'il ait envie de faire l'amour trois fois par jour.

Estéban réapparut soudainement près de nous avec deux Smirnoff Ice en se tortillant au son de la musique.

— Est-ce que je peux vous les offrir ? Tout le monde est déjà « cocktail » ! Je ne veux surtout pas que vous vous sentiez à part !

Il les décapsula, nous les tendit, puis repartit.

— J'espère qu'il n'a pas entendu notre conversation, confiai-je à Virginie, juste avant qu'il resurgisse avec son verre de vin rouge.

— Je vous envie, Simon et toi. Vous êtes encore dans la période « marketing ». Chacun fait de la pub de son côté. Personne n'a encore découvert de défauts de fabrication.

— Est-ce que je devrais exiger la garantie prolongée ? plaisantai-je, badine.

— Non, ne t'inquiète pas, Simon est vraiment un gars extraordinaire.

— Ça tombe bien, Élisabeth est extraordinaire aussi ! s'exclama Virginie.

Elle me regarda en esquissant un sourire espiègle qui creusa ses deux jolies fossettes.

— Tantôt, je n'ai pas eu le temps de vous demander ce que vous faisiez dans la vie, nota Estéban avant de boire une gorgée de vin. Mais je crois que vous êtes top-modèles, c'est ça ?

— Nous acceptons le compliment, dit Virginie en souriant, mais je ne fais qu'un mètre soixante-cinq. Élisabeth aurait pu l'être avec son mètre soixante-dix-huit.

— C'est vrai, Élisabeth, tu es super jolie, grande et mince. Pourquoi n'as-tu jamais essayé de devenir mannequin ?

— Premièrement, je suis trop vieille ! dis-je en rigolant. Ensuite, ce n'est pas parce qu'on a le profil de l'emploi qu'on doit absolument tenter sa chance. Miser sur son corps… Je sais que c'est très tendance actuellement. Dans toutes les sphères de la société, le contenant prime le contenu… Mais sincèrement, est-ce que les filles doivent absolument toutes rêver d'être mannequin ? Toutes rêver de se voir dans des magazines ? Bon, je réfléchis à haute voix, mais est-ce que le rêve suprême, c'est de s'exhiber devant un photographe ? Vraiment ? Et si on n'aspire pas à ça, est-ce qu'on est à côté de la plaque ? Ringarde ? Démodée ?

— Tu n'es même pas « cocktail » et tu donnes déjà dans la philosophie ! Tu vas aimer Simon, il adore deviser !

— Avec Élisabeth, tu as toujours l'heure juste, affirma Virginie qui avait décidé de me faire, elle aussi, de la promotion. Elle est vraie. Elle ne fait jamais de fausse représentation.

— Désolée, je m'emballe un peu, admis-je en faisant un clin d'œil furtif à ma copine. Je sais que tu dois vendre tes artistes et qu'ils doivent se retrouver à la une des magazines. Sauf que ce sont des artistes. Bon, encore là, est-ce qu'on mise sur leur musique ? Ou bien leur look comble l'absence d'un réel talent ?

— Tous nos chanteurs sont très *hot*, évidemment ! Mais sérieusement, Élisabeth, tu aurais fait beaucoup d'argent en étant mannequin. Tu aurais eu tous les hommes à tes pieds, toute la planète t'aurait désirée. Imagine... tous les hommes auraient voulu t'avoir dans leur lit.

L'insistance de Guillaume me revint en tête une fraction de seconde, et j'en conclus qu'un seul homme, c'était bien suffisant.

— C'est bien gentil, tous ces compliments, mais..., hésitai-je un moment.

Est-ce que je devais dire le fond de ma pensée ou freiner mes élans pour avoir l'air *cool* et branchée ? Si j'emmerdais ses amis avec mes discours qui n'étaient pas à la mode, je ne marquerais pas de points auprès de Simon... Tant pis ! Je poursuivis :

— J'ai décidé depuis longtemps que ce ne serait pas l'argent qui guiderait mes choix. Si j'avais voulu faire de l'argent, j'aurais étudié en finances, en informatique ou, non, tiens, en médecine pour m'ouvrir une clinique privée. Mais tout ça est contre mes valeurs.

— Wow ! Une fille avec des convictions. Simon est bien tombé, lui aussi. On est super contents qu'il ait quitté son autre folle qui avait quatre enfants.

« Ouf, pensai-je, je ne semble pas trop l'assommer avec ma conversation trop lourde pour une soirée d'anniversaire. »

— Qu'est-ce que tu racontes, Estéban ? Tu ne me fais pas de la mauvaise pub, j'espère ?

Simon s'approcha de moi, me prit par la taille et m'embrassa dans le cou. Un torrent de frissons déferla à travers mon corps. Mes jambes faiblirent. Je m'accrochai à son bras.

Un succès scandinave des années 1970 envahit tout à coup l'appartement.

— Est-ce que je peux vous voler ma « Dancing Queen » quelques minutes ? s'enquit-il auprès de Virginie.

— Seulement si tu me promets que ça ne se terminera pas par *The Winner Takes It All* !

— Promis.

Sur la piste de danse improvisée, il m'enlaça tout en me caressant les fesses, puis les bras et les hanches. Aviné, il me susurra une musique encore plus agréable que celle qui provenait des haut-parleurs.

— Je suis très heureux de t'avoir rencontrée, Élisabeth. Je me sens bien avec toi.

En me déhanchant, je me sentais légère, je flottais, j'avais vraiment l'impression d'être la reine de la fête, la Dancing Queen de la chanson - *You're a teaser, you turn 'em on*[3]. Même si ses paroles envoûtantes provenaient sûrement du fond d'un tonneau. Nous nous embrassâmes le reste de la soirée comme des adolescents dans une danse d'école secondaire.

Vers 3 h du matin, Virginie nous raccompagna chez lui avant de s'enfuir de l'autre côté du pont. Ivre,

---

3. Tu es une séductrice, tu les allumes.

il s'endormit, collé contre mon corps nu. Un visage séraphique. La liste impossible enfin complétée, il s'avérait le candidat parfait pour moi.

CHAPITRE 11
24 décembre

En me réveillant, je me souviens tout à coup que c'est le temps des fêtes. Un Noël triste auquel succédera un Nouvel An entre ces murs aux couleurs qui évoquent la maladie. Pourquoi les hôpitaux engagent-ils toujours des décorateurs dépressifs dont les états d'âme se reflètent dans leur décoration?

J'entends des pas qui semblent se rapprocher de ma chambre. Le bruit s'intensifie. Ce n'est pas l'effet de la morphine. J'aperçois bientôt mes parents qui arrivent près de moi, suivis par ma sœur et mon frère. Dans leurs bras, les classiques du visiteur de patients: des fleurs et des chocolats. Je constate que Julie a plus d'expérience. Elle tient dans ses mains trois magazines à potins. De la lecture idéale, que l'on est apte à faire l'esprit gelé, les idées embrouillées et le corps en douleur.

En examinant leurs regards, je vois que j'ai l'air mal en point, massacrée, détruite. Mes parents s'assoient sur les deux chaises près de la fenêtre, ma sœur s'appuie contre le mur et mon frère s'assoit sans m'avertir sur le bout de mon lit, ravivant une douleur aiguë, dans mes épaules et mon ventre, qui m'arrache un cri.

— NON! C'est trop douloureux!

— Pardonne-moi, petite sœur! réplique-t-il aussitôt, défait. Je ne voulais pas te faire mal.

— Je n'ose même pas bouger tellement mon corps me fait mal, dis-je d'une voix faible. Chaque petit mouvement est une épreuve.

Julie propose d'aller chercher une infirmière pour augmenter la dose d'analgésique, tandis que maman me réconforte avec sa voix douce et compatissante.

— C'est normal que tu aies des douleurs lancinantes aux épaules et au ventre. Tu verras, d'ici deux semaines environ, ton ventre dégonflera tranquillement et tes épaules deviendront moins sensibles.

À travers la douleur, ma vessie me rappelle tout à coup qu'elle existe. Je rassemble ce qu'il me reste de force pour poser la question cruciale à ma mère infirmière.

— Dis-moi, maman, comment dois-je faire si j'ai envie?

— Bien, on va demander une bassine. Je reviens tout de suite.

Quelques minutes plus tard, elle et Julie reviennent en compagnie d'une infirmière aux traits tirés. À ses pas et à sa gestuelle, on devine qu'elle est d'une humeur massacrante.

— Vous avez envie, madame? Alors, levez-vous pour aller aux toilettes! déclare-t-elle d'un ton autoritaire.

Ma mère s'interpose tout de suite.

— Ça ne fait même pas vingt-quatre heures qu'elle a été opérée. Apportez-lui une bassine!

— Non, elle doit se lever! insiste-t-elle. Plus vite elle se lèvera, plus vite elle s'en remettra. On n'est plus dans les années 1950, madame, dans le temps où on laissait les patients alités le plus longtemps possible.

— Je comprends votre théorie, mais il y a des limites, madame!

— Donnez-lui encore plusieurs doses de morphine et peut-être sera-t-elle en mesure de se lever, suggère ma sœur avec ironie. Elle a de la difficulté à se mouvoir tellement elle souffre.

— Elle n'est pas en phase terminale ! peste l'infirmière excédée.

Ma sœur jette un regard à ma mère, puis s'éclipse. La dame en uniforme s'approche de moi, soulève le drap, me tourne rapidement sur le côté et m'injecte un calmant.

— Avez-vous besoin d'aide pour aller aux toilettes ? me demande-t-elle.

— Non merci, dis-je d'une voix à peine audible.

— Bonne soirée, conclut-elle en quittant la pièce.

Mon père et mon frère, qui se sont tus jusqu'ici pour laisser les infirmières régler le problème entre elles, soupirent en chœur.

— On a dû la forcer à faire des heures supplémentaires, suggère mon père. C'est extrêmement dangereux. C'est comme un camionneur qui roule sans arrêt pendant plus de vingt-quatre heures, commente-t-il, fidèle à lui-même avec ses comparaisons. Si vous faisiez du pouce sur l'autoroute, est-ce que vous monteriez avec lui dans son véhicule, au risque d'avoir un accident ? La réponse est non.

— Peu de chances qu'on fasse du pouce, papa, déclare Julie en rentrant dans la pièce. Et peu de chances qu'on monte avec un camionneur.

Elle tient dans ses mains la fameuse bassine qui me permettra de soulager ma vessie. D'un geste, elle invite les deux hommes à sortir.

— On va aider Élisabeth.

— Olivier, une faveur, dis-je, le souffle court.

— Tout ce que tu veux, petite sœur.

— Je te donne mon mot de passe. Change mon statut.

— Ton statut Facebook ? s'exclame-t-il en riant. Tu es vraiment incroyable, Élisabeth ! Bon, d'accord, je vais t'écrire quelque chose. Tu me donnes le feu vert, j'imagine ?

Il n'attend pas de réponse de ma part, approche son oreille devant ma bouche afin que je lui souffle le mot de passe en question.

— J'en étais sûr ! Bon, je te laisse avec maman et Julie.

Et c'est ainsi que j'apprends à connaître les joies d'être dépendante d'autrui pour mon hygiène personnelle. Un retour dans le passé, ou plutôt la bande-annonce d'un futur que tous souhaitent repousser aux calendes grecques. Quelle déprime de ne pas être en mesure de répondre à ses besoins primaires ! Alors que je réussis enfin à uriner dans le récipient adapté, je songe encore à Simon.

CHAPITRE 12
Flash-back

Le voyage suivant m'amena au Lac-Saint-Jean, où je n'avais jamais posé les pieds. Je dus user du même subterfuge que lors de mon baptême de Toronto. Le soir venu, dans les chambres d'hôtel, j'apprenais par cœur le contenu de guides touristiques empruntés à la bibliothèque.

J'avais créé une méthode pour échapper à un autre « médiocre » dans l'évaluation des clients, une technique qui m'évitait d'avoir recours aux mensonges : les bombarder d'informations, et surtout de celles provenant des livres sur le Canada qu'ils avaient en main, comme le *Guide Michelin*. Rassurés par le contenu de leurs documents et mes paroles qui concordaient à la virgule près, les Français faisaient un bon voyage enrichissant.

Avec un naturel qui me surprit, je leur racontai avec émotion et conviction des anecdotes qui ne m'appartenaient pas sur le déluge de 1996, au Saguenay. Émus, les Français s'attendaient à ce qu'on fasse un détour pour aller saluer ma grand-mère qui avait survécu à l'effondrement de sa maison. Attention, je ne dérogeais pas à ma règle, puisqu'aucun fait n'était altéré. Je ne faisais que saupoudrer l'histoire du Canada d'émotions.

Lors d'une excursion aux baleines, je rassemblai tout le monde sur le pont du bateau pour pointer çà et là des rorquals communs, citant statistiques et caractéristiques sur l'espèce que je voyais pour la première fois de ma vie. Je priai pour que les spécimens qui nageaient correspondent aux photos que j'avais vues sur Internet. Les touristes étaient également satisfaits que j'aie réussi à réunir les baleines au moment de leur visite, contrairement à d'autres guides lors d'excursions précédentes. C'est bel et bien ce qui était écrit dans leurs commentaires, je vous le jure!

Nous revînmes à Montréal le lundi. Le jour suivant, le 8 juillet, l'invitation de Simon me rasséréna. J'avais rêvé à lui durant tout le parcours: de Toronto à la colline Parlementaire d'Ottawa, lors d'un arrêt à Québec, jusqu'au zoo de Saint-Félicien. Je me laissais chaque fois bercer par le souvenir de nos derniers ébats. Le dimanche matin suivant son anniversaire, j'avais mis en œuvre toutes les techniques des *Caresses magiques que chaque femme devrait connaître*. En me fiant aux secousses qui avaient traversé tout son corps et à son visage crispé qui avait laissé échapper plusieurs cris, je crois que je peux vous recommander ce livre.

Je ne l'avais pas revu. Lorsque j'étais allée en ville avec mes touristes, il n'avait pas pu se libérer pour venir profiter de ma chambre de motel du boulevard Taschereau, à Brossard. Rien d'invitant, j'en conviens, mais une cabane en bois rond, pareille à celle dont rêvaient mes Français, m'aurait suffi pour me blottir contre lui.

Arrivée devant la porte de son appartement de la rue Rachel, j'étais nerveuse et en sueur. Le mercure avait grimpé jusqu'à 32°C. Je me rappelai soudain les paroles de Guillaume lorsqu'il évoquait la nervosité que suscitait chez lui un rendez-vous avec moi. Au fil du temps, j'avais oublié cette euphorie extatique, et regrettais de ne pas l'éprouver en sa compagnie.

Cet après-midi-là, je ressentais enfin cet état, tout en craignant qu'il ne fût pas réciproque. Simon semblait toujours à l'aise et confiant. C'est d'ailleurs une assurance à toute épreuve qui émanait de lui quand il ouvrit la porte. Il approcha ses lèvres des miennes et m'étourdit avec un baiser délicieux. Je répondis par un autre, plus langoureux, puis descendis tranquillement mes mains le long de son dos solide. Ça y était enfin. Je ressentais du désir malgré cette nervosité qui freinait mon naturel et me rendait malhabile.

Délicatement, il se défit de mon emprise et m'emmena dans le salon en me tenant par la main. Il voulait me raconter sa journée.

Une demi-heure plus tard, nous étions dans la cuisine pour nous servir quelque chose à boire. Alors que j'ouvrais le frigo, il me prit par-derrière et se mit à m'embrasser dans le cou. Prise par surprise, j'en fus décontenancée. Là, debout, dans sa cuisine au plancher croche recouvert de linoléum, je faillis perdre pied du haut de mes sandales à talons.

Je me retournai pour tenter de reprendre le contrôle de mon corps et de mon esprit. Mes lèvres rejoignirent les siennes. C'est alors qu'il souleva mes jambes, bien accessibles sous ma minijupe, pour aller déposer mon fessier sur le comptoir. Enfin, j'allais vivre un début de relation classique! Du moins, l'idée qu'on s'en fait, avec un soupçon de passion. J'allais bientôt trembler de désir! Sans compter qu'à 33 ans, comme le disait son ami, Simon avait vécu beaucoup d'expériences, donc il devait connaître par cœur les attentes des femmes et ce qui les fait chavirer.

Je répondais sans me faire prier à ses baisers, me laissant porter par ses lèvres invitantes.

Subitement, il arrêta tout mouvement.

— Quand tu commences, tu ne peux plus t'arrêter ! s'exclama-t-il.

Il se libéra encore une fois de mon emprise, recula de quelques pas, puis retourna au salon. Déconcertée, je descendis du comptoir pour le suivre, incapable de comprendre son jeu. C'était lui qui venait d'empoigner mes fesses pour les mettre à côté du grille-pain design en acier inoxydable.

— Est-ce qu'on se loue un film ou on va au cinéma ? demanda-t-il comme s'il avait poursuivi une banale conversation à propos des aléas de la température.

— On pourrait se louer un film, dis-je pour jouer le jeu, sans savoir s'il y avait vraiment une quelconque partie qui se disputait.

Je m'approchai doucement comme le chat qui veut surprendre l'oiseau et le pris par la taille. Je scrutai sa réaction. Il se laissa faire en me regardant dans les yeux, un sourire au coin des lèvres. Parfait.

Je sentis sa main s'égarer dans le creux de mon dos. Ouf ! Rassurée ! Je tentai à nouveau d'approcher mes lèvres des siennes. Il retira sa main aussi rapidement que s'il venait de se brûler et se recula.

Consternation ! Qu'on m'apporte les règles du jeu au plus vite ! Le manuel d'instruction, ça presse ! Pas de mauvaise traduction s'il vous plaît. Devais-je esquisser un sourire moqueur ? Ha ! ha ! la blague est très drôle !

Avant de m'enliser dans une incompréhension encore plus profonde, je décidai de risquer un commentaire à propos de son comportement.

— Tu aimes agacer ta proie avant de la dévorer, observai-je, l'œil moqueur.

Sans répondre, il se mit à courir à travers les six pièces et demie, jouant au pauvre garçon poursuivi par une femme déchaînée qui voudrait à tout prix abuser de son corps. Quelques minutes plus tard, dans sa chambre, le jeu cessa d'un coup.

— Qu'est-ce que tu as envie de faire, finalement? dit-il d'un ton sérieux.

Comment, ce que je veux faire! Il m'avait complètement excitée en faisant la roue comme un paon. Ma culotte était trempée. Le liquide avait même traversé ma jupe. Cette constatation fut un soulagement. J'étais satisfaite de sentir qu'il n'était pas qu'un béguin intellectuel. Lors de notre deuxième rendez-vous, le stress de la perfection avait paralysé mes réflexes biologiques.

Je le fis asseoir sur la douillette blanche de son lit double, puis je me plaçai sur lui à califourchon, mes deux jambes basanées de chaque côté des siennes. Une danse ensorcelante de lèvres qui cherchent à se rencontrer recommença.

Pour le taquiner, je m'arrêtai brusquement.

— Bon, est-ce qu'on va chercher un DVD?

— T'as envie de voir un film loué plutôt que d'aller au cinéma?

— Je ne sais pas, dis-je en reprenant le contrôle de ses lèvres.

Avec la finesse d'un voleur qui ne veut pas se faire pincer, j'entrepris de déboutonner sa chemise.

Pas de chance! Le propriétaire me surprit en flagrant délit.

— On devrait peut-être garder ça pour ce soir? proposa-t-il.

Je me demandai encore une fois s'il blaguait ou s'il était sérieux. Patienter quelques heures de plus et risquer que l'excitation s'éteigne? Attendre que notre repas gastronomique de chef devienne tiède? Du gaspillage. Alors que là, tout de suite, les signes physiologiques et psychologiques témoignaient de l'ardeur de mon désir. Cette combinaison parfaite de mon corps et de mon esprit, envoûtés par une brûlante exaltation.

Je ne voyais aucune raison d'attendre que le jour aille se coucher. Il n'en avait rien à foutre, le jour, de nous voir nus en train de profiter d'un plaisir gratuit.

Mon interrogation resta en suspens. Il prétexta une visite aux toilettes. À son retour, l'option de la location d'un film fut retenue. Après avoir mangé du saumon grillé et des légumes sautés, fait la vaisselle, ramassé la table, discuté du prix de l'essence, de la crise économique, fait une balade jusqu'au club vidéo, respiré la chaleur accablante de ce 8 juillet, après avoir ri aux larmes en regardant le succès français *Bienvenue chez les Ch'tis,* puis visionné une œuvre roumaine sous-titrée intitulée *4 mois, 3 semaines et 2 jours*, j'avais encore envie de lui. Même si, j'en conviens, un récit sur l'avortement aurait dû freiner ma fougue.

Collés l'un contre l'autre dans son lit confortable, de surcroît en tenue légère parce qu'il n'y avait pas de climatiseur et qu'il faisait 32°C, toute ma chair s'anima. Dire qu'avec Guillaume, avec la pression constante qu'il exerçait sur moi et sa libido effrénée, je n'avais jamais envie de le solliciter.

Lorsque Simon sentit que mes doigts ne s'égaraient pas par hasard sur sa cuisse, il se mit à me chatouiller. Une bataille fraternelle s'ensuivit. Il riait beaucoup. Était-ce une tactique pour dévier du sujet?

Il finit par regarder sa montre, se montra ahuri par l'heure tardive, me dit qu'il devait rapidement dormir. On l'attendait au bureau à 7 h 30.

Simon tomba rapidement dans les bras de Morphée pendant que, de mon côté, pour la première fois de ma vie, je luttais contre l'insomnie. Dehors, sur le petit balcon surplombant la rue Rachel et le parc La Fontaine, j'observais les piétons et les cyclistes.

À 23 h, il faisait encore 25°C. Je venais de le voir au canal météo. Des couples marchaient main dans la main avec leur chien. Quel portrait rassurant ! L'image même de la quiétude. Je n'aspirais pas du tout à un forfait mari-maison-chien, mais cette nuit-là, je les enviais. Ils n'avaient sûrement pas vécu une soirée aussi bizarre que la mienne.

Est-ce que nous en serions là un jour ? Il me manquait, certes, des informations importantes pour comprendre son comportement, mais j'étais comme plusieurs petits épargnants de notre époque, j'investissais les yeux fermés et avec beaucoup d'espoir dans la relation.

N'étais-je qu'une fille de passage ? L'intéressais-je vraiment ? J'aurais tellement aimé avoir le mot de passe qui donnait un accès direct aux données de son cerveau ! Cherchait-il une fille pour s'amuser ? Pour la vie ? Pour passer les dimanches pluvieux ? Je dus rentrer, car il se mit à pleuvoir très fort.

CHAPITRE 13

Toute la semaine, j'analysai chacune de ces questions en leur attribuant de multiples hypothèses. Selon mes données, un canevas dicté par les films, les romans et, tant qu'à y être, les médias - ils sont toujours impliqués dans nos problèmes de société -, un début de relation comme le nôtre devait se vivre dans la passion. Une équation simple avec un seul résultat possible: deux jeunes gens se rencontrent dans un bar, c'est le coup de foudre, ils baisent pendant des jours passionnément... Jusqu'à ce que chacun découvre que l'autre a des défauts. Or, j'attendais toujours ce début de relation intense, où l'on s'enferme toute la journée avec un programme précis: faire l'amour, se regarder dans les yeux et oublier de manger.

Pendant que mes touristes visitaient le Biodôme, un extra qui nous rapportait, à mon chauffeur et à moi, une bonne commission, je voulus mettre fin à mes réflexions qui s'agitaient dans tous les sens et qui tourmentaient mon sommeil. Je réussis à joindre Simon-Yakim à son bureau.

— Bonjour, ma chérie, dit-il d'un ton enjoué. J'espère que tes Français ne te font pas trop souffrir!

Sa voix me laissait croire qu'il était content de mon appel. Je me lançai dès la première phrase, avant de voir mon courage capituler.

— Il y a quelque chose qui me tourmente et dont j'aimerais te parler.

— Rien de grave?

— Non, non. Des questions de logistique.

— De logistique?

— Oui, et j'aimerais que tu sois honnête.

— Je te le promets.

— Comme je ne te connais pas encore beaucoup, je ne sais pas comment interpréter tes comportements. Par exemple, si tu agis d'une façon particulière, est-ce qu'il y a lieu de s'inquiéter, d'y voir un problème?

Mon cœur battait si fort que je craignais qu'il l'entende dans son récepteur. J'avais peur de ses futures explications.

— Euh... As-tu un exemple plus concret?

— Bien, euh, quand deux personnes se rencontrent et qu'elles semblent se plaire, par exemple, euh, bien, le début de relation est d'habitude passionné. Les deux personnes ont juste envie de se sauter dessus. Ensuite, ça peut s'essouffler, mais au début, ils veulent toujours se voir...

— Tu trouves qu'on ne se voit pas assez? souleva-t-il.

J'étais prise de court par sa question. Mes allusions à la sexualité semblaient pourtant surlignées, malgré leur mauvais camouflage dans mes phrases évasives.

— Non, non, je suis toujours sur la route, justifiai-je.

Devais-je lui avouer que je voulais le voir chaque fois que c'était possible, quand je dormais ou dînais dans la région? Non, il fallait que je me retienne. Faire attention aux faux pas. Les hommes ont peur de l'engagement, des filles trop accrochées.

— J'ai déjà vécu plusieurs histoires de passion, confia-t-il d'une voix grave. Des histoires qui se terminent toujours. À 33 ans, je sais maintenant qu'il faut prendre son temps. Voilà. C'est ce que je fais. Ne t'en fais pas avec ça.

— Je ne m'en fais pas trop, dis-je rapidement, à demi soulagée.

Pourquoi m'empressai-je ainsi de lui mentir? De dissimuler ma réelle émotion?

— Tu reviens quand?

— Lundi, le 21.

— Alors, viens chez moi directement.

— Ce serait plus pratique que ce soit toi qui viennes à mon appartement, parce que je dois laver tous mes vêtements avant de repartir. Je vais travailler vingt et un jours en ligne.

— Si longtemps?

— Oui, mais tu sais qu'on peut se voir quand je suis à Montréal. J'ai toujours un grand lit qui m'attend dans chaque hôtel.

— Parfait. On s'en reparle. J'ai mon patron qui m'appelle sur l'autre ligne. À vendredi, ma chérie!

— Tu ne veux pas venir me retrouver au restaurant ce soir?

— Euh... vite comme ça, je te dirais que je n'ai pas envie de manger des sandwichs à la viande fumée. Mais rappelle-moi plus tard. Je t'embrasse. Il faut vraiment que je réponde à mon patron.

CHAPITRE 14

Pour se faire pardonner de ne pas aimer le menu destiné à plaire aux touristes, Simon vint me rejoindre dans un chic motel du boulevard Taschereau, à Brossard. Le forfait « Escapade fleurie au Canada » ne coûtait pas cher, les nuitées en banlieue y contribuaient.

Il sortit de la douche, une serviette nouée à la taille. Un torse parfait. Des abdominaux divinement sculptés. Il se mit à danser la salsa.

— Tou veu dé la passionne ? articula-t-il, grand sourire aux lèvres, avec un accent espagnol forcé. Tou auraisses envie qu'on té broutalise ! Yé vais t'attraper, ma bella tchica !

Il fit tomber sa serviette, se jeta sur moi, me dévêtit en faisant voler mes vêtements, puis se frotta contre mes hanches au rythme d'une salsa qu'il fredonnait. Rapidement, son membre ferme, enrobé de latex, se faufila entre mes cuisses. J'agrippai alors ses fesses d'acier. Mon désir se déversait littéralement sur lui. Il m'embrassa dans le cou. Trois pas de danse plus tard, il jouit.

Nous nous effondrâmes sur le lit, dont le matelas s'enfonçait du côté droit. Étendue à gauche, du côté surélevé, je devais me retenir avec mon bras afin de ne pas rouler sur lui. Je tournai ma tête pour le regarder. Simon avait les yeux clos et affichait un sourire détendu. Toujours ce même visage séraphique.

Au bout d'un moment, il ouvrit ses paupières, comme un rideau qui se lève pour laisser place au spectacle : des iris d'un bleu saisissant, un regard perçant. J'en fus émue.

— C'est drôle, murmura-t-il d'une voix grave, les premières fois qu'on s'est rencontrés, tu semblais plutôt froide. Je dirais même distante. Alors qu'au fond, tu es une femme très chaleureuse.

— Froide ? Pourtant, je n'arrêtais pas de sourire à pleines dents, répondis-je, étonnée.

— Oui, mais tu ne cherchais pas à te rapprocher physiquement de moi. Tu étais vraiment distante.

— Tu étais en couple… Je ne touche pas aux hommes engagés.

— La deuxième fois qu'on est sortis ensemble, lorsqu'on est revenus du restaurant, j'étais très surpris que tu veuilles monter chez moi.

— Ah bon ?

— Tu n'avais même pas cherché à m'effleurer, ne serait-ce que la main, durant le repas !

— Je ne savais pas encore que tu avais quitté ta copine.

— Je ne te l'avais pas dit au téléphone ?

— Non ! Tu me l'as dit en sortant du restaurant. Tu m'as fait languir trois heures, soulignai-je en faisant la moue.

— Mais ça en valait la peine, non ? dit-il avec un sourire moqueur.

— Hum… Je n'en suis pas certaine. Je n'ai pas assez testé le produit.

Simon se redressa et vint s'agenouiller par-dessus moi, les jambes de chaque côté de mon corps, ce qui enfonça de plus belle le matelas. La paume de ma main en sentit les ressorts. Il se pencha pour m'embrasser, effleura rapidement mes seins et sembla déjà vouloir passer à la pénétration. « Ah non ! Pas tout de suite ! » aurais-je voulu maugréer. Une « petite vite » sans explorer les différents types de caresses, c'est satisfaisant, mais pas deux fois d'affilée !

Jusqu'ici, je ne lui avais rien suggéré, croyant que son âge était un gage d'expérience et de connaissance de la chose sexuelle. Cette fois, je décidai de lui susurrer quelques conseils. Évidemment, pas de demandes directes qui auraient pu l'accabler d'une pression de la performance. J'appliquai la technique que j'avais apprise dans mes livres de psycho-pop.

— Je suis très sensible à la caresse du clitoris…, roucoulai-je au creux de son oreille, tout en me faisant la réflexion que c'était la grande base, bordel ! Le sexe féminin 101 ! Un cours de l'école buissonnière du secondaire !

Mais comme je me sentais devenir amoureuse, je lui pardonnai tout. Pas d'inquiétude, il était hors de question que je lui fasse le coup du cours d'anatomie ! J'avais tellement peur que ça ne fonctionne pas entre nous.

* * *

La semaine suivante, il m'attendait à l'aéroport Montréal-Trudeau devant les grandes portes vitrées, sourire charmeur aux lèvres et bouquet de fleurs exotiques à la main. Un touriste m'entendit confier au chauffeur que c'était mon petit ami. En quinze secondes, aussi subitement et rapidement qu'une avalanche, la nouvelle déboula jusqu'à l'arrière du car. Bientôt, cent huit yeux rivés aux fenêtres attendaient impatiemment nos retrouvailles avec encore plus de plaisir que le dénouement de la première édition de *Loft Story* ou de *L'Île de la tentation.*

Le soleil de 16 h brillait dans les yeux de Simon, les gratifiant d'une couleur qui rappelait la mer des Caraïbes. Une vague de chaleur réconfortante dans cet été aussi frais que ceux qu'on retrouve dans le nord de la Scandinavie. Un été qui venait confirmer ce que les Français savent mieux que nous: au Canada, il fait toujours froid, même durant la saison estivale. Ils s'étaient relayés pour me le rappeler durant tout leur séjour.

Simon profita du public pour m'accueillir d'une façon théâtrale. Il courut vers moi, me prit par la taille et, déployant ses muscles, me souleva dans les airs pour me faire tournoyer et m'embrasser comme s'il revenait sain et sauf d'une mission en Afghanistan.

Cette mise en scène eut tôt fait de provoquer une grande excitation à travers toute ma chair et de séduire l'autocar au complet. Mais les Français m'avaient déjà remis leur fiche d'appréciation incluant l'évaluation du guide. Les points supplémentaires que je venais de gagner ne seraient pas inscrits à mon dossier. Zut! Je raccompagnai le groupe au comptoir d'enregistrement d'Air Liberté, saluai les vacanciers et m'empressai d'aller retrouver mon grand blond à la gueule d'acteur hollywoodien.

— Bonjour, ma guide préférée. Puis-je avoir recours à vos services exclusifs pour quelques heures?

— Assurément, dis-je en battant des cils, tous les extras sont inclus dans le forfait. Il faudra toutefois faire vite entre deux brassées de linge, car de nouveaux touristes me réclameront à 22 h ce soir.

— Alors ne perdons pas de temps ! Filons chez toi ! J'ai fait des courses et j'ai acheté de quoi te cuisiner un bon petit repas.

J'aurais préféré rester dans le stationnement de l'aéroport. J'aurais choisi un recoin à l'abri des voyageurs, retiré nos pantalons pour assouvir enfin tout ce désir qui bouillait et qui se déversait dans mon *string*. Tout me plaisait chez lui. À l'intérieur de moi, je ressentais une urgence, une fougue, une impatience chavirante qui me poussait vers son corps, qui cherchait à me plaquer contre sa peau.

Mais je m'abstins, par crainte de faire une erreur. J'attendis qu'il fasse les premiers pas. Il m'avait dit préférer éviter la passion. Il était donc trop tôt pour lui dévoiler ce genre de chose, trop tôt pour lui avouer que le frôlement de son corps sur le mien me manquait, trop tôt pour m'emballer. Surtout quand on ne pouvait pas mesurer le niveau d'emballement de l'autre. J'étais tiraillée entre mes pulsions dévorantes et ma tête qui m'ordonnait d'écouter chaque signe et de m'animer seulement au gré de ses gestes.

Comme s'il eut entendu les soupirs de mes réflexions, il m'adossa contre sa voiture et se mit à m'embrasser. Mes mains saisirent ses fesses. Ma bouche répondit de plus belle.

Il se dégagea de mon emprise.

— Tu es une nymphomane du baiser, dit-il en appuyant sur le bouton de son porte-clés pour déverrouiller les portières.

Il alla s'asseoir au volant de son hybride et ajouta d'un ton sec :

— Quand tu commences, ça ne finit plus.

Pantoise, je pris place à mon tour dans le véhicule. Il engagea la conversation sur la campagne électorale, comme si de rien n'était. En route, je me rappelai soudain que je connaissais Simon depuis plus d'un mois, mais que ce serait la première fois qu'il verrait où je vivais et, par conséquent, la locataire d'en bas. Une légère panique me serra la gorge. Les créations blanches aux tissus luisants, dans la vitrine juste à côté de ma porte d'entrée, auraient-elles l'effet d'un mauvais présage? Arrivée à mon appartement, je constatai que la designer avait décidé de changer les modèles de robes. Les femmes de plastique étaient nues.

Pendant que Simon préparait le repas, aussi sérieux et concentré qu'un biochimiste, je courais dans tous les sens pour laver au plus vite mes vêtements et refaire ma valise. Je venais de quitter un groupe et, dans quelques heures, de nouvelles tronches, excitées par le début de leurs vacances, s'attendraient à ce que je sois aussi enjouée qu'à mon premier circuit de la saison. Je me dépêchai pour avoir le temps de profiter du corps de mon cuisinier.

Nous mangeâmes des pétoncles au lait de coco, qui me firent oublier un instant les menus fades du forfait. En ramassant la vaisselle, je fis exprès pour le frôler. Étant donné qu'il ne réagissait pas, que l'horloge de la cuisinière indiquait 20 h et qu'il nous fallait quitter mon appartement à 21 h 30 maximum pour être à temps à l'aéroport, je risquai quelque chose de plus direct au creux de son oreille droite.

— Tu ne voudrais pas profiter de ta guide préférée?

Il continua de mettre les assiettes dans le lave-vaisselle. Mes allusions métaphoriques n'avaient aucun écho. Je décidai d'apporter quelques précisions.

— Tu ne voudrais pas me faire l'amour? Il me semble que ce serait bon... Je suis tout excitée!

Il me sourit, me fit des yeux charmeurs, me caressa doucement la nuque, puis se tourna vers les casseroles et se mit à les récurer. J'avais maintenant son dos et ses épaules musclés en spectacle, dans sa chemise bleue. Je m'approchai de lui, collai mon pubis contre ses fesses et entrepris de le caresser.

— J'ai envie de toi!

Plus clair que ça, je lui aurais fait un dessin, fourni un mode d'emploi en six langues. Et attention, pas le type d'instructions fournies avec les meubles Ikea, au risque qu'il manque des pièces ou des étapes pour l'assemblage.

Les chiffres vert pâle du micro-ondes scintillaient: 20 h 10. Le temps filait.

— Là, maintenant, tout de suite?

— Tu n'en as pas envie?! m'étonnai-je.

Mes yeux se mirent de la partie, exorbités de stupéfaction, comme si je venais d'être victime d'hameçonnage, moi, toujours aux aguets et informée. Je renchéris:

— Tu n'en as vraiment pas envie?

D'un coup, je me sentis projetée à l'extérieur de mon corps pour observer la scène depuis le plafond. De cet angle, je réalisai l'ampleur des mots que je prononçais, la tonalité dramatique que je leur attribuais et l'étendue de la situation. Des paroles anodines qui devenaient graves.

Une vague houleuse remonta jusqu'à ma bouche. Une émotion que je n'arrivais pas à identifier. Un mélange de tristesse, d'amertume, de rejet et d'incompréhension. J'aurais pu me mettre à pleurer pendant des heures, désemparée comme une petite fille perdue dans un centre commercial. Mais l'aiguille de ma montre en métal argenté, ornée de faux diamants, glissa sur le troisième zircon. Je n'avais pas le temps.

— T'es fâchée?

— Non, contestai-je d'une voix sombre, ça m'en prend plus pour être fâchée. Ce n'est pas de la colère. Je dirais plutôt de l'incompréhension. Je ne sais pas comment tu es... si c'est normal que tu n'aies pas envie de moi maintenant. Si, avec tes ex, tu passais ton temps au lit.

— On faisait des activités, me rassura-t-il.

— J'imagine... Mais je ne sais pas ce qui est normal ou pas.

— Tu crois qu'il y a un problème? dit-il, étonné à son tour.

— Je ne sais pas. Je n'ai pas beaucoup de points de repère. Je n'ai pas eu des tonnes de copains. J'ai été en couple huit ans avec le même gars.

J'aurais pu citer ma fameuse « maîtrise sur l'homme », basée sur un corpus hautement scientifique! Mais il valait mieux la passer sous silence. Cependant, la littérature suggérait une certaine normalité qui, ici, était loin d'être respectée.

— Comment c'était, avec ton ex? questionna-t-il.

Ouf! Il m'entraînait dans le piège numéro un à éviter dans une relation naissante, dixit les livres de psycho-pop. Je m'en rendais compte. Or, par désespoir je crois, je sautai à pieds joints dans le guêpier, sans EpiPen[4].

— C'est toujours lui qui en avait envie, moi pas.

— Ah non? s'exclama-t-il, surpris.

Puis, il me lança d'un sourire moqueur:

— Ça t'arrive de ne pas en avoir envie?

---

4. Stylo d'adrénaline auto-injectable: Anapen ou seringue d'Anahelp.

— Oui, figure-toi!

Il avait réussi à me faire sourire.

— Pourquoi tu n'en avais pas envie?

— Parce qu'il en avait TOUJOURS envie. Il me mettait de la pression pour qu'on fasse l'amour tous les jours, pour qu'on couche avec une autre fille, qu'on aille dans des clubs échangistes. Comme je refusais, il n'était pas gentil, alors ça me coupait l'inspiration. Moins j'en avais envie, plus il devenait méchant. Je lui disais: «Séduis-moi!» Il répondait qu'il n'avait pas à faire tout un cirque pour recevoir sa récompense, son petit bonbon.

Nous étions maintenant dans le salon, assis l'un en face de l'autre sur le sofa en cuir. Il me tenait la main.

— Que veux-tu, avec toi, j'en ai toujours envie, soupirai-je.

— Pourquoi?

Et là, j'enfreignis une deuxième règle essentielle, inscrite dans tous les livres à propos de la séduction des mâles. Je dévoilai mon jeu. Trop vite. Il n'avait plus besoin de me chasser. J'étais là, dépecée, prête à manger, déjà cuisinée.

— Si tu savais combien de crétins j'ai croisés avant toi. Notre rencontre dans ce bar, c'était un miracle. J'y repense et j'en ai la chair de poule. C'est vraiment tout un coup du destin. J'étais là, je m'emmerdais en ne regardant nulle part et, comme ça, par hasard, je suis tombée dans tes yeux.

— C'est vrai que c'était étrange. Tout de suite quand je suis entré, tu es la première personne que j'ai vue. Même si c'était bondé.

— En discutant avec toi, je me suis rendu compte que tu étais parfait.

— Je suis loin d'être parfait, s'empressa-t-il d'affirmer.

Pour atténuer l'ampleur de mes révélations qui, selon la littérature disponible, frôlaient la déclaration d'amour prématurée, je me justifiai d'une façon maladroite mais coquine.

— Euh... Je sais... J'imagine que tu as des défauts, sauf que je ne les connais pas encore... Alors jusqu'à présent, euh... pour moi, tu es parfait. Nous sommes encore dans la période « marketing », comme dirait ton ami Estéban.

Depuis le début, je me retenais de lui dire à quel point je le trouvais sublime. Craquant. Je mourais d'envie de lui parler de la perfection de son visage. De son torse qui me chavirait. De ses yeux clairs qui me foudroyaient chaque fois comme des éclairs. De ses fesses qui me jetaient par terre. Je me retenais. J'aurais pu être excessive dans la livraison de compliments, étant donné qu'il possédait tout ce que j'avais espéré trouver. Et la liste semblait au départ pourtant impossible à combler !

Les grains du sablier dont je disposais pour faire l'amour étaient tous tombés. Nous devions repartir illico en direction de Dorval. Il s'empressa de mettre ma valise dans le coffre de son hybride. Nous prîmes place en silence. À peine eut-il démarré le moteur qu'il mit un CD dans le lecteur de disques : *I can't believe the news today...* « Moi non plus, je n'en reviens pas ! » avais-je envie de hurler à U2. Pourquoi cette foutue chanson m'accompagnait-elle chaque fois dans mes moments de doute ?

Une quinzaine de minutes plus tard, il tenta de me rassurer.

— Je suis un peu stressé ces jours-ci. À cause du ralentissement économique aux États-Unis, nous avons moins de commandes de machines. Ça inquiète mon patron... Je t'ai expliqué un peu ce que je fais, la gestion de fabrication de machines qui servent à l'emballage en série de produits pharmaceutiques ? Nous sommes deux chefs de projets et, si ça continue, il y en aura un de trop. Je travaille dans une PME. On peut très bien faire rouler l'entreprise avec une seule personne à la direction des projets.

Il laissa passer quelques secondes et quitta la route des yeux pour vérifier ma réaction : impassible.

— Si tu ne m'excitais pas, Élisabeth, je ne t'aurais pas sauté dessus dès que tu es descendue de ton autobus de touristes. Ni dans le stationnement.

Encore une fois, j'étais perplexe. Nous n'avions pas la même définition de l'expression « sauter dessus ».

CHAPITRE 15

— Madame Laliberté !

Une voix d'homme à l'accent chantant m'arracha d'un rêve érotique au cours duquel Simon me faisait l'amour.

— Madame la guide, répondez ! hurla de désespoir une autre voix alsacienne en frappant sur la porte.

Je sautai en bas du lit. Mon réveille-matin n'indiquait que 3 h 10. La nuit ! En ouvrant la porte, je vis deux de mes touristes aux traits tirés, apeurés.

— Monsieur Winkelmüller ? Monsieur Probst ? Quelqu'un est malade ou mort ? demandai-je.

Un réflexe issu de mon enfance. Chez mes parents, le téléphone sonnait dans la nuit uniquement pour annoncer ce type de mauvaises nouvelles.

— Avez-vous vu les infos ? Vite, vite, allez voir votre Euronews canadienne !

J'agrippai la télécommande laissée sur la table de nuit, allumai le téléviseur et découvris les images de voitures en flammes, de commerces vandalisés et de centaines de policiers vêtus pour le combat.

— C'est à Montréal, madame Laliberté ! Et demain, nous partons vers Montréal ! s'inquiéta monsieur Winkelmüller.

— C'est la guerre civile là-bas ! Il faut changer l'itinéraire ! décréta l'autre, au crâne dégarni. Montréal brûle !

— Nos femmes ne veulent plus sortir de leurs chambres, ajouta son compagnon d'infortune à la mine désespérée.

Il sentit le besoin de me fournir plus de détails.

— Je n'arrivais pas à dormir. Du coup, pour me distraire, j'ai décidé de regarder la chaîne de nouvelles continues et c'est à ce moment que j'ai vu tous ces policiers armés qui avaient l'air agressifs. Je me suis dit: «Ça y est, c'est l'anarchie, ils vont se mettre à tirer sur n'importe qui!»

— Écoutez, dis-je d'un ton qui se voulait des plus rassurants, je vais m'informer tout de suite auprès des policiers de la Ville de Montréal, et ensuite je vais voir ce qu'on peut faire avec Vacances Air Liberté. Je vous promets que vous serez toujours en sécurité avec nous.

— Oui, mais contrairement à la France, tout le monde ici est armé, alors si la guerre éclate, on risque de…

— Je vous arrête tout de suite, vous confondez avec les États-Unis, dis-je d'un ton calme. Essayez d'aller dormir, je m'occupe de tout. Et s'il vous plaît, ne réveillez personne pour l'instant, d'accord?

— Ouais… bon…, conclut monsieur Probst.

Ils repartirent en échangeant quelques phrases en alsacien que je ne sus décoder, malgré mes études en allemand. Je retournai m'installer devant le téléviseur pour comprendre la situation. Les images étaient effectivement inquiétantes. Une émeute concentrée dans un secteur précis de la ville.

À 6 h 30, je composai le numéro de téléphone cellulaire de mon frère, Olivier. Il était déjà au bureau. La salle de rédaction s'affairait dans tous les sens.

Enfin une nouvelle pour noircir les pages du quotidien durant le prochain mois, au moins.

— Tes touristes sont inquiets, la sœur? C'est très bon! Mon collègue pourrait faire une entrevue avec eux. Ce serait super. On pourrait titrer «Montréal brûle: des Français atterrés écourtent leurs vacances» et, en dessous: «Pire que les émeutes de la banlieue parisienne».

— Je ne t'appelais pas pour te suggérer des intervenants, cher frère, mais plutôt pour que tu me confirmes que mes touristes ne seront pas en danger lorsqu'ils iront à l'aéroport prendre leur avion.

— C'est une blague?

— Tu viens de dire que Montréal brûle.

— C'est une métaphore. La situation est critique seulement dans l'arrondissement de Montréal-Nord.

— C'est ce que je croyais. Je voulais que tu me le confirmes, étant donné que vous êtes branchés directement avec le Service de police de la ville.

— Sinon, ça va? Maman m'a dit que tu avais rencontré quelqu'un. Tu nous le présentes quand?

— Je veux attendre que ce soit sérieux.

— D'accord, je comprends. Je te quitte là-dessus, ma sœur. On me réclame. Bonne chance avec tes touristes.

À 7 h, dans la salle où l'on servait le petit-déjeuner, mes touristes m'attendaient, tous plus effrayés les uns que les autres. Les retraités n'avaient pas fermé l'œil de la nuit, alertés par messieurs Probst et Winkelmüller. N'ayant pas regardé la télévision, le chauffeur ne comprenait pas ce qui se passait. D'un ton plus convaincant qu'un président américain républicain, je pris la parole, debout devant les tables.

— Vous avez peut-être regardé les informations. Je viens de discuter avec des journalistes...

Je fis une légère pause en réalisant que cette source n'était peut-être pas assez rassurante pour un Français, puis j'ajoutai :

— J'ai discuté également avec le Service de police de Montréal...

En y songeant rapidement, cette référence n'était pas plus fiable aux yeux de mon groupe, compte tenu des critiques lors des émeutes françaises.

— J'ai consulté les regroupements impliqués dans cette affaire...

Voilà ! Rester flou. Ainsi, mes touristes pouvaient s'imaginer ce qu'ils voulaient.

— Il n'y aura pas de barrages routiers, pas d'émeutes à l'aéroport, pas de prise d'assaut de cars de touristes. Tout est concentré dans un seul arrondissement de la ville, et on ne passe pas par là pour se rendre à l'aéroport. Votre vie n'est pas en danger.

« Elle l'est plus si vous mangez les pâtisseries du petit-déjeuner continental de ce matin, cuisinées avec du *shortening* végétal », pensai-je. Une dame de 82 ans crut bon d'ajouter une précision à mon discours.

— C'est une guerre entre les séparatistes et les anglophones !

— En fait, madame Loos, il s'agit plutôt d'émeutes qui ont éclaté pour dénoncer la mort d'un jeune homme de 18 ans, abattu par la police. Un garçon d'origine étrangère. Donc, vous partirez comme prévu de l'aéroport de Dorval.

— On ne part plus de Montréal-Trudeau ? s'inquiéta la vieille dame.

— Oui, oui. L'aéroport Montréal-Trudeau est situé à Dorval. Je le répète, vous êtes en sécurité. Demain matin, vous serez chez vous, en France.

Les visages plus détendus m'indiquèrent que j'avais plus de crédibilité que Bush lorsqu'il parlait d'armes de destruction massive en Irak.

Le chauffeur me félicita pour mon discours. C'était la dernière journée du séjour. Voyant l'état d'hystérie du groupe, il avait cru un instant que son pourboire en serait affecté. Toutefois, contrairement au chauffeur précédent, Mario ne m'avait pas fait subir l'obsession du pourboire ou de la commission. En fin de journée, lorsque le groupe eut décollé, ce père de famille dans la quarantaine jubila en comptant l'argent recueilli dans une grande enveloppe brune.

— Tu devrais te lancer dans la diplomatie, déclara-t-il.

— J'y songe, répondis-je simplement.

* * *

De retour dans ma petite Alsace de la Rive-Sud de Montréal, je me sentis libérée en pensant que je vidais ma valise de guide pour deux semaines. Durant ces vingt et un jours intensifs, je n'avais vu Simon que deux fois lors de mes passages à Montréal: au restaurant et à l'hôtel. Nous avions dormi, blottis l'un contre l'autre, dans un grand lit d'une chambre de la métropole, qui ne valait pas le prix exigé. Lui, trop exténué par son travail, avait-il dit, pour répondre à mon désir. Moi, terrassée par des règles douloureuses, qui n'avais point insisté.

La dernière fois que nos corps s'étaient unis remontait au 16 juillet. Nous étions le 12 août.

J'étais impatiente de serrer son torse aux courbures parfaites, de caresser ses bras musclés avec finesse, d'embrasser ses lèvres. J'avais hâte de frissonner en sentant son souffle dans mon cou.

Assise sur le balcon qui surplombait ma rue bordée de maisons à colombages, je vis sa voiture hybride noire tourner le coin, en provenance de la rue Victoria. Comme d'habitude, mon pouls s'accéléra. Il se gara en face du duplex de ma marraine, sortit du véhicule en recoiffant d'une main ses cheveux couleur de miel et me sourit. Dans son autre main, il tenait un bouquet de marguerites. Une immense chaleur envahit mon bas-ventre. Je courus l'accueillir.

— Je me suis ennuyé de toi, dit-il, les yeux pétillants.

— Moi aussi, bredouillai-je, étourdie par sa présence.

Ses lèvres se firent fougueuses dans mon cou, puis sur ma bouche. Tout en savourant ses caresses, je l'attirai tranquillement vers ma chambre.

— Pourquoi on ne se garde pas ça pour ce soir? susurra-t-il à mon oreille.

Tous mes sens en émoi, ma chair en alerte, je n'avais qu'une idée en tête: qu'il me prenne au plus vite!

— On n'aura qu'à le refaire ce soir.

— Je n'ai plus 18 ans, murmura-t-il.

Faisant abstraction de ce commentaire et de sa proposition, je retirai plutôt ma minirobe à manches chauve-souris pour lui offrir mes dessous turquoise Lejaby, hors de prix, offerts par mes amies lors de mon dernier anniversaire. Il recula un moment. «Pour admirer...», pensais-je.

— Je veux t'inviter au restaurant d'à côté. La réservation est à 19 h.

Je m'allongeai sur le lit, le sourire enjôleur. Prenant une pose aguichante, je le pénétrai de mon regard foncé.

— Je n'aurai pas le temps de bien te faire l'amour.

Je ne bronchai point. Il s'approcha de moi, en prenant soin de ne pas me toucher.

— J'ai très, très envie, mais j'ai aussi très, très faim. Je veux que tu sois comblée, ma chérie.

Déçue, le désir ruisselant entre les cuisses, je bondis hors du lit, remis à regret ma robe et consentis à l'accompagner au restaurant, trop cher, du coin de ma rue. S'il décidait de me faire boire du vin, je ne pourrais pas retenir mes élans.

Entre l'entrée et le repas principal, il voulut discuter du prix effarant des maisons.

— C'est déprimant. Ça fait un an que j'ai terminé mes études, un an que je gagne un bon salaire, et je ne vois pas le jour où je pourrai m'acheter quelque chose.

— Les gens vendent des cabanes à moineaux à 250 000 dollars.

— Les agents d'immeubles nous prennent vraiment pour des cons. Et il y a plusieurs clients qui s'avèrent cons, puisque les maisons se vendent, renchérit-il.

— Je soupçonne que ce sont les agents immobiliers qui ont fait grimper les prix. De jour en jour, ils ont convaincu les propriétaires que leurs maisons valaient des prix toujours plus élevés, dans le but d'aller chercher une plus grosse commission. Ils ont mis les propriétés à vendre à ces prix arrogants. Et miracle ! Ils les ont vendues ! Les propriétaires, de leur côté, ont fait des gains inimaginables, puisque leurs maisons avaient été achetées à un prix dérisoire dans les années 1980, au plus fort de la crise. Et pour terminer, les agents d'immeubles les ont convaincus qu'ils avaient les moyens d'acheter plus gros et plus cher. Voilà ! L'engrenage fatal s'est enclenché.

— J'aime ton analyse.

— Mon frère journaliste a fait un test avec six agents différents. Il leur disait qu'il cherchait une maison en rangée ou un condo à Montréal qui ne coûterait pas plus de 230 000 dollars. Tous ont proposé des habitations à plus de 250 000 dollars, en lui disant qu'il n'existait rien en bas de ce prix, qu'il avait les moyens de payer ça. Depuis quand les agents savent mieux que leurs clients s'ils ont les moyens ou pas ? Ils ont accès à nos comptes bancaires ou quoi ? Comme il n'avait rien acheté après cinq visites, les six agents l'ont abandonné. Plus de nouvelles. Mon frère n'était pas un client intéressant. Pas possible de conclure une vente rapidement et d'empocher une grosse commission. La plupart racontaient n'importe quoi et n'y connaissaient rien.

— Plusieurs se sont improvisés agents immobiliers en flairant les bonnes affaires des dernières années. J'espère que le prix des maisons va finir par chuter, comme aux États-Unis.

— Ce serait l'idéal pour les premiers acheteurs !

— Quand je repense aux REER que j'ai retirés il y a deux ans…, dit-il, songeur.

— Tu les avais encaissés pourquoi ?

— Pour acheter une bague à ma copine de l'époque.

— Une folie ?

— Je croyais vraiment que ça allait marcher.

— Combien avais-tu retiré ?

— Deux mille dollars.

— Autant d'argent et tu étais un pauvre étudiant…

— Lorsque je vais te demander en mariage…

Il marqua une pause en me fixant de ses yeux de loup. Venait-il de prononcer le mot tabou, le mot imprononçable après seulement deux mois de relation? Il poursuivit:

— Je ne t'offrirai pas une bague à 50 dollars.

— Deux cents dollars, c'est assez, suggérai-je d'un ton neutre, comme si nous discutions du prix d'une pièce de voiture.

— Voyons! Je ne te crois pas. Quand les filles voient la bague, leurs yeux s'allument. Vous êtes toutes comme ça.

Il ne me connaissait pas.

— J'aimerais mieux que tu prennes cet argent pour m'amener, euh…

Je réfléchis rapidement et lançai au hasard la première destination exotique lointaine qui me vint en tête.

— À l'île de Pâques.

— Je te payerai un voyage là-bas en plus de la bague, conclut-il alors que le serveur arrivait avec nos plats.

Finalement, la designer de l'étage au-dessous l'inspirait plutôt qu'elle ne le tétanisait. Or, je voulais rester sur mes gardes. Je devais garder la tête froide. Mais c'était tellement doux, si bon d'y croire un moment. D'imaginer ma vie avec lui. L'homme parfait que j'avais attendu.

Après le repas, il tint sa promesse et me transporta dans ses bras musclés jusqu'au lit. Comme il ne m'avait pas encore sollicité le clitoris après quarante-cinq minutes de performances acrobatiques, je lui répétai d'une voix chaude et coquine que j'étais très sensible à ce type de caresse. Cette nuit-là, je m'endormis dans ses bras, comblée.

* * *

Le mercredi soir, nous avions assisté à la représentation de 19 h du film espagnol *Étreintes brisées* de Pedro Almodóvar. En sortant de la salle du Quartier latin de Montréal, il me raccompagna jusqu'à ma voiture en me tenant par la main. J'avais réussi à la garer à quelques pas du cinéma.

— J'aime beaucoup Pedro Almodóvar. Tout au long du film, il y avait cette émotion constante... C'est le genre d'histoire qui rappelle qu'il faut profiter à fond de ceux qu'on a choisi d'aimer.

Il avait les yeux brillants.

— Moi aussi, j'ai beaucoup aimé, dis-je gaiement. Sa façon de construire ses intrigues me plaît toujours. Mais je crois que j'avais préféré *Volver*.

En respirant l'air chaud de cette belle soirée d'été, je me sentis tout à coup heureuse et légère.

— Avec moi, ce n'est pas très compliqué, poursuivis-je. Si tu veux me faire plaisir, tu m'amènes au cinéma voir des films qui sortent des sentiers battus.

— Tu ne vas jamais voir de films américains?

— Il y a des œuvres américaines originales. Des petits bijoux... Bon, d'accord, j'avoue que je vais voir des films de filles à certains moments!

— Il me semblait que tu n'étais pas « complètement » intello!

— Qu'est-ce que tu veux dire?

— Bien, ton style, ta coiffure, tes vêtements. Tu es une intello camouflée dans une fille branchée ! se moqua-t-il.

— C'est bizarre comme équation, non ?

— Pourquoi ?

— Une intello, par définition, ne doit pas avoir de goût pour les vêtements ? Un cliché de la société, quoi !

— Je ne voulais pas te froisser, ce n'est qu'une petite taquinerie.

— Je sais, ne t'en fais pas, je réfléchis à haute voix. C'est con ! On ne peut pas être cultivée, avoir fait de longues études tout en adorant la mode et les sorties en boîte !

— « En boîte » ? Tes Français déteignent sur toi !

— Oui, je leur pique leurs expressions et je me plains tout le temps ! déclarai-je, le sourire moqueur.

Non mais, c'est vrai ! On ne peut pas se passionner pour la politique et être *cool* ? Non, surtout pas. C'est *hot* de dire que ça nous ennuie et qu'on ne suit pas ça. On ne peut pas être grande, mince et jolie sans rêver de se voir sur les couvertures de magazines ! On ne peut pas être heureuse sans faire du fric et être riche...

Nous étions maintenant devant mon véhicule.

— Approche-toi un peu, ma jolie intello-cultivée-*fashionista*-reine-des-boîtes-branchées qui rêve d'être pauvre.

— D'être heureuse, je te corrige.

Simon m'appuya sur la portière pour m'enlacer, puis m'embrasser. Un doux baiser langoureux, comme je les aime. Une brise légère dans les cheveux. La chaleur de l'été sur ma peau. Mon pubis bien collé sur son sexe.

Soudain, d'un mouvement brusque, il se recula. Je venais de heurter un iceberg. Mon cœur chavira. Plouf pour le romantisme!

— Je te l'ai déjà dit et je te le répète, tu es vraiment une nymphomane du baiser! s'exclama-t-il.

Encore une fois, j'étais interloquée. Je ne comprenais pas le sens de sa phrase. Y a-t-il un linguiste dans la salle? Lui qui venait d'affirmer, quelques minutes plus tôt, qu'il fallait profiter des gens qu'on aime!

— Tu n'aimes pas embrasser? proposai-je pour expliquer son comportement déconcertant. Tu ne me trouves peut-être pas attirante?

— En fait...

Il hésita quelques secondes, puis se lança:

— Je me sens étouffé quand tu m'embrasses trop, avoua-t-il.

«Quoi?! pensai-je, furibonde. C'est toi qui commences, c'est toi qui m'allumes!»

Constatant que mon sourire habituel n'était pas au rendez-vous, il se rapprocha de moi et me prit par la taille.

— Est-ce que je t'ai blessée? demanda-t-il avec tendresse.

— Non, non, m'empressai-je de bredouiller.

Je ne voulais en aucun cas avoir l'air de l'une de ces filles compliquées et chiantes, dont se plaignent toujours les hommes entre eux. Ces fameuses femmes hystériques qui s'énervent pour un rien. Je tentai de tout minimiser. Comme si la phrase qu'il avait prononcée n'avait aucune conséquence. Simon avait pourtant réussi à mettre le bon mot sur mon sentiment. J'étais blessée.

— J'adore me faire embrasser, me contentai-je d'ajouter.

Il y eut un silence durant lequel il me caressa doucement le dos. Pour la première fois depuis notre rencontre, une grande tristesse commença tranquillement à m'envahir. Elle partit de mon ventre et monta doucement dans mon cœur, passant ensuite à travers ma gorge.

— Est-ce qu'on dort ensemble? risquai-je, la voix étranglée.

— J'aimerais bien, Élisabeth, mais j'ai un peu mal à la tête. Je dois me reposer pour être en forme demain au travail. Tu comprends?

J'aurais voulu lui crier: «NON, je ne comprends rien du tout!» Je me contentai de faire un signe de la tête. Ça y était. J'étais amoureuse...

Le jeudi soir, il consentit à venir dormir dans mes bras. Aucune relation sexuelle n'eut lieu. Un repas épicé et copieux avait affligé son estomac. Idem pour le vendredi. Maux de tête. Fatigue. Stress. Je téléphonai à Virginie d'urgence.

CHAPITRE 16

— Récapitulons, déclara ma meilleure amie tout en replaçant une mèche de sa tignasse dorée.

Ses cheveux avaient blondi sous le soleil des tropiques. Elle revenait de deux semaines de vacances à Cuba. Un voyage gagné par son copain. Avec l'été médiocre qui perdurait au Québec, plusieurs avaient boudé les séjours au pays pour s'enfuir là où on ne jouait pas à la roulette russe avec la météo. Chaleur humide garantie.

Elle sortit un calepin et un stylo de sa besace.

— Il ne veut pas faire l'amour chaque fois que vous vous voyez, même si vous êtes au début de la relation…

— Voilà. Et même si les conditions idéales sont réunies : nous sommes seuls avec toutes les pièces de nos appartements à notre disposition, incluant un lit douillet, un sofa confortable, enfin, chez moi du moins, une table à la bonne hauteur, une carpette pour les genoux…

— Parfait, c'est noté. Deuxièmement, il dit que tu l'embrasses trop. Il prétexte toutes sortes de maux, stress, mal de tête. Même si tu es en petite tenue, il repousse tes avances.

— C'est bien ça. Mais d'un autre côté, il me parle de mariage, me dit qu'il s'est ennuyé de moi, me surnomme « ma chérie ».

Nous étions assises sur une terrasse de la rue Victoria. À peine 14°C en ce samedi matin, deux thés verts pour nous réchauffer.

— Peut-être que je ne l'attire pas ? Mon corps n'est peut-être pas à son goût ?

— Hé, ho ! Ça ne va pas ? s'indigna ma copine. C'est un con s'il n'est pas satisfait de ton corps PARFAIT. Je le souligne, parce que c'est vrai. Tu t'entraînes comme une dingue ! Tu n'as pas un millimètre de gras ! Tous les gars adorent tes jolis seins. Même MON Martin m'en a déjà parlé quand on est allés se baigner chez ses parents.

— Peut-être qu'il préfère les grosses poitrines...

— Il ne t'aurait pas invitée à sortir si c'était sa priorité.

Elle marqua une pause, me regarda droit dans les yeux et prit un ton autoritaire.

— Là, mon amie, tu vas arrêter de chercher le problème de vos débuts de relation étranges sur ton corps. D'accord pour analyser la situation dans tous les sens, mais si le foutu problème est du type couleur de cheveux, il n'avait qu'à choisir la bonne couleur lorsqu'il a franchi la porte de ce foutu bar. Non mais, on n'est plus au temps d'Édith Piaf et du « Je me ferais teindre en blonde si tu me le demandais » !

— Je ne sais pas quoi penser. Depuis les cours de sexualité à l'école secondaire, on nous dit que les gars ont toujours le goût d'avoir des relations sexuelles... Jusqu'ici, personne ne m'avait prouvé le contraire ! Je me souviens que l'infirmière nous prévenait même que nos copains allaient peut-être menacer de nous quitter si on ne voulait pas coucher avec eux.

— Oui, c'est vrai... Combien de fois ma mère nous a dit que les gars n'étaient pas comme nous et que le sentiment amoureux romantique n'était pas leur priorité ?

— Je me rappelle très bien les conseils de ta maman ! Elle arrivait subitement dans le sous-sol lorsqu'on était en train de visionner un film. Elle se mettait à parler de tout et de rien, puis, soudainement, elle glissait des conseils dans la conversation: « Si vos copains vous font des menaces à propos du sexe, c'est qu'ils ne vous aiment pas. »

— Sauf que passé 30 ans, la libido diminue un peu, du moins c'est ce que j'ai entendu dire. Et encore, ça dépend des hommes...

— Il a 33 ans...

— C'est peut-être un homosexuel refoulé? suggéra Virginie.

— Comment vérifier? Est-ce qu'au XXIe siècle, il y a encore des jeunes hommes qui sortent avec des femmes même s'ils connaissent leur véritable orientation?

— Peut-être qu'il ne veut pas se l'avouer? Bon, passons à une autre hypothèse: est-ce qu'il prend des médicaments pour la dépression? Ça coupe l'appétit sexuel. Mon père en a déjà pris.

— Et veux-tu bien me dire comment tu as su que ton père avait eu des problèmes de libido?

— Qu'est-ce que tu crois? Ma mère a déjà vécu l'amour libre, alors ça ne la gêne pas trop. Elle en a parlé à qui voulait bien l'entendre! Un peu embarrassant de connaître les ennuis sexuels de ses parents, et surtout de les imaginer dans leur lit, confrontés audit problème...

— La dépression... Je ne pense pas. Tu connais mes réflexes médicaux... J'ai déjà vérifié dans ses armoires. Rien. J'ai regardé aussi les autres médicaments qui peuvent entraîner une baisse de libido, ceux contre le cholestérol, l'ulcère à l'estomac, le glaucome et même l'hypertension artérielle. Il ne prend que du Bio-K, de la vitamine C et du Tylenol! Tu sais, ça peut également être un problème de glande thyroïde, l'hypothyroïdie ou encore l'hypogonadisme et l'hyperprolactinémie. Mais c'est plutôt rare et souvent lié à l'âge.

— Je te crois sur parole! Là, ça devient un peu trop complexe... Comment fais-tu pour retenir le nom de toutes ces maladies? Chaque fois, ça me dépasse!

— Je suis tombée dedans quand j'étais petite, comme dirait l'autre!

— J'y pense, est-ce que ton beau Simon souffrirait du syndrome «J'ai peur de l'engagement», puisqu'il a dit: «Je me sens étouffé»?

— Il parle de mariage...

— Bizarre, tout ça...

Ma copine prit encore quelques notes, enroula une mèche blonde autour de son doigt et déclara finalement en faisant la moue:

— Franchement, je crois que tu dois simplement le séduire. Peut-être es-tu trop entreprenante... Peut-être se sent-il paralysé par trop d'engouement, quand il te dit par exemple qu'il se sent étouffé parce que tu l'embrasses trop.

— Qu'est-ce que je fais alors? Avant, on disait que les hommes aimaient les femmes qui prenaient l'initiative. Là, apparemment, elles l'ont trop prise. Comme pour la drague. Les femmes qui chassent trop, c'est louche! Ça m'étourdit, tout ça! Je ne sais plus comment me comporter. Virginie, je panique, là, je ne comprends plus rien!

— Séduis-le, attends et laisse-le te désirer. Laisse monter le désir...

— Ouais, tu parles, j'ai le désir plus haut que l'Everest. Sérieusement, tu crois que je dois réprimer mes envies?

— Un peu…

— Finalement, si je comprends bien, il n'y a pas de bonne époque. Dans les années 1950, les hommes insistaient pour que les femmes consomment leur mariage même si elles avaient mal à la tête. Traduction: pas toujours envie. Dans les années 2000, ce sont les hommes qui ont mal à la tête, et les femmes doivent attendre que ce soit eux qui décident quand faire l'amour.

— Ne généralise pas, quand même! Toi, la maître en histoire, tu sais qu'il y a des nuances. Parce que je t'assure que Martin est certes romantique, mais toujours au garde-à-vous!

— Il n'a pas 30 ans, vous n'avez pas d'enfants…

— Bon, ça suffit, le pessimisme! dit-elle en feignant d'être choquée.

— Donc, ce soir, je suis tes conseils.

Virginie fouilla encore une fois dans son sac en cuir orné de faux diamants. Elle en ressortit un vêtement noir, des feuilles imprimées provenant de sites Internet, un flacon rouge et un autre en verre transparent dans lequel on pouvait deviner des racines.

— Alors, je te prête ma robe trop sexy pour être portée à l'extérieur de la maison. D'habitude, ça marche. Je te donne des recettes aphrodisiaques.

— Ce n'est pas l'auteure allemande Gaby Hauptmann qui avait testé ce genre de repas pour exciter un homme? Je crois que ça avait marché, non?

— Aucune idée, c'est toi qui lis les auteurs allemands. Bon, ici, tu as un vaporisateur spécial que tu dois appliquer sur les parties intimes, tu peux lui en mettre pendant un massage, par exemple. Ensuite, j'ai ça, Virilplant, que tu lui fais boire. Le mélange est déjà fait avec du rhum. Prépare-lui un rhum et Coca-Cola.

— Où as-tu déniché tout ça si ton Martin n'en a pas besoin?

— Bien, je te disais que mon père avait eu un problème de désir à cause de ses médicaments pour la dépression... Ma mère a pris les choses en main. Elle s'est hyper documentée. Et c'est elle qui m'a donné tout ça.

— Tu lui as parlé de mes problèmes? dis-je, à la fois mal à l'aise et surprise.

— C'est ma mère, ce n'est pas très grave. Et en plus, elle a des solutions. D'ailleurs, si ça ne marche pas, j'ai une autre idée...

— Espérons que ce sera assez!

— Ah! et puis tiens, prends aussi ça, dit-elle en m'adressant un clin d'œil. Ma mère revient de la Guadeloupe et elle a rapporté ça, du bois bandé. Elle voulait être préparée au cas où mon père aurait de nouveau des problèmes de libido. À 60 ans, on ne sait jamais. Ça provient de l'écorce d'un arbre, le *Richeria Grandis.* C'est une espèce de Viagra bio. Tu lui fais une infusion avec ça. Donne-lui après le repas... s'il ne t'a pas encore sauté dessus rendu au dessert, bien sûr!

CHAPITRE 17

Comme prévu, Simon sonna à 18 h à la porte de mon appartement. Je l'accueillis avec entrain dans la minirobe de Virginie au style ABBA, manches chauve-souris et décolleté indécent. L'encolure descendait si bas entre les seins qu'aucun soutien-gorge ne pouvait être porté sous le vêtement. Tant qu'à y être, j'avais donné congé à ma culotte!

Mon prétendant me sourit, m'adossa brusquement au mur de l'entrée et m'embrassa avec fougue. Je me laissai faire. Lorsqu'il s'arrêta, je me contentai de battre mes longs cils, soigneusement maquillés avec du mascara noir intense et soulignés d'un fin trait charbon.

— C'est la première fois qu'on cuisine pour moi, s'enthousiasma-t-il. D'habitude, c'est toujours moi qui fais les repas pour mes amis.

Il caressa doucement mes cheveux d'une brillance incroyable, à cause d'un produit coiffant que j'avais appliqué juste avant son arrivée. Un truc secret, utilisé par les coiffeurs de photos de mode et de magazines, révélé par ma marraine.

Je pris soin de monter les escaliers devant lui, pour me rendre à l'étage, afin qu'il puisse découvrir mes jambes dorées à la crème autobronzante et juchées sur mes sandales à talons hauts. J'aurais pu ajouter mes fesses, mais on ne les devinait pas très bien dans le vêtement.

— C'est très joli, ce que tu portes, affirma-t-il en déposant son sac.

« Joli ? », pensai-je. Jamais aucun critique de mode n'aurait osé qualifier ainsi ma tenue. Sexy, sûrement. *Trash*, peut-être. Le décolleté idéal pour se faire remarquer sur un tapis rouge et nourrir les journaux à potins.

— Est-ce que je peux t'offrir quelque chose à boire ? Je me suis préparé un rhum et Coca-Cola, dis-je d'un ton faussement désinvolte.

— C'est parfait.

Simon était magnétique dans sa chemise ajustée bleu électrique et son jean Diesel. Pour éviter que mon regard ne glissât sur son fessier bien moulé, je m'affairai à la préparation du repas aphrodisiaque. J'avais évité les ingrédients connus pour ne pas être démasquée.

— Laurent va chez ses parents en France, en septembre, et il m'a invité, dit-il d'un ton joyeux et ravi.

— Ils habitent à quel endroit ?

— Près de Nice.

— Wow ! Belle destination ! T'as de la chance !

— Je n'avais pas prévu cette dépense dans mon budget. En fait, je devrais dire que je n'ai pas les moyens, mais comme on aura un endroit où habiter, je ne peux pas dire non.

— Le billet d'avion est moins cher en septembre.

— Oui, mais chaque mois, j'ai ma dette d'études à rembourser : 250 dollars. Neuf ans encore !

— Parle-m'en ! Je viens tout juste de commencer à rembourser mes 20 169 dollars. Avez-vous déjà pensé à votre itinéraire ? Il y a tellement de choses super géniales à voir dans ce coin-là !

— C'est sûr que je veux voir Monaco. J'aurais tellement aimé ça être là lors du Grand Prix. Et je veux voir les fameuses plages dont tout le monde parle…

— Ha ! ha ! Très subtil, ricanai-je en posant deux assiettes carrées blanches avec nos entrées. Comme tous les hommes québécois, tu veux vérifier le fameux cliché ! Voir les Françaises en monokini ! C'est sûr que c'est un attrait touristique intéressant, puisqu'ici personne n'en fait.

Il changea de sujet.

— Tu as un talent certain pour la présentation des plats. Je suis épaté, dit-il en s'empressant de goûter au repas.

— Merci, me contentai-je de répondre.

— Des poivrons farcis au saumon ! Succulent !

Je pris une bouchée, puis le regardai d'un air taquin.

— Je ne voudrais pas gâcher ton plaisir, mais je ne sais pas s'il reste encore beaucoup de jeunes Françaises aux seins nus sur les plages... Le soleil, ça fait tomber la poitrine !

— Ah oui ? répondit-il à son tour d'un air malicieux. Tu as fait le test ?

— Très drôle ! dis-je.

Je fis la moue tout en songeant à quel point j'adorais ses répliques empreintes d'humour !

Il éclata de rire.

— Sérieusement, j'ai parlé des plages pour voir si tu allais réagir ! Laurent m'a dit que sa mère et ses tantes faisaient encore du monokini, mais d'arrêter de rêver, parce que c'était passé de mode chez les jeunes filles de 20 ans.

— C'est ce que je te disais. J'ai vu un reportage très « sérieux » sur le sujet à la télévision publique.

— Ah ! J'aurais donc dû m'écouter et partir dans le sud de la France quand j'avais 18 ans au lieu de déménager à Montréal !

Nous entamions maintenant le plat de résistance que je venais d'apporter sur la table: requin à la sauce de feu.

— Tu aimes le poisson, observa-t-il.

— Ça ne te plaît pas? m'inquiétai-je.

— Non, non, j'adore. Est-ce que je peux ouvrir la porte-fenêtre du balcon? J'ai un peu chaud.

«Excellent!», pensai-je. Le cocktail et les piments commençaient à faire leur travail. Je lui tendis une bouteille de vin blanc, prenant mille et une précautions afin d'éviter de lui effleurer les doigts.

— Je te laisse nous servir. Je ne suis pas douée pour retirer les bouchons.

L'alcool était pour moi un désinhibiteur puissant et dangereux dans les circonstances. Je ne bus donc que quelques gorgées. Je me retins aussi de noyer mon regard dans ses yeux de loup. Trop invitant.

Le temps de mes poires au gingembre arriva sans que j'aie reçu aucune invitation coquine de sa part. Je dus mettre à exécution la deuxième partie du plan, le bois bandé.

— Une infusion? proposai-je, toujours avec ce ton qui se voulait si naturel que j'avais peur que Simon ait des soupçons.

— Volontiers.

Il se leva. Je retins mon souffle, craignant qu'il s'approche trop près et découvre ma recette étrange. Il se dirigea plutôt vers le salon.

— Est-ce qu'on met de la musique?

— Choisis ce que tu veux.

Il fouilla parmi les CD de ma marraine, opta pour Barry White, et vint se rasseoir.

— C'est de la musique cochonne, tu ne trouves pas?

Il me fit une œillade. Le chanteur soupira d'extase sur les premières mesures de *Never, Never Gonna Give Ya Up*.

— J'ai vraiment chaud ! Si tu m'avais cuisiné des huîtres, je t'aurais accusée de vouloir m'ensorceler, dit-il à la blague.

« Parfait, pensai-je. On ne me soupçonne pas et la potion agit. »

Une heure après la fin du repas, rien ne s'était produit. Aucun rapprochement. Aucun effleurement. Il m'avait prise rapidement par la taille en ramassant la vaisselle, rien de plus. Soudain, il se mit à se tortiller sur le sofa, à devenir inconfortable.

— J'ai mal à l'estomac tout d'un coup. Des brûlements. Intenses. Ton repas était très bon, je t'assure, mais...

— Veux-tu des Maalox, des Gaviscon, des Pepto-Bismol ? proposai-je en me dirigeant vers la salle de bain.

— Tu as une pharmacie complète, dit-il en grimaçant. Oui, ce que tu veux. Je ne sais pas ce qui se passe, c'est la première fois que j'ai des maux si intenses. Je sens comme une impasse dans ma poitrine, une congestion.

— Tiens ! dis-je en lui tendant les comprimés que j'avais rapportés.

Ma soirée de sexe était foutue. Au lieu de l'allumer, je l'avais empoisonné. Bravo ! Et je n'avais même pas eu l'occasion d'essayer le fameux vaporisateur. Heureusement que les recettes aphrodisiaques ne m'avaient pas attisée ! Enfin, je ne sais pas, puisque j'étais désormais toujours excitée en sa présence.

— Veux-tu aller marcher ? suggérai-je.

Tant qu'à m'éloigner du but...

— D'accord, s'étrangla-t-il en se frottant l'estomac.

— Laisse-moi une minute pour me changer!

À défaut de ne pas avoir déclenché son désir avec ma tenue indécente, je ne souhaitais surtout pas me rabattre sur les quidams de la rue.

CHAPITRE 18

En se levant le dimanche matin, Simon proposa d'aller marcher sur le mont Royal, à Montréal. Alors que je préparais un sac à dos avec un léger goûter, il me prit par surprise en me suggérant d'emporter des préservatifs.

— On pourrait baiser en forêt, proposa-t-il avec un large sourire, surveillant ma réaction du coin de l'œil.

— Bonne idée! répondis-je du tac au tac, comme s'il m'avait dit de ne pas oublier deux pommes et des noix.

Il devait blaguer avec cette proposition indécente à 10 h du matin.

— Pendant que tu finis de te préparer, je vais aller prendre une douche.

Sur ces mots, il disparut vers la salle de bain.

J'ajoutai un thermos rempli d'eau froide, refermai le sac à dos et le déposai devant l'escalier qui descendait jusqu'à la porte d'entrée. Je me retrouvai ensuite devant ma garde-robe pour tenter de trouver des vêtements adaptés à la marche en forêt mais un tantinet sexy. Tâche ardue. Tout en réfléchissant, mon regard distrait se posa par hasard sur son jean, déposé au pied du lit. «Un Diesel à 250 dollars, malgré ses finances», pensai-je.

Je tendis l'oreille vers la salle de bain. Les jets de douche ruisselaient toujours. En vitesse, je me jetai sur le tiroir de ma commode, saisis le flacon que j'y avais caché la veille et aspergeai généreusement l'intérieur du vêtement. Qui sait, avec un peu d'aide, peut-être réaliserait-il ses plans ? Et peut-être même ici, dans cette pièce ? Une poussée soudaine de désir qui ne pourrait patienter…

Les effluves qui s'en dégageaient étaient doux et subtils. Au pis aller, si son nez détectait quoi que ce soit, je pourrais m'accuser d'avoir échappé mon flacon de parfum.

L'eau cessa de couler. Je replaçai le produit dans le tiroir, puis j'enfilai un tee-shirt turquoise moulant à encolure drapée, qui me galbait une poitrine ravageuse, et mon jean préféré, qui me dessinait un popotin irrésistible. Il entra dans la pièce en chantonnant, le corps déjà séché et vêtu d'un caleçon propre. Il s'approcha de moi avec ses pectoraux aphrodisiaques, me gratifia d'un sourire et m'embrassa sans s'attarder.

— Ton parfum sent vraiment très bon, souligna-t-il en reculant d'un pas. Mais tu n'as pas peur d'attirer les moustiques ? Moi, j'évite toujours de mettre des produits coiffants. Juste avec le savon, je me fais dévorer.

— Non, ça va. D'habitude, je ne les attire pas.

Dans ma tête, je me disais : « Vite, enfile ton jean ! Dépêche-toi qu'on voie si les vertus du vaporisateur agissent bien. »

Il passa tout d'abord un tee-shirt bleu acier. Ensuite, il se coiffa devant le miroir de ma commode. Simon avait décidé de ne pas relever ses mèches plus longues en avant, à cause des moustiques, les laissant tomber sur son front et ses tempes dans un style vrai faux négligé. Craquante, sa coiffure d'acteur à la mode... Puis, il se décida enfin et mit son jean. Je surveillai attentivement les expressions de son visage, chacun de ses gestes. Aucune réaction.

— On y va?

— Oui, prononçai-je en le dévisageant.

— Ça va? s'inquiéta-t-il.

— Oui, euh..., bredouillai-je, je me demandais si ton estomac s'était rétabli, improvisai-je.

— Oui. À merveille. Merci pour les comprimés.

Il me plaqua un baiser sur les lèvres en ajoutant:

— Merci de prendre soin de moi.

En route vers la montagne, toujours aucune manifestation particulière. Sauf de ma part: je sentais une chaleur intense se diffuser à travers mon bas-ventre. Tous mes sens s'aiguisaient au moindre effleurement. Il conversait joyeusement de ses projets d'achat de meubles. Une table de cuisine.

Incapable de me concentrer sur son discours, j'étais hypnotisée par ses traits d'une perfection émouvante, ses mèches couleur de miel balayées par le vent qui entrait par le toit ouvrant.

— L'ex de mon coloc veut récupérer sa table de cuisine, expliqua-t-il. Comme Sacha-Samuel a tout meublé l'appartement, je dois apporter ma contribution. Je suis très embêté parce que ses meubles sont très modernes, les sofas en cuir rouge aux pattes métalliques, le téléviseur à cristaux liquides, je ne peux pas mettre n'importe quoi. Ce serait gênant.

— Effectivement, approuvai-je machinalement comme un journaliste en direct à la télévision qui répond au lecteur de nouvelles.

Le vaporisateur ne fonctionnait pas! Il ne cherchait pas à caresser l'intérieur de mes cuisses. Je ne savais plus à quel saint me vouer, alors je priai Raël et ses extraterrestres pour que Simon mette à exécution son projet énoncé plus tôt.

— J'ai regardé chez Ikea, poursuivit-il. Ça fait un peu cuisine d'étudiant à côté de ses meubles à lui. Je suis allé à la boutique d'ameublement moderne et pas cher, Structube. J'ai vu une table couleur espresso vraiment géniale.

— Ah bon, prononçai-je en suivant les muscles de son bras se contracter au gré de ses mouvements.

Il changea de vitesse manuellement et frôla mon genou. Une vague de volupté engloutit tout mon corps.

— Le vendeur m'a déballé trois boîtes différentes pour me montrer les tables qu'il avait dans son entrepôt. Et, je n'en croyais pas mes yeux, elles étaient toutes égratignées sur le dessus. Je lui ai demandé : « Comment des tables neuves peuvent-elles être déjà brisées ? » Sa réponse m'a vraiment choqué !

— Hum, hum...

« Comment vais-je faire pour attendre qu'il fasse les premiers pas ? pensai-je. On dirait que c'est sur moi que le fameux vaporisateur agit ! Merde ! »

— Il m'a dit : « Mais à quoi vous vous attendez ?! Vous voulez acheter des meubles pas chers faits en Chine. C'est sûr qu'ils vont être un peu brisés. » Et il a ajouté : « Si vous n'êtes pas content, allez ailleurs ! » C'est incroyable, non ?

— Tout à fait, prononçai-je en songeant à son corps nu.

— Ça me dépasse ! s'exclama-t-il. Le vendeur qui avoue que ses meubles sont brisés et qui dit à ses clients que c'est normal ! Normal d'acheter de la merde ! Normal de payer pour des meubles en mauvais état ! Désolé, Élisabeth, je m'emballe, mais ça me met hors de moi qu'on nous prenne pour des imbéciles. Qu'est-ce que tu en penses? demanda-t-il en relevant ses lunettes fumées sur sa tête.

— Tu as raison.

Son regard aux iris limpides me renversa au creux du siège. Je descendis un peu la vitre de la portière. J'avais chaud.

— Est-ce que je t'ennuie avec mes histoires de meubles de mauvaise qualité faits en Chine?

— Non, non, le rassurai-je.

Mon cerveau fit des excès de vitesse pour trouver une anecdote-alibi qui prouvait que je suivais bien la conversation et non les courbes de son corps.

— L'amie de ma sœur a voulu acheter des meubles pour enfants chez Bébé Dépôt et on lui a dit la même chose, qu'elle devait s'attendre à ce qu'ils soient un peu égratignés, que c'était normal.

— Je suis vraiment écœuré qu'on nous prenne pour des cons. On nous propose de la merde et comme il n'y a que ça à vendre, on va capituler? Pas question!

C'était la première fois que je voyais Simon s'enflammer de la sorte.

— On a des forêts ici au Québec, on a du bois! explosa-t-il. Je vais acheter des meubles québécois, un point c'est tout! Tant pis pour le prix. Qu'en penses-tu?

— Dans l'état où tu es, je suis mieux d'être en accord avec toi, rigolai-je.

— T'as raison, je m'énerve un peu trop, admit-il d'un ton plus calme. Mais je ne sais pas ce qui m'arrive, je me sens enragé, en furie, c'est vraiment bizarre. Enfin, qu'est-ce que tu veux, on est envahis de produits de mauvaise qualité. Des vêtements qui s'autodétruisent après un seul lavage, des lecteurs DVD qui refusent de lire quoi que ce soit au bout d'un an, des lave-vaisselle qui ne lavent pas... Ça suffit!

— Ouais, répondis-je en réalisant que le fameux produit agissait finalement, mais pas tout à fait comme prévu.

Je continuai à nourrir le sujet pour ne pas être démasquée.

— On est ensevelis sous les déchets parce que nous consommons des produits non durables. Et d'un autre côté, que les produits aient une durée de vie limitée, ça fait tourner l'économie. C'est vraiment fou.

— Oui. J'ai hâte que les gouvernements trouvent un autre système!

— On sait que le communisme et le socialisme ne marchent pas, et le capitalisme, visiblement, non plus... Il faudrait inventer une doctrine politique, un nouveau système économique...

— Bon, enfin, on est arrivés! lança-t-il. Je suis certain qu'être entouré de branches, de feuilles, de sentiers, ça va me calmer.

«Et t'exciter», espérais-je au fond de moi.

Nous prîmes un sentier au hasard, ma main dans la sienne. Des parents et leurs poussettes croisèrent notre chemin, des retraités, de jeunes adultes, tout le monde s'était donné rendez-vous dans les bois en ce dimanche plus frais. Devant un couple et leurs deux gamins, qui couraient dans tous les sens, Simon m'embrassa. Un peu plus loin, au bord du lac, ce fut le moment de prendre notre petit goûter. Je me sentais à la fois fébrile et nerveuse. En attente d'un grand événement.

En fin d'après-midi, nous avions rencontré des gens dans tous les sentiers empruntés, même dans les plus reculés. Mon désir en avait marre de patienter. Il avait décidé d'aller nous attendre dans un café pour se changer les idées !

Simon prit ma main et m'entraîna soudain à l'extérieur du petit chemin gravelé, dans un coin où les feuillus semblaient plus denses. J'avais le bout du nez froid. L'air était humide.

Nous marchâmes quelques mètres d'un pas rapide. Puis, il s'arrêta net devant un arbre, sûrement centenaire. Il se plaça derrière moi et, avec fermeté, appuya mon corps contre l'écorce. J'eus le réflexe de mettre mes paumes sur l'arbre à la hauteur de mon visage, évitant de justesse d'écorcher mes joues. Je sentis ses lèvres qui se mirent à m'embrasser dans le cou à un rythme déchaîné. Sa bouche attrapa la nuque, glissa à la naissance des cheveux, près des oreilles, sur les épaules. Exalté, il détacha ensuite mon jean d'un seul geste brusque et fit de même avec le sien. Je le sentais fouiller dans le sac toujours accroché sur mon dos pour y trouver des préservatifs. En retournant la tête, je le vis enfiler la protection. Il agrippa mes fesses d'une main, prit son membre dans l'autre et me l'inséra doucement.

— J'adorerais que tu me caresses un peu le clitoris, osai-je.

— On n'a pas le temps. Des gens pourraient nous surprendre. Et je n'ai pas les doigts propres, enchaîna-t-il rapidement avant de se mettre à bouger les hanches avec une force débridée.

Un va-et-vient profond et puissant. En trois coups de bassin, il atteignit le septième ciel puisqu'il cria :

— Oh mon Dieu, mon Dieu !

J'eus l'impression de me réveiller en sursaut. Que se passait-il ? Est-ce que j'avais raté quelque chose ?

Il avait joui. En moins d'une minute ! Il s'était amusé. Chanceux ! Il avait sûrement réussi à se procurer de meilleures sièges que moi, des billets mieux placés. À cause de ses contacts, j'imagine.

Visiblement comblé, il remonta en vitesse son pantalon, m'aida à me rhabiller, reprit ma main et m'entraîna de nouveau sur le droit chemin du sentier. Il chantonnait un succès à la mode en me regardant sporadiquement, les yeux pétillants.

Tant d'émoi pour une si courte représentation ? Je devins tout à coup furieuse contre moi. Pourquoi n'avais-je pas pris mon pied moi aussi ? Pourquoi n'avais-je pas profité de cette relation sexuelle ? Quand serait le prochain rapprochement ? Dans un mois ? J'aurais dû me caresser moi-même… Me concentrer. Je venais de rater une occasion, et elles étaient si rares…

Chose certaine, je ne pouvais pas toujours rester au sommet de l'excitation au cas où il se déciderait enfin à me faire l'amour. Je sombrerais dans la folie. C'était déjà insoutenable ! J'appris toutefois un fait important : Simon semblait avoir besoin de situations différentes pour l'émoustiller.

J'étais plongée dans mes réflexions quand, tout à coup, Simon lâcha ma main d'un mouvement vif. Il se mit à hurler en empoignant son membre par-dessus son vêtement. Il se réfugia dans les buissons et hurla de plus belle. À ses trousses, je le vis détacher à la hâte son jean et le descendre. Lorsqu'il découvrit la cause de la douleur aiguë qui l'affligeait, il enleva rapidement son tee-shirt et s'en servit pour enlever tous les moustiques qui lui rongeaient les parties intimes.

Mon vaporisateur ! Ce fut à mon tour de crier : « Oh mon Dieu, mon Dieu ! » Mais pas pour les mêmes raisons.

CHAPITRE 19

Bouleversée par les événements du week-end, je décidai d'aller boxer. Même si chaque soir je m'obligeais à exécuter au moins trois séries d'abdominaux, cinquante flexions des jambes, des pompes - je ne révèle jamais le nombre de pompes que je fais avant de m'écrouler, c'est trop honteux! - et quinze minutes de cardio, mon nouveau job m'avait éloignée du gymnase.

L'endroit était désert, un lundi où seul le propriétaire s'affairait à son bureau. Je déposai ma besace réservée aux sports, celle ornée de faux diamants, à côté d'un des sacs de frappe. J'enfilai mes gants en cuir rouge tout en songeant à qui? Dans le mille, à ma famille... Je blague! C'est encore Simon qui m'obnubilait.

Je souhaitais tellement être parfaite que je ne savais plus comment agir, comment me comporter. Tout était réfléchi, analysé, soupesé. Chaque parole. Le moindre de mes gestes. En frappant sur le sac en vinyle noir, je me sentais lourde. Ma retenue me détruisait. Je n'en pouvais plus. Vivre sous haute surveillance devenait au-dessus de mes forces. D'ailleurs, je ne me reconnaissais plus. J'avais envie de pleurer. Verser des larmes pour mon manque de légèreté, mon manque de naturel. J'étais en train de perdre cette coquette spontanéité.

Au bout d'un moment, je me mis à frapper plus fort. Suer, me défoncer, me libérer. Était-ce la peur qui me bloquait ? La hantise de me livrer encore une fois sans pudeur et de vivre une déception ? À trop vouloir être parfaite, j'avais l'impression finalement que tout m'échappait.

Je ne savais plus comment faire connaissance. C'est fou, durant la dernière année, je n'avais fait que ça, des rencontres ! Mes sources d'inspiration s'asséchaient. Toujours les sempiternelles prémices. « Les commencements ont des charmes inexprimables », disait Don Juan de Molière. Moi, je n'en pouvais plus de ces foutus commencements.

Dire que, lassée par les lèvres de Guillaume, j'avais si souvent rêvé à l'exaltation des nouveaux débuts. À 25 ans, le souvenir des premiers frissons était vague. Sauf qu'aujourd'hui, un an plus tard, submergée dans ces débuts, j'eus soudain très hâte de me retrouver quelques années plus tard avec Simon, dans une relation stable et calme. J'aurais voulu me sentir avec lui comme si ça faisait trois ans que nous nous fréquentions.

À bout de forces, je retirai mes gants et allai prendre une douche. Qu'est-ce que j'allais faire avec tout ça ? Je devais absolument mettre à profit ma deuxième semaine de congé... En m'essuyant, j'eus enfin une idée. J'enfilai une robe légère et quittai le gymnase, convaincue qu'il fallait faire passer quelques tests à Simon. Des tests scientifiques, bien sûr ! Je suis une universitaire diplômée !

CHAPITRE 20

Lundi soir, son colocataire étant parti à la maison de campagne de sa nouvelle copine, Simon m'invita à souper chez lui. Il me cuisina des pétoncles à la crème citronnée et à l'huile de basilic, déposés sur une julienne de poireaux et de carottes. Un gewurztraminer, un vin d'Alsace, se joignit au menu pour nous étourdir un peu. Le clou du repas: un dessert créé juste pour moi.

— J'ai pris ma sorbetière ce matin, j'ai fermé les yeux et j'ai pensé à toi.

— Je ressemble à une sorbetière?

— Laisse-moi continuer... Donc, j'ai réfléchi à la courbe de ton corps, à ce que tu dégages psychologiquement et j'ai inventé une sorte de crème glacée!

Allais-je enfin avoir des révélations surprenantes en goûtant ce parfum? Il poursuivit:

— Élisabeth, tu es à la fois belle et intelligente, douce et fonceuse, calme et déterminée, rare.

— Rare? Qu'est-ce que ça donne, comme ingrédients?

— Un mélange d'épices importées et rares, dit-il en me faisant un clin d'œil. Ensuite, j'ai mis un zeste vivifiant pour ta vivacité d'esprit et quelque chose de réconfortant et doux.

— Hum... et la recette?

— Je ne sais pas si tous ces ingrédients, que je trouve délicieux en solo, seront toujours aussi succulents une fois ensemble. Je t'avoue que je n'y ai pas encore goûté…

— J'espère que ledit mélange te satisfait lorsqu'il est question de moi?

— Évidemment, ma chérie, dit-il en m'embrassant dans le cou. Goûte et je te révélerai ensuite la recette secrète.

Il se mit à observer chacun de mes gestes avec impatience et excitation. Cuillère en main, je pris délicatement un soupçon de cette crème glacée onctueuse, servie dans un bol design vert lime en céramique.

— Le bol est très joli! dis-je, taquine, pour le faire languir.

C'était un bol rond à la base, qui se terminait par un large plateau carré, un contour spécialement conçu pour y déposer la cuillère assortie. Je le soulevai pour chercher une marque, une signature ou un «Fait en Chine».

— Benjamin Hubert, lis-je à haute voix. Il est à ton coloc?

— Allez, goûte, goûte! insista-t-il, satisfait de l'effet qu'il produisait avec sa création.

— La texture est superbe, invitante… Est-ce que je suis en train de me décrire, là?

— …

— Cardamome, cannelle, chocolat blanc! Surprenant! Avec cette couleur mauve pâle, je n'aurais pas pensé au chocolat. Et un soupçon de… Attends, je n'arrive pas à deviner… De lime?

— Exactement.

— Et de lavande! Je reconnais toujours la lavande.

— Et puis?

— Je te laisse y goûter, je ne voudrais pas influencer tes papilles gustatives, le taquinai-je, sourire en coin.

Il prit à son tour une cuillère vert lime, la plongea dans sa création, puis la porta à ses lèvres.

— Hum... Je ne suis pas sûr..., avoua-t-il, dubitatif. Je ne suis pas certain que la lime se marie bien avec la cardamome. À moins que ce ne soit le mélange de lime et d'origan?

— Je la trouve délicieuse, ta création! C'est vrai que la lime est peut-être de trop. Est-ce qu'un autre agrume ferait l'affaire?

— Faudrait essayer.

— Je suis très touchée par cette crème glacée, avouai-je en le regardant dans les yeux.

Il me sourit, la pupille lumineuse.

C'est vrai que j'aurais aimé, à ce moment précis, qu'il me badigeonne de dessert et qu'il me dévore avec passion. Mais il venait de m'offrir une œuvre culinaire. Ça n'arrive pas tous les jours! Je me sentais privilégiée d'avoir rencontré un homme aussi sensible, d'un romantisme original.

La vaisselle et la cuisine rangées, je lui fis passer mon premier test. Nous étions dans sa chambre et il préparait ses dossiers du lendemain. Après avoir prétexté un passage obligé aux toilettes, j'en revins complètement nue. Lorsqu'il me vit entrer, il parut tout d'abord surpris, puis sans dire un mot, continua de rassembler ses papiers et de noter des informations dans son agenda.

Je pris le quotidien daté de la veille, m'assis sur son lit et entrepris de lire la section arts et spectacles. Du coin de l'œil, je le vis se déshabiller, garder son caleçon moulant et quitter la pièce. Au loin, je l'entendais se brosser les dents. Il revint. Dans l'entrebâillement de la porte, il me gratifia d'un sourire d'une blancheur étincelante. Puis, il s'approcha du lit, souleva la couette, la fit passer sous mes fesses et nous couvrit. Je décidai de déposer le journal par terre, à côté du lit. Simon m'embrassa alors tendrement sur la bouche, mais sans y introduire sa langue.

— Bonne nuit, ma chérie, murmura-t-il en me regardant.

Je cherchais le désir au fond de ses pupilles. En vain.

Il se lova contre moi et éteignit la lumière.

Mardi soir, cette fois chez moi, je décidai de déambuler dans l'appartement, couverte uniquement d'un voile parfumé. Aucun développement.

Mercredi, je fis les boutiques pour acheter les outils nécessaires au deuxième test : vibrateur unisexe, chapelet thaïlandais, anneau pénien vibrant et films pornos. Après le souper, il m'avoua qu'il était calme, détendu, et qu'il ne se sentait pas stressé par son travail ces jours-ci. Nous étions dans le salon, assis côte à côte sur le sofa en cuir brun.

Profitons de l'impulsion du moment ! Je lui susurrai à l'oreille que, pour faire différent, j'avais acheté quelques jeux pour la soirée. Guillaume aurait été fou comme un gamin de cinq ans en déballant le sac-cadeau !

— Parfait, j'adore les jeux, dit-il en me caressant les cheveux.

À ce moment précis, acculée au pied du mur, mon audace prétexta un rendez-vous de dernière minute ! Je tremblais un peu en allant chercher le fameux sac rempli d'objets érotiques. Et s'il se fâchait ? Et s'il me repoussait pour de bon? Et si je l'effrayais? En ouvrant la porte de ma garde-robe, mon regard croisa, sur une tablette, une série de jeux de société, rangés par ma tante. Ça y est, je flanche! J'ai tellement peur de le perdre…

Je pris finalement le jeu Destin et finis par me convaincre que je devais poursuivre le test. Le contenu de la boîte fut vidé en quelques secondes et remplacé par mes achats. Je revins au salon avec la boîte du Destin, c'est le cas de le dire!

— Tiens! dis-je en lui tendant le jeu. Prépare-le, je vais aller nous chercher un petit dessert.

— Pas pour moi, merci. Tu veux jouer à Destin? Et pourquoi pas! J'ai tellement joué à ce jeu-là dans mon enfance. Je me souviens, j'avais sept ans et je me disais en choisissant un métier que je ne serais jamais journaliste: c'était la profession la plus pauvre du jeu. Dix-sept mille dollars par année!

De la cuisine, je l'entendis ouvrir la boîte. Mon pouls se mit à s'emballer. Je retins mon souffle. Silence… J'apparus dans la pièce à pas de chat, attendant une réaction de sa part.

— Je ne sais pas si on aura le temps d'essayer tout ça, dit-il, amusé, en me regardant du coin de l'œil.

Ouf! J'avais évité la catastrophe.

— Par quoi souhaiterais-tu commencer?

— On peut visionner le DVD? proposa-t-il en le prenant dans ses mains. *Chattes sur un toit brûlant*! s'exclama-t-il en me lançant un regard surpris. Ce n'est pas un film des années 1950 tiré de la pièce de Tennessee Williams?

— En fait, le titre original du film avec Élizabeth Taylor et Paul Newman, c'est plutôt *La Chatte sur un toit brûlant*. Il y a une nuance, dis-je, coquine.

— Est-ce que tu trouves que je ressemble à Paul Newman? demanda-t-il en souriant.

— Euh... non. Je te trouve encore plus séduisant!

Il me tendit la boîte. Les mains tremblantes, je déballai le film pornographique.

— Tu vas voir, cette histoire n'a rien à voir avec la pièce originale de Williams, lui assurai-je en allant placer le DVD dans le lecteur.

— Ah non? Quelle était l'histoire originale? Je t'avoue que j'ai déjà vu la pièce avec mes parents, mais il y a très longtemps.

— Je te raconterai l'intrigue plus tard.

Dans la pièce, il était question, entre autres, d'un gars déprimé par le suicide de son ami, qui ne veut plus faire l'amour à sa femme et qui, finalement, s'avère être un homosexuel refoulé. Un extincteur de désir assuré!

Je pris place sur le sofa, collée contre mon amoureux. Pendant plus d'une heure trente s'enchaîna un montage de scènes décousues avec des seins surdimensionnés, des verges infinies, des torrents de sperme évoquant le pouding au tapioca, des orifices bien propres, de la décoration de mauvais goût, des rideaux horribles et poussiéreux, des salles de bain des années 1970 en urgent besoin de rénovation, et je ne prendrai même pas la peine de vous commenter les costumes.

D'un ennui... Simon entreprit de me caresser les seins au son des gémissements d'une des « chattes » du film. Il me déshabilla lentement en effleurant mon corps du bout des doigts. Le porno lui inspirait-il un élan de sensualité? J'en fus, sans surprise, renversée. Enfin, dans le sens physique du mot! Il déboutonna sa chemise. Un coup d'œil furtif à son torse déclencha une période de canicule dans mon bas-ventre. Mes mains s'égarèrent partout sur sa peau, cherchant à s'agripper de peur qu'il ne s'échappe. Sans se défaire de mon emprise, il réussit à enlever son jean Diesel - est-ce qu'il portait toujours le même ? - et son caleçon moulant. Mes doigts trouvèrent rapidement le chemin vers son sexe. Lorsque j'arrivai à destination, sa mollesse me fit l'effet d'une surdose de Red Bull. Une grande dose d'énergie pour relever le défi coûte que coûte de l'amener à l'érection suprême.

J'utilisai toutes les techniques connues et celles dont plusieurs ne soupçonnent même pas l'existence. Passant en revue tous les secrets du continent asiatique, exécutant les trucs tirés d'une bibliographie exhaustive, je m'acharnai sur ma proie. Mort ou vif, son membre devait raidir !

Même l'anneau pénien vibrant ne parvint pas à lui donner de l'aplomb. La pâte à biscuit ne levait pas. L'engin de plaisir affichait un air penaud.

J'entrepris de lui enfiler le chapelet thaïlandais, soigneusement lubrifié. Il interrompit mon geste.

— Euh... là, tu vas un peu trop loin, Élisabeth, murmura-t-il.

J'attrapai de ma main libre le vibrateur unisexe.

— Je ne suis pas trop gadget, confia-t-il.

Puis il enchaîna une série d'excuses classiques :

— Écoute, je ne comprends pas ce qui m'arrive. C'est la première fois. Pourtant, c'était le moment idéal, le cadre idéal, tous les bons éléments étaient réunis. Je suis confus...

Si j'avais eu devant moi quelqu'un comme Marc, Le Voisin ou même Guillaume, j'aurais répliqué une phrase inattendue, peut-être même irrévérencieuse.

Mais cet homme-là, je l'aimais avec une telle passion que je versai moi aussi dans les clichés.

— Ne t'inquiète pas. Ça arrive à tout le monde. Ce sont des choses qui surviennent sans crier gare.

Bla, bla, bla, bla…

Quelques heures plus tard, il dormait profondément à mes côtés, le visage aussi détendu que celui d'un bébé repu. L'insomnie m'obligea à le quitter. De passage aux toilettes, mon regard se fixa sur le grand miroir. Debout, une jeune femme aux longs cheveux brun doré. De grands yeux marron voilés d'une expression de perplexité et de confusion.

Malgré les recommandations de Virginie et mon esprit cartésien, logique et rationnel, je cherchai sur mon corps ce qui n'allait pas. Pendant une heure, j'analysai chaque courbe, fouillai tous les morceaux de chair, examinai mes profils… La clé de l'énigme se trouvait-elle sur mes seins ? S'était-il attardé sur cette vergeture ? Sur ce grain de beauté situé à un endroit bizarre ? Avait-il eu accès à ce comédon sur l'aile de mon nez ? Peut-être souriais-je trop ? Je cherchais désespérément le problème sur ce corps bio, non génétiquement modifié, lavé sans produits chimiques.

À force d'investiguer, un mal de tête se pointa. Mes idées s'embrouillèrent. Je m'allongeai sur le sofa, allumai le téléviseur et choisis une émission qui ferait office de somnifère.

CHAPITRE 21

— Non, ce n'est pas ta faute ! Arrête ça tout de suite, Élisabeth ! s'emporta Virginie à l'autre bout du fil. Bon, j'ai un autre plan. On va faire un souper de couples.

— D'accord. Et qu'est-ce que ça va nous révéler de plus ?

— C'est un peu terrible comme plan, je te préviens, mais ce sera efficace. On va le faire boire, le faire fumer de la drogue… À moins que j'en mette dans les plats ?

— Non ! Ça, c'est dégueulasse. Mettre de la drogue dans la nourriture sans avertir les gens, c'est hors de question !

— D'accord. Je disais donc, on le fait fumer de la drogue, et Martin lui fait le coup de : « J'ai été abusé dans l'enfance, ce qui a perturbé ma sexualité jusqu'à ce que je suive une thérapie qui m'a guéri. »

— Non ! Voyons donc ! C'est un peu trop extrême. N'oublie pas que je suis en train de tomber follement amoureuse de cet homme-là… On se croirait dans une téléréalité, en train d'organiser un plan machiavélique pour qu'un participant soit évincé.

— Peut-être que c'est la vérité, peut-être que Martin a vraiment été victime d'un pédophile et que je ne t'en ai jamais parlé avant aujourd'hui… Je viens peut-être de te faire une super confidence...

— Lancée comme ça, au téléphone ? J'entends la musique qui tente par tous les moyens d'accentuer le dramatique de tes propos et qui essaie de rendre ton histoire crédible. Mais je ne suis pas une lofteuse, et Simon non plus.

— Martin est prêt à nous aider.

— Même jusqu'à raconter des histoires d'agressions sexuelles inventées? Sérieusement? Ça me met très mal à l'aise...

— Fais-nous confiance!

— C'est tordu, comme stratégie. Coudon, avez-vous visionné récemment le DVD du film *L'expérience* pour avoir de telles idées?

— Martin est en train de lire *Le manuel de la manipulation* et *Comment guérir les blessures du passé.*

— C'est vrai?

— Non! pouffa Virginie. Il n'est pas vraiment du genre à lire de la psycho-pop! Sérieusement, Martin est aussi intrigué que nous, parce que lui aussi a toujours cru que les gars n'avaient qu'une seule idée en tête: baiser, baiser et baiser. Il a suivi les mêmes cours de sexualité à l'école secondaire. Et, surtout, il vit dans la même société que nous. Je te jure, il n'en revient pas.

— Dans les lignes ouvertes à la radio, c'est toujours les hommes qui se plaignent que les femmes ont mal à la tête, que les femmes ne sont pas assez inventives, qu'elles ne veulent pas expérimenter l'amour à trois.

— Bon, alors, on a le feu vert?

— C'est vraiment parce que je suis complètement dépassée par la situation. Parce que, je te le répète: je l'aime, cet homme-là.

— Ah? Tantôt tu disais: «Je suis en train de tomber amoureuse.» La situation évolue rapidement, dit-elle d'un ton espiègle.

— Bon, d'accord, je l'avoue: je l'aime et ça me fait peur. En fait, ça me terrifie.

— Parce que tu as enfin rencontré celui que tu attendais?

— C'est terrifiant, non? Il a tout ce que je voulais, toutes les qualités que j'avais demandées...

— Effectivement, sans savoir que certaines qualités pourraient devenir embêtantes...

CHAPITRE 22

Rue Ontario, devant l'immeuble rénové au goût du jour dans lequel habitaient Véronique et son copain Jonathan, une pancarte écrite à la main mentionnait « À vendre ». Simon me prit par la taille sans se douter une seconde de ce qui l'attendait à l'intérieur.

Véronique, Jonathan, Virginie et Martin nous accueillirent avec des margaritas dans les mains. Une atmosphère de fête embaumait les trois pièces et demie design à 250 000 dollars.

— Bananes ou fraises, ou bananes et fraises ? proposa Jonathan en nous tendant des coupes.

Les premières lignes du scénario venaient d'être jouées. Nous trinquâmes à l'été qui s'achevait sans véritable canicule, seulement 23°C en ce vendredi.

— En passant, Jonathan, ça te va très bien, cette coiffure. C'est nouveau ? fis-je remarquer.

— N'est-ce pas qu'il est sexy, mon mec, Élisabeth ? Je l'ai envoyé chez mon styliste. C'était son cadeau d'anniversaire.

— Et j'ai accepté de me soumettre aux mains de son coiffeur adoré.

— Styliste, mon amour !

— Alors, tu aimes ? Figurez-vous que j'ai appris en primeur, dit-il mi-figue, mi-raisin, que le coiffé-décoiffé ne sera bientôt plus à la mode !

— Quel *scoop*, mon gars, ironisa Martin en riant. Ça veut dire que je ne suis plus dans le coup ?

— Moi non plus, ajouta Simon en éclatant de rire. Mais pourtant, je ne veux pas t'insulter, on ne se connaît pas assez, mais les mèches éparpillées, ce n'est pas ça ?

— Eh non, les *boys* ! C'est la nouvelle tendance, l'effet « cheveux dans le vent ». Ce n'est pas du coiffé-décoiffé, mais du décoiffé naturel !

— Subtil, s'esclaffa Martin.

— Je vous jure que c'est ce que le coiffeur m'a dit.

— Styliste ! insista Véronique.

— Ta copine et Élisabeth ont raison, tu es très sexy avec tes cheveux noirs dans le vent, déclara Virginie. Martin, prends des notes ! dit-elle à la blague en embrassant son amoureux.

— Trinquons à ma nouvelle coupe de cheveux tendance ! déclara Jonathan d'un air moqueur en levant sa coupe.

— J'ai remarqué la pancarte « À vendre » devant chez vous, notai-je. Est-ce qu'il y a un de vos voisins qui a décidé de déménager ?

— C'est nous ! déclarèrent en chœur Véronique et Jonathan.

Ils éclatèrent de rire ! Le reste du groupe fut surpris de leur réaction.

— Vaut mieux en rire qu'en pleurer ! poursuivit Véronique en replaçant la mèche de sa longue frange qu'elle coiffait sur le côté.

Sa coupe au carré flou et dégradé faisait très années 1980. Surtout avec sa nouvelle teinture « reflets de lune ». Depuis que j'avais connu Véronique dans un cours de théâtre en cinquième secondaire, elle avait changé au moins cent vingt fois de couleur de cheveux.

— On a fait une mégagaffe en achetant ce condo, avoua Jonathan. Sincèrement, on n'aurait jamais dû se fier à l'agent immobilier qui nous a convaincus qu'on avait amplement les moyens de se l'offrir. Il disait qu'on ne trouverait rien en bas de ce prix-là.

— Et que dire de la banque qui nous a prêté de l'argent sans problème, même si on avait tous les deux des emplois précaires, ajouta Véronique. On vient justement de perdre nos emplois !

— Je suis extrêmement désolée, dis-je d'un air compatissant.

— Ce n'est pas grave, nous rassura Jonathan, on a droit à l'assurance-emploi. Et dans le pire des cas, on retourne dans le sous-sol de nos parents !

— C'est *cool* de vous voir si zen, déclara Martin.

— On va essayer de vendre le condo sans agent. Pas question qu'un autre profiteur nous gruge nos dernières économies en commission, conclut Jonathan.

— Je suis totalement en accord avec toi ! Je crois qu'on va bien s'entendre ! déclara Simon.

En moins d'une heure, nous avions déjà vidé trois coupes de margarita chacun, et les gars s'étaient entassés sur le minuscule balcon pour fumer leur premier joint de la soirée. Tout le monde avait accepté de participer au plan machiavélique avec entrain. C'était un genre de jeu de rôles, une expérience psychologique. Ayant étudié en sciences sociales et en criminologie, Véronique et Jonathan avaient hâte d'en connaître les résultats.

Les gars revinrent dans la pièce principale, les yeux rouges et les paupières lourdes.

— Tequila ? proposa Véronique en tendant des verres à *shooters* remplis à ras bord, sur le point de se renverser.

Les trois hommes acceptèrent les verres et avalèrent le liquide sans broncher.

— Comment est-ce que tu trouves ça, sortir avec une jeune minette ? osa Véronique.

Simon éclata de rire.

— On a seulement sept ans de différence ! Et tout le monde dit que je fais plus jeune que mon âge.

— C'est vrai, approuva Véronique, je croyais que tu étais plus jeune que nous.

— Quel est ton truc, qu'on l'adopte au plus vite ? s'enquit Virginie.

— Euh..., fit-il hésitant. Beaucoup de sommeil, huit verres d'eau par jour, pas de tabac et...

— Une vie de moine, finalement, maugréa Martin.

— Non, attendez ! J'arrive à l'ingrédient spécial jeunesse : faire l'amour le plus souvent possible ! lança-t-il avec un grand sourire.

Je ne pus m'empêcher de m'étouffer avec ma troisième margarita aux fraises. Je croisai furtivement les regards déroutés de Virginie et de Véronique. Les deux autres avaient les pupilles trop dilatées pour qu'on puisse y lire quoi que ce soit. Une grande porte venait de s'ouvrir.

— Justement, amorça Martin, j'ai lu dans le *Journal of Sexual Medicine*...

— Tu lis ça ? le coupa Virginie.

« Ingénieux », pensai-je.

— Quoi ? Je ne feuillette pas seulement des magazines à propos de l'ingénierie. C'est pour améliorer nos rapports, pour que tu sois une femme comblée ! Toujours est-il qu'une trentaine d'experts de l'Université d'État de Pennsylvanie ont réalisé une enquête sur la durée idéale d'une relation sexuelle. Pour qu'elle soit satisfaisante...

Il fit une pause, nous regarda tour à tour.

— … elle ne doit durer qu'entre 3 et 13 minutes !

— Même si les films pornos essaient de nous faire croire que la norme est d'au moins trente minutes de jouissance ! s'exclama Virginie.

— Apparemment, les couples consultent les sexologues parce qu'ils sont insatisfaits de ne pas pouvoir jouir pendant une demi-heure ou plus. Désolé de dire ça, les gars, mais c'est vrai que la porno nous envoie des messages tordus qu'on doit se garder de prendre pour la réalité.

— Que tu parles bien, mon cher Martin. Tu prépares le terrain pour cette nuit ? roucoula Virginie.

— Moi, j'avoue qu'une petite vite sur le coin d'un comptoir…, risqua Simon en me regardant dans les yeux.

« Une invitation ? N'insiste pas trop, parce que je vais t'entraîner de force dans les toilettes », songeai-je en imaginant la scène.

— Et là, les filles, vous allez m'aduler avec mes prochaines révélations : il paraît qu'une pénétration de trente minutes d'affilée, comme c'est la norme dans les films pornos, ça devient ennuyant au bout du compte ! Il faut miser sur les différentes caresses et sur ce qu'on appelle les foutus préliminaires.

— C'est décidé, s'écria Véronique. Jonathan, je t'abonne au magazine sans tarder !

Martin était effectivement très fort. Et dire que le meilleur se pointerait plus tard. Comme un invité-surprise, le clou de la soirée, le revirement inattendu d'un polar.

J'avais la ferme intention de me rappeler cette soirée. Ainsi, sans annonce officielle ni communiqué de presse, je cessai d'ingurgiter toute boisson alcoolisée. J'eus un pincement au cœur lorsque Jonathan déboucha un gewurztraminer, mon vin préféré. Puis, ce fut Martin qui remplit les coupes d'un rouge californien qu'il avait apporté. Ensuite, tout le monde s'attaqua au porto de Simon. Le tout ponctué d'une pause joint chaque heure. Bientôt, je me sentis comme une femme enceinte dans un Oktoberfest! Mes copines étaient dans un état d'ébriété avancé. Et que dire des trois hommes? Bonne nouvelle: personne n'avait encore vomi.

Après avoir fait griller les viandes et les poissons sur le barbecue d'un voisin parti en voyage – cependant consentant, nous assura Jonathan –, nous nous assîmes autour de la table. Simon se mit à me caresser l'intérieur de la cuisse en me gratifiant d'un clin d'œil qui se voulait complice. Étaient-ce les copieuses libations ou la présence de mes amis, garante de la chasteté?

Virginie servit le dessert qu'elle avait cuisiné: des *brownies* au *pot*. Le quatuor était déterminé à obtenir des révélations à propos des agissements présumés suspects. Personne ne remarqua le morceau de gâteau moelleux brun abandonné dans mon assiette. En passant dans l'autre partie de la pièce, qui faisait office de salon, là où un sofa bleu acier et deux chaises modernes moulées en plastique nous attendaient, Simon m'enlaça et m'embrassa passionnément. Un baiser de cinéma. Pourtant, Virginie m'avait bien énuméré les ingrédients de ses *brownies*. Il s'agissait bien de *pot* et non d'*ecstasy*! Mon amoureux en profita même pour me caresser les seins au passage.

Quelques effleurements plus tard, nous étions calés dans le sofa rigide bleu acier aux lignes épurées. Virginie s'était assise à ma droite, collée sur Martin.

Véronique avait choisi sa chaise moulée en plastique transparent, qui semblait moins confortable qu'un banc d'église. Jonathan apparut tout à coup, titubant légèrement, en brandissant une boîte colorée dans les mains.

— Voulez-vous jouer à mon jeu préféré ? proposa-t-il avec l'entrain d'un organisateur de Club Med.

— J'adore Thérapie, approuva Simon.

Décidément, il ne se méfiait de rien.

— Je ne suis pas sûr, hésita Martin. Ça me rappelle des souvenirs douloureux...

Tout le monde se tut. Je constatai que Jonathan avait tamisé les lumières avant de s'installer dans l'autre chaise de torture.

— Je vous l'ai raconté cent fois, mais Simon n'est pas au courant...

— C'est bon, dit Simon en voulant rassurer Martin, ne te sens pas obligé de me raconter. C'est ta vie privée et je ne voudrais pas être indiscret.

— Bah... Ça va. Tout ça m'a finalement aidé, au bout du compte.

— Si tu n'en as pas envie, mon amour...

— J'ai été abusé dans l'enfance, ce qui a perturbé ma sexualité jusqu'à ce que je suive une thérapie qui m'a guéri.

— Je suis désolé, déclara Simon avec une empathie sincère.

— Au début, avec Virginie, c'était difficile. Je n'avais jamais envie de lui faire l'amour parce que j'étais perturbé à cause de cette agression. À force de travail et de patience de la part de ma conjointe, aujourd'hui nous sommes heureux.

— J'ai été confronté à beaucoup de problèmes dans ma vie..., confia Simon.

« Allez, crache le morceau ! pensai-je. Laisse-toi aller ! »

— Mon père strict, mon frère dans une secte, ma sœur mariée avec un débile, la drogue... Mais heureusement pour Élisabeth, ma libido est toujours au rendez-vous !

« Mais je rêve ! À quoi il joue, celui-là ? » fulminai-je. Il poursuivit :

— J'ai hâte qu'elle ait 35 ans ! Vous savez ce qu'on dit des femmes de 35 ans ?

— Oh oui ! renchérit Jonathan. Moi aussi, j'ai hâte que ma copine ait toujours le goût et qu'elle puisse me suivre.

— Je te comprends : moi aussi, j'ai toujours la libido dans le tapis !

N'importe quoi !

— Maintenant qu'on est tous pas mal défoncés, dis-nous donc, Élisabeth, est-ce que Simon a un plus gros pénis que Le Voisin ?

Jonathan me regardait avec un sourire moqueur, l'air de dire : « Allez, c'est de bonne guerre, je viens de te donner un coup de main, je peux bien te taquiner un peu... »

— C'est qui, Le Voisin ? demanda Simon en tournant la tête vers moi.

— Là, le sociologue aux cheveux dans le vent, tu pousses un peu ta chance ! tranchai-je.

Martin vint à mon secours.

— Je crois qu'il commence à tous nous faire chier, ce foutu voisin. Pourquoi, à la place, on ne fait pas un échange de couple ?

— Bon O.K., ça suffit, les gars ! dis-je d'un ton péremptoire pour arrêter l'hémorragie de dérapage. Simon va penser que vous êtes sérieux : il ne vous connaît pas. On est tous pas mal soûls et défoncés, mais il y a des limites. Même à la blague, il pourrait penser qu'il y a un fond de vérité.

— Ouais, et ce n'est pas ce soir que je vais embrasser Jonathan, déclara Virginie, même si, avec sa nouvelle coiffure, il est pas mal sexy...

— De toute façon, j'ai déjà couché avec deux filles en même temps, alors ce fantasme-là, je l'ai réalisé, mentionna Simon. Honnêtement, quand je sors avec une fille, je ne veux pas la partager.

Je les regardais s'éclater et j'avais l'impression d'être une bonne sœur dans un collège privé. Une vieille célibataire coincée. Non, en fait, j'ai trouvé: je me sentais comme une femme frustrée d'être mal baisée.

De retour chez Simon, il me dit qu'il se sentait exténué et qu'une bonne nuit de sommeil collé contre mon corps serait régénératrice. Couchée en cuillère, je sentais son membre sur mes fesses, son souffle dans mon cou. Les frissons s'étaient donné rendez-vous partout dans mon corps, comme une grande soirée de festivités qui s'éternise au milieu de la nuit, étourdissante, insoutenable.

Une heure plus tard, je n'arrivais toujours pas à dormir. Je décidai de me lever et d'aller me changer les idées en regardant la télévision. Son colocataire payait un abonnement à toutes les chaînes disponibles sur le marché canadien. J'allais sûrement trouver une série pour les noctambules ou une émission de décoration en reprise. Dans l'obscurité du salon, je me recroquevillai sur le sofa sans accoudoirs et m'emparai de la télécommande.

Premier *zapping*: une femme en tenue légère proposait de nous parler au téléphone. Deuxième *zapping*: travelling sur une série de vibrateurs aux couleurs flamboyantes, suivis de vêtements en latex. « La boutique Érotique Actuelle répond à tous vos besoins », disait une voix féminine en s'efforçant d'être sensuelle... Une chaîne plus loin, le Canal D présentait *Sex.com*, un documentaire sur l'une des plus grandes escroqueries depuis le début de l'ère Internet. Quatrième *zapping*: une animatrice en microjupe, camisole au décolleté interminable et aux bretelles spaghetti. Prochain coup de pouce sur la zappette: le Canal Vie avec Rob Lowe et Demi Moore, nus, dans leurs ébats d'*À propos d'hier soir*. J'appuyai ensuite plusieurs fois d'affilée sur le bouton de la télécommande: deux gros seins coinçant un pénis apparurent sur l'écran de cinquante-deux pouces. Encore plus loin, au canal 109: SEXTV et son émission *The Wonderful World of Sex*.

Une chaîne consacrée aux ébats charnels! J'étais sidérée. Le sexe était à l'affiche à toutes les stations! L'érotisme détectable au détour de chaque rue: sur un panneau-réclame, une nymphette en route pour l'école secondaire ou la vendeuse de chez H&M. La société encombrait notre environnement de génitalité. C'était l'essence même de chaque humain, le message humanitaire des publicitaires et sûrement une priorité secrète des gouvernements, débloquant des fonds mystérieux pour s'assurer que chaque citoyen et citoyenne ait de quoi baiser pour subsister au quotidien... et assurer la pérennité de la race.

Et si tout le monde sur la planète s'envoyait en l'air, pourquoi l'homme qui semblait m'aimer ne me faisait-il pas l'amour? Désespérée, j'entrepris de me satisfaire moi-même. Je glissai un doigt de façon mécanique sur mon clitoris jusqu'à ce que des raideurs surviennent dans mes jambes et mes fesses, qu'un petit choc électrisant parcoure mon bassin, symptômes biologiques de l'orgasme. Décevant. Le plaisir avait oublié de se pointer, trop occupé à satisfaire un couple d'amants. Je jouissais, mais pas dans tous les sens du terme.

Je stimulai une deuxième fois le bout de chair, ce qui déclencha en une minute un autre orgasme, froid. Une jouissance biologique. C'était vraiment très étrange. La mécanique fonctionnait à merveille, mais sans volupté, sans émotion, sans vertige.

Décidément, le sofa était toujours aussi inconfortable. En soupirant, je décidai de retourner auprès de Simon. Le sommeil me donna rendez-vous au point du jour.

CHAPITRE 23

Simon m'embrassa tendrement avant de refermer la porte derrière moi. Je dévalai les escaliers jusqu'à ma voiture. C'était bien la première fois que l'impatience de quitter son appartement me rongeait. La raison en était fort simple: les comptes rendus et analyses tant attendus de Martin et de Jonathan. En dix minutes, top chrono, j'étais à mon appartement, le téléphone collé à l'oreille. En respectant les limites de vitesse, juré!

— Et puis, Martin? Ton verdict? Est-ce que la drogue et l'alcool ont contribué à libérer ses tensions psychiques refoulées?

— Bien, euh, tout ce que je peux te dire, c'est qu'il est normal, ce gars-là. Je ne vois pas du tout ce qui cloche. Je ne veux pas te dire tous les détails de notre conversation - tu sais, c'est comme dans une chambre de joueurs de hockey, il y a des choses qui ne se répètent pas!

— Tu me fais marcher là?

— Sérieusement, il a dit qu'il te trouvait belle, qu'il craquait pour ton sourire, qu'il était amoureux de toi et...

— Ah oui! déclarai-je, surprise, t'as eu l'information en exclusivité. Il ne me l'a pas encore dit!

— C'est ça, les gars, ça prend du temps! Il a dit aussi que tu étais bien roulée, que vous aviez beaucoup de choses en commun, les mêmes valeurs.

— Et pour les relations sexuelles ?

— Bien, je te confirme qu'il n'est pas gai, et Jonathan est du même avis.

— Ah bon, comment le sais-tu ?

— Ça fait partie de ces paroles top secrètes entre gars et qui doivent le rester. Je peux te révéler toutefois que, selon lui, il fait l'amour souvent. Il semble d'ailleurs très satisfait.

— J'en tombe par terre !

— Le portrait que tu nous en fais et le gars avec qui j'ai parlé l'autre soir ne concordent pas du tout.

— Mais ce n'est pas justement un classique d'en donner plus que le client en demande ? Camoufler son homosexualité en jouant les machos pour être sûr que tout le monde tombe dans le panneau ?

— Tu trouves qu'il exagérait ? Peut-être que tu cherches trop à analyser votre relation. Prends ça *cool* ! Relaxe un peu ! Laisse venir les choses… Enfin, je le trouve vraiment super *cool*, ton Simon. Je crois que c'est un bon parti. Je ne le mettrais pas en danger !

— Et pour le sexe ?

— Il faut que tu le suces, c'est la clé de toutes les réussites.

— Bon, arrête de te foutre de ma gueule, Martin.

— C'est vrai. Un homme, ce n'est pas très compliqué.

— Je le fais déjà, incluant le service après-vente.

— Persévère ! Tu sais, parfois, quand un gars rencontre la femme parfaite pour lui, ça peut lui faire peur.

— Oui, je sais. La foutue peur de l'engagement. Mais je ne lui dis jamais rien d'engageant. C'est lui qui me parle de mariage, d'enfants.

— Ça se passe à l'intérieur de nous. La relation sérieuse s'installe tranquillement, ça nous fait peur et on craint l'intimité. Tu sais, on est capables de baiser sans lendemain, de baiser avec une copine « en attendant », mais de faire l'amour avec celle qu'on aime, ça peut devenir paralysant.

— Est-ce que c'est ce qui t'est arrivé avec Virginie au début de votre relation ? demandai-je d'un ton coquin, un sourire dans la voix.

— Pas du tout ! affirma-t-il avec conviction. Je parle en général.

— Tu connais bien l'homme en général ? poursuivis-je, toujours du même ton.

— Oui, et ma mère est psy, spécialisée dans les relations de couple. J'entends parler de ce genre de concepts depuis que je suis ado.

— Je ne savais pas que ta mère se spécialisait dans les problèmes conjugaux... Et tes parents sont divorcés !

— Cordonnier mal chaussé. Eh ! Je viens d'avoir un *flash*. Est-ce qu'il a des problèmes avec les préservatifs ?

— De quel genre ?

— Il déteste tellement en porter que ça l'empêche d'avoir une érection ?

— Il ne m'en a jamais parlé et, contrairement à certains crétins qui aiment jouer à la roulette russe avec leur vie, il n'a jamais fait de chantage pour éviter d'en porter. Avant de raccrocher, j'ai une dernière question pour toi.

— Vas-y !

— Ce serait quoi, la proposition qu'aucun homme ne pourrait refuser ?

— Coucher avec deux filles en même temps.

— Ah bon ! Si deux femmes te le demandent, tu vas tromper Virginie ?

— C'est le fantasme masculin le plus courant !

— Tu n'as pas répondu à ma question !

— Non, mais ma mission est terminée ! J'ai répondu à toutes les autres. Salut !

CHAPITRE 24
25 décembre

La douleur irradie mon ventre et mes épaules. Sur le bord de la fenêtre, quatre bouquets de fleurs, trois boîtes de chocolats, des magazines à potins et un lecteur DVD portatif avec trois films. Qui a bien pu me les apporter?

Je me tourne la tête en grimaçant, puis sursaute en laissant échapper un gémissement.

— Ne me faites pas peur comme ça! C'est douloureux de sursauter!

Sur le pas de la porte: Virginie qui retient ses larmes, Véronique avec une mine désolée, un Martin compatissant et un Jonathan mal à l'aise.

— Ça va, les filles, je suis en vie! Ne restez pas là.

Je constate que ma voix a retrouvé un peu de tonus. Je peux respirer sans masque à oxygène.

— Il y a un moment qu'on est là, dit Virginie, la gorge serrée. On a mis des fleurs et des chocolats là-bas, près de la fenêtre.

— Vous m'avez regardée dormir?

— On attendait que tu te réveilles, ajoute Véronique.

J'essaie de me relever un peu, de m'asseoir, mais des serrements aigus dans les épaules m'en empêchent. Soudain, je me sens extrêmement fatiguée, comme si je venais de boxer pendant cinq heures sans arrêt.

— Merci d'être venus...

J'ai le souffle court. J'abandonne et me recale dans les oreillers. Je respire mieux.

— Savez-vous qui m'a apporté le lecteur DVD?

— C'est peut-être Guillaume, suggère Martin, on l'a croisé quand on est arrivés.

— Tu n'étais pas obligé de le mentionner, gronde Virginie. Élisabeth a d'autres soucis en ce moment. Pas la peine de lui rappeler que ce crétin existe.

— Bon, ça va, je n'avais pas de mauvaises intentions. Je suis désolé, Élisabeth.

— Pas de problème, Martin. J'avoue que je suis surprise de savoir que Guillaume m'a lui aussi regardée dormir...

Dans mes rêves, j'aurais souhaité que ce soit Simon. Or, ce n'est pas pour rien qu'on les appelle ainsi... Selon les dernières statistiques, combien de fois les rêves deviennent-ils réalité?

— Ne pense pas à lui, mon amie! dit Virginie en se penchant pour m'embrasser doucement sur la joue. Il n'en vaut pas la peine.

— Ne t'approche pas trop, parce que je ne me suis pas brossé les dents depuis un bon moment.

Elle me regarde dans les yeux. Je sens qu'elle voudrait me taquiner pour mettre un peu de légèreté dans la pièce. Camoufler aussi le malaise des autres. Mais elle craint de jouer faux, alors elle se ravise.

— Je pense que là, on va te laisser te reposer un peu.

Véronique s'approche et m'embrasse à son tour.

— Fais attention à toi.

Les gars, restés à l'écart, me saluent de la main. Juste avant de sortir de la pièce, Jonathan s'arrête, fait demi-tour et vient se placer près du lit.

— Au fait, j'ai su que les crétins sur le pont se filmaient pour mettre leurs exploits sur YouTube!

CHAPITRE 25
Flash-back

Dans l'entrée d'un édifice du centre-ville de Montréal, j'attendais debout à côté du bureau d'un gardien de sécurité. Sur le mur droit, peint en gris, on pouvait lire en grosses lettres bleues « Le National » et, juste en dessous, de plus petites lettres indiquaient : « Pas le temps de réfléchir ? On le fait pour vous ! »

— Petite sœur ! s'exclama mon frère en venant vers moi.

Il se pencha pour m'embrasser les deux joues.

— Est-ce que tu as le temps que je te montre mon super bureau de journaliste sportif ?

— Absolument ! Je suis bien contente de voir enfin où tu travailles.

Je suivis Olivier à travers la salle de rédaction du quotidien, une grande pièce à aire ouverte occupée par une cinquantaine de bureaux. Contrairement à ce que je m'imaginais, l'endroit était plutôt calme en ce lundi matin.

— Tu nous présentes ta nouvelle copine ? lança un de ses collègues en souriant.

— C'est ma sœur ! On se calme ! Et elle est déjà prise.

— C'est drôle, mais je l'aurais parié ! répliqua un autre, debout derrière une table ensevelie sous les documents.

Mon frère s'arrêta finalement devant un des bureaux les mieux rangés : quelques documents dans un classeur, un téléphone sans poussière, une tasse et un contenant de thé vert biologique. Il approcha une autre chaise et m'invita à m'asseoir.

— J'ai besoin de ton aide, mon frère.

Olivier me regarda d'un air étonné. Il était vraiment très beau avec ses épaules carrées, ses cheveux bruns et ses yeux bleus, hérités de notre grand-mère paternelle.

— Avec la tête que tu fais, j'imagine que tu ne viens pas me demander des billets pour la prochaine partie des Alouettes... As-tu été victime d'une injustice ? Victime de fraude ? Tu sais que je ne fais pas d'infiltration... Ça ne fait vraiment pas partie de mes affectations.

Mon frère avait choisi d'être aux sports parce qu'il se passionnait réellement pour le sujet et qu'il en pratiquait plusieurs. C'est lui qui m'avait fait découvrir la boxe.

— C'est vrai que j'avais pensé à l'infiltration..., dis-je, songeuse. Mais peut-être que tu vas pouvoir me conseiller autre chose.

— Tu m'inquiètes ! Rien de grave ? En as-tu parlé aux parents ?

— Euh... non. Bon, je vais aller droit au but. Selon toi, qui es un digne représentant de la gent masculine, quelle serait la proposition qu'aucun homme ne pourrait refuser ?

— Un *trip* à trois ! répondit-il sans hésiter. Mais c'est quoi le lien avec le journalisme ? Je ne te suis pas du tout, là, petite sœur.

— Si tu étais en couple et que deux filles dans un bar te demandaient de coucher avec elles en même temps, qu'est-ce que tu dirais ?

— Hum... J'y penserais sérieusement.

— Est-ce que c'est une proposition qui t'exciterait?

Discrètement, sa main droite me fit signe de baisser le volume.

— Ne parle pas trop fort, ma sœur, dit-il d'une voix basse, mes collègues vont se demander si je ne viens pas d'une famille dysfonctionnelle de fous avec des problèmes d'inceste. Bon, où veux-tu en venir au juste?

— Mon copain a déjà réalisé ce fantasme-là, celui apparemment de la plupart des hommes, et il dit qu'il ne veut pas partager sa copine... Mais je veux savoir s'il serait quand même excité par la proposition de deux femmes qui lui demanderaient de coucher avec lui... En fait, je veux savoir si c'est moi, le problème, ou si c'est la libido de Simon qui fait défaut.

— Ouin... C'est pas *cool*, ton histoire... Il a des problèmes érectiles? chuchota-t-il.

— Bien, en fait, il n'a pas souvent envie de faire l'amour, avouai-je d'un ton découragé.

— Étrange...

— Mercredi, il va au lancement du premier disque de Jo le Lofteur et je lui ai dit que je ne pouvais pas y aller.

— Moi aussi, j'aurais trouvé une défaite...

— C'est son ami Estéban qui organise le lancement. Bref, ce serait peut-être le bon moment pour faire l'ultime test? Qu'en penses-tu?

— Absolument! J'ai mon collègue aux arts et spectacles qui couvre l'événement. Il connaît toutes les lofteuses. Je suis certain qu'il y a deux lofteuses qui vont se faire un plaisir d'aller le séduire et de lui faire cette proposition. Il y en a une, entre autres, Océanne, l'ex-mannequin ou danseuse, ce n'est pas très clair, qui est vraiment irrésistible. Je pourrais y aller avec mon collègue et filmer la scène.

— Ma demande est un peu folle, hein?

— Effectivement. S'il accepte, tu vas sûrement être bouleversée…

— Et s'il refuse…

— Soit il t'aime à la folie, soit il a un sérieux problème sexuel. Dans ce cas-là, je te fournirai une liste de sexologues. On a une banque de spécialistes réputés dans les contacts du *National*. Au fait, as-tu une photo de ton Simon?

Je fouillai dans mon sac pour trouver celle que j'avais prise lors de la fête organisée pour son anniversaire.

— Wow! Il est vraiment très *hot*. Les lofteuses vont accepter sans problème de le draguer.

Mon frère se tut un moment. Il me regarda droit dans les yeux avec tendresse tout en me prenant les épaules.

— Est-ce que tu l'aimes?

— Oui…, répondis-je, la voix étranglée.

— Ça va sûrement s'arranger. Il y a toujours une solution. Sinon, je te présenterai un de mes collègues! lança-t-il, le sourire en coin. Il y en a déjà deux qui semblent intéressés.

CHAPITRE 26

Mercredi soir, minuit trente. Virginie et moi étions calées dans le sofa de cuir de ma marraine, les yeux rivés sur *24 heures chrono*. Ma copine avait apporté sa série de DVD pour tenter de monopoliser mes pensées en attendant les résultats de l'ultime test. Minuit trente-quatre, une bombe explosa en même temps que la sonnette de l'appartement. Je sursautai en criant.

— La tension est au maximum ! s'esclaffa Virginie. Veux-tu que j'aille répondre ? dit-elle en se levant.

— C'est mon frère de toute façon...

Virginie descendit les escaliers jusqu'à la porte d'entrée, puis s'écria :

— Non, c'est Simon !

Je me redressai d'un coup sur le sofa, prise de panique.

— Merde ! m'écriai-je. Et mon frère qui s'en vient avec la vidéo !

J'entendis Virginie qui déverrouillait la porte avant de l'ouvrir. Des pieds s'essuyèrent sur le paillasson.

— Salut, mon beau Olivier ! dit-elle, le sourire dans la voix, heureuse d'avoir réussi à me faire craindre le pire. Et le verdict ?

— Suspense ! Attendez de voir mon œuvre ! répondit-il en embrassant ma copine.

Ils revinrent au salon et Olivier s'empressa de sortir son ordinateur d'un sac, de l'allumer et d'y brancher une caméra vidéo.

— Je croyais que tu filmerais avec ton téléphone cellulaire, remarquai-je, étonnée.

— C'est ce que j'ai fait au départ, mais on n'entendait absolument rien. Mon collègue avait avec lui la caméra qu'on utilise pour les reportages Web qu'on met sur le site Internet du *National*. Les lofteuses ont même porté des micros ! Faut dire qu'elles sont habituées.

— Des micros ! m'exclamai-je, inquiète. Ça devait avoir l'air louche ?

— Mais non. Tu vas voir. On a l'habitude au *National*.

Olivier démarra la vidéo. La qualité de l'image en HD était impressionnante. On vit tout d'abord Jo le Lofteur, qui grattait sa guitare, entouré de cinq choristes sexy. La caméra se déplaça ensuite sur Simon, assis au bar avec son copain Laurent.

— On se croirait dans une vieille émission de caméra cachée, nota Virginie, sauf que la victime ne saura jamais qu'elle a été filmée…

— C'est ce qu'on espère… Sinon, il me quitte, pas besoin d'être un expert en statistiques.

— Comme vous allez le voir sur les images, moi, j'étais de l'autre côté du bar, donc j'ai vraiment pu tout filmer.

Olivier suivait tout d'abord trois lofteuses en microjupes et décolletés plongeants qui s'avançaient vers Simon et Laurent : une petite brunette, une grande blonde et une rousse de taille moyenne. Trois jeunes femmes sublimes, selon les critères de notre époque.

— Il y en a pour tous les goûts, hein ! déclara Olivier, fier de sa mise en scène.

Les trois filles se présentèrent, échangèrent des généralités au sujet du lancement puis offrirent des tickets d'alcool gratuit. Simon refusa. Il en avait déjà. Son langage corporel témoignait d'un manque d'intérêt évident pour les trois dames. C'est Laurent qui insista pour qu'elles restent avec eux.

La grande blonde commanda de la tequila et mit tout le monde au défi d'en boire trois onces d'affilée. La brunette remit ça avec des B-52, puis des Cerveaux. Elle se rapprocha de Simon et appuya sa poitrine refaite contre son épaule. Il déplaça son banc de quelques centimètres.

Olivier fit avancer la vidéo plus rapidement pour nous éviter les longueurs. L'action était toujours la même, comme une danse en ligne, toujours les mêmes mouvements, le groupe buvait et riait. La brunette s'était déplacée à côté de Laurent. Elle lui enlaçait les épaules en lui chuchotant à l'oreille.

— Voulez-vous que je mette la vidéo en temps réel pour entendre ce qu'elle lui dit?

— Non, franchement, on s'en fout! Allons droit au but!

La rousse osa finalement commander les cocktails, au nom très peu subtil, constitués de Kahlua, de Baileys, de vodka et de crème fouettée. La barmaid déposa donc dix Blow Jobs sur le bar devant le groupe. Les éclats de rire se multiplièrent. Les yeux de Laurent rapetissaient à vue d'œil. Simon semblait prêt à s'effondrer sur le bar. La rousse et la blonde se mirent à s'embrasser en surveillant la réaction des deux gars. Elles se rapprochèrent de Simon.

— Bon, O.K., arrête l'accéléré! ordonnai-je.

J'eus soudain très chaud. Mon pouls s'accéléra. Ma déglutition eut des problèmes techniques.

«Tania et moi, on trouve que tu as des épaules incroyables. Est-ce que tu t'entraînes?» dit la rousse en lui tâtant le biceps. « Oui, un peu... », répondit-il en souriant. Elle glissa sa main plus bas. Le bar nous empêcha de voir la destination finale. Il se recula. « Je sens de beaux abdominaux. Moi aussi, j'en ai, je fais de la boxe », dit-elle en lui prenant la main. Simon la retira de ses griffes. « Ma copine aussi. »

— Il se rappelle qu'il a une copine ! ironisai-je.

Laurent, de son côté, se laissait assaillir par la brunette, à cheval sur lui, qui l'embrassait dans le cou.

Soudain, la caméra se mit à bouger. Sans perdre de vue les protagonistes, les images devinrent nerveuses, à l'envers et de côté.

— Mais qu'est-ce que tu faisais, Olivier ?

— Pas de panique, la sœur ! On ne voyait rien avec le bar ! Ah voilà, regarde, c'est mieux.

La caméra nous offrait maintenant un autre angle, libéré de toute entrave visuelle. La rousse et la blonde se frottaient contre Simon, qui semblait désorienté.

« Est-ce que je peux t'embrasser ? Tania et moi, on trouve que tu as des lèvres très sexy », lui dit-elle à l'oreille. Sans bouger d'un iota, il répondit : « J'ai une copine, je vous l'ai dit ! » La blonde ajouta : « On peut aller ailleurs, elle ne le saura pas. On pourrait même te faire tout ce que tu veux... »

Tania se mit à embrasser la rousse à quelques millimètres de la bouche de Simon. Je suais maintenant à grosses gouttes. Le liquide dégoulinait sur mon front. Simon était là, toujours assis sur son banc, inerte.

« Ma copine et moi, on est vraiment très excitées, on aimerait ça baiser toutes les deux avec toi. » En prononçant ces dernières paroles, elle posa ses doigts, sans avertissement, directement sur sa bourse et se mit à la frotter.

D'un geste lent, il prit la main de la jeune femme et alla la déposer sur un des seins de l'autre lofteuse. « Je vous laisse entre copines », conclut-il en se levant. La caméra le suivit. Il tituba vers la sortie.

Puis, les deux lofteuses se plantèrent directement devant la lentille. « Il n'a même pas bandé ! déclara la rousse. Et ce n'est pas parce qu'on n'a pas tout essayé ! Je l'ai touché au moins à trois reprises et c'était toujours mou ! » La blonde sentit le besoin d'en rajouter : « Ça ne m'est jamais arrivé. Tout le monde veut coucher avec moi. C'est sûr qu'il est gai ! »

Sur les dernières images, on vit Laurent quitter le bar, enlacé par tellement de bras qu'on l'aurait cru emmêlé dans les tentacules d'une pieuvre. Mon frère arrêta l'enregistrement.

La vidéo avait créé un nuage de brouillard opaque sur mes idées. Je ne savais plus quoi penser.

— Et le verdict, selon vous ?

— Il t'aime, proposa Virginie.

— Il a un problème de libido évident, déclara Olivier. Même si t'aimes ta copine, c'est sûr que tu as une érection quand deux bombes sexuelles ont envie de coucher ensemble avec toi.

Il fouilla dans son sac et me tendit une feuille.

— Voilà une liste de sexologues et de psychologues.

Avec de telles preuves accablantes, il n'y avait pas d'autre solution.

CHAPITRE 27

Les derniers jours avaient été consacrés à la préparation du voyage de Simon et de Laurent en Europe. Quant à moi, j'étais retournée jouer à la guide avec mes touristes français. J'avais eu un groupe tellement gentil, respectueux et intéressé, une si belle complicité avec le jeune chauffeur de 30 ans, Jean-Philippe, que j'avais l'impression qu'un malheur allait bientôt s'abattre sur moi.

La veille du départ de Simon, je le retrouvai chez lui. Assis côte à côte sur le balcon qui surplombait la rue Rachel, nous observions les gens qui promenaient leur chien dans le parc La Fontaine. La *star* de la saison estivale avait décidé de ne faire son apparition qu'à la fin de la représentation. En ce 1er septembre, la chaleur ne venait que d'entrer en scène et, déjà, certains se plaignaient de ses nombreux rappels. Les gens ne sont jamais satisfaits.

Simon me tendit une rasade de gewurztraminer glacé qu'il venait de sortir du congélateur. Cette dernière soirée avant son voyage se déroulait comme je l'avais imaginé : un tête-à-tête romantique qui, je l'espérais, allait se conclure par une nuit d'amour torride. Nous allions être séparés pendant trois semaines, ça valait un effort !

— Au fait, on n'a pas eu l'occasion de se reparler de la soirée chez tes amis...

Il but une gorgée de vin, puis laissa passer un moment en fixant l'horizon. Un court suspense. Je sentis les battements de mon cœur s'accélérer. Avait-il découvert le traquenard?

— Ils sont très gentils. Vraiment. Tu me donneras leurs courriels pour que je puisse les remercier. J'ai voulu les contacter sur Facebook, mais je ne les ai pas trouvés.

— C'est vrai, Véronique n'est pas inscrite, dis-je d'un ton léger, heureuse d'avoir encore une fois évité la catastrophe. Je croyais par contre que son copain l'était. Je te noterai leurs adresses.

— Est-ce que tu as déjà eu une aventure avec Martin ou Jonathan? lança soudain Simon d'un ton inquiet.

Mon Dieu! Si je m'attendais à une telle question! Est-ce que c'est lui, finalement, qui essayait de me tendre un piège?

— Non! m'exclamai-je, interloquée, les yeux écarquillés. Qu'est-ce qui peut bien te faire croire une chose pareille?

— Tu me le jures?

— Évidemment! m'exclamai-je de nouveau, perplexe. Jamais au grand jamais je n'aurais d'aventure avec les copains de mes amies. Il y a assez de gars sur la planète sans que je me sente obligée de reluquer ceux déjà en couple.

— Et eux? Ont-ils déjà tenté de...

Je ne lui laissai pas le temps de terminer sa phrase.

— Non! Non! Non! Arrête de me faire languir et dis-moi ce qui se passe!

— D'accord. Lorsqu'on était coincés sur le minuscule balcon en train de fumer des pétards, les gars n'ont pas arrêté de vanter tes charmes.

— Ah bon?

— Martin disait: «Tu as de la chance, mon gars, d'être avec Élisabeth! Ça fait un bail que je la connais et chaque fois que je la vois en maillot de bain, chaque été, elle est toujours aussi sexy!»

— Eh bien, dis donc! m'exclamai-je une fois de plus.

— Jonathan, lui, disait: «Une fille à la fois si belle, si intelligente et *cool*! En plus, elle est toujours de bonne humeur! Si je n'étais pas avec Véronique, c'est une fille comme ça que je voudrais rencontrer.»

Eh bien! Les gars avaient opté pour le renforcement positif avec l'effet miroir: la réflexion de soi à travers le regard des autres, ce qui était censé accentuer l'estime de soi et la confiance dans nos choix. Très ingénieux! J'avais toute une dette envers eux.

— Je suis sidérée, déclarai-je en lui offrant un sourire charmeur. Mais tout ça est très flatteur.

— Et moi je suis pas mal en accord avec Martin et Jonathan, dit-il les yeux brillants en me souriant à son tour. Je t'avoue que tes réponses me rassurent. Je trouvais ça un peu bizarre.

La sonnerie de son cellulaire retentit. Il regarda le numéro et déploya le clapet.

— Comment vas-tu? Oui? C'est parfait! À quelle heure? Excellent, on se retrouve là-bas, termina-t-il avant de refermer le téléphone.

Il porta la coupe à ses lèvres et dégusta le vin un moment.

— On va aller manger avec Estéban au petit grec sympathique de la rue Saint-Denis, déclara-t-il en déposant son verre par terre.

Comme si de rien n'était. Comme si c'était normal d'aller manger avec son ami de gars avant de partir en voyage. Comme si c'était la chose à faire avant de quitter sa copine pour trois semaines.

Malgré la chaleur et l'humidité, un grand frisson traversa mon dos. Quelle déception ! J'avais l'impression qu'il n'y avait qu'elle au programme ces jours-ci. Pourquoi étais-je toujours déçue ? Tous les traits de mon visage s'effondrèrent. Comme une vieille dame dont le redrapage du visage se serait défait d'un seul coup. Malgré mon envie de lui hurler ma colère et ma tristesse, je restai figée.

— Tu es bien silencieuse.

— …

— Tu sembles contrariée.

Je me retournai et regardai au loin pour éviter son regard. Je ne voulais pas qu'il voie les gouttelettes qui menaçaient de sortir de mes yeux d'une seconde à l'autre. Il se rapprocha et entoura mes épaules de son bras. Le barrage céda. Les larmes tracèrent des sillons sur mes joues, puis dans mon cou. Je me cachai le visage avec mes mains.

— Je suis désolée, murmurai-je en pleurant.

— Qu'est-ce qui ne va pas, ma chérie ?

J'hésitai un moment. Puis, je finis par articuler une phrase entre deux sanglots.

— Je croyais que pour cette dernière soirée, on allait souper seuls tous les deux…

— Ce n'est que ça ? dit-il avec un sourire moqueur. Je vais rappeler Estéban, il va comprendre.

— Non, rétorquai-je. Je vais avoir l'air capricieuse.

Simon prit mon visage dans ses mains, plongea ses yeux dans les miens et m'embrassa doucement, de la même manière qu'une brise légère caresse notre peau moite dans la lourdeur de l'humidité.

Je baissai la tête, embarrassée.

— Je suis très gênée, dis-je timidement. J'ai vraiment l'air capricieuse.

— Je les aime un peu capricieuses, me rassura-t-il. Et t'as raison de toute façon. Je ne sais pas ce qui m'a pris !

* * *

Pour ces derniers moments passés avec Simon, j'avais certes envie de romantisme, mais je voulais aussi clarifier certaines choses. Ainsi, nous aurions trois semaines pour réfléchir, chacun de notre côté, aux possibilités d'avenir de la relation.

Je venais de l'aider à boucler ses valises. Nous étions allongés sur son lit, habillés, évidemment. Pour introduire subtilement le sujet, je fis quelques blagues qui faisaient allusion à ma fixation sur les rapports sexuels.

— Tu parles comme une fille insatisfaite, dit-il avec légèreté, comme s'il avait été question d'une moquerie à propos de la voisine d'à côté.

Mais ce ton badin, que j'essayais d'adopter, cessa. Le sujet était top sérieux.

— J'ai toujours envie de toi, déclarai-je d'une voix triste et impuissante, la même que lorsqu'on annonce une mauvaise nouvelle, un diagnostic fatal, une mort imminente.

— Moi aussi, répondit-il, souriant, toujours d'un ton léger.

— Quoi ?

Étais-je victime d'un canular ? Avais-je rêvé ? Imaginé ses refus ? Prétendu qu'il me repoussait ? Mal compris ses gestes ? J'étais secouée.

— Tu n'es pas obligé de dire la même chose que moi, Simon.

— Je te jure que c'est vrai. J'ai toujours envie de toi... mais je n'ai pas le goût de faire l'amour.

Je nageais dans la confusion et elle allait bientôt me submerger. Je jetai un regard circulaire dans la pièce. Aucune bouée de sauvetage n'était accrochée au mur, personne sur qui m'appuyer quelques instants pour retrouver mes esprits. Non mais, sérieusement, qu'est-ce que signifiait cette phrase: «J'ai toujours envie de toi... mais je n'ai pas le goût de faire l'amour»? Au secours! À l'aide!

— Es-tu insatisfaite? demanda-t-il de nouveau.

Cette fois, sa légèreté coulait avec moi. Le ton de sa voix se transformait. Je fus soudain très fatiguée. Je sentais que la situation s'aggravait.

— Je ne sais pas quoi te répondre, ai-je finalement prononcé en soupirant.

Il y eut un long silence. Est-ce que j'étais insatisfaite? À la seule pensée de répondre par l'affirmative, mon cœur se tordit. De la peine commençait à s'installer chez moi. Je la sentais dans ma cage thoracique. Au bout de quelques minutes, je repris la parole. Simon était couché sur le dos, les yeux fermés.

— Est-ce que tu dors?

— Non.

Sa voix était claire.

— Je me demandais si ta libido allait baisser, comme ça se produit dans la plupart des couples. Au début, c'est tout le temps, ensuite souvent, puis finalement très peu...

— Je suis constant.

— Ce n'est pas de ma faute, mon amour... J'ai toujours envie de toi, déclarai-je avec la voix de celle qui a épuisé tous les recours.

Il tourna la tête vers moi, me jeta un regard séducteur en battant des cils, puis esquissa un sourire moqueur.

— Je me sens comme un Dieu!

— Tu exagères.

— Bien, tu disais qu'avec ton ex, tu n'avais jamais envie.

— C'est vrai. Parce qu'on le faisait chaque jour. Et c'est aussi pour cette raison que je ne veux pas t'énerver avec ça. Je sais ce que c'est de se faire constamment solliciter quand on n'a jamais le goût. Regarde, je crois que j'ai les seins tout excités, dis-je en constatant avec désespoir l'état de ma poitrine, deux mamelons pointés et rigides.

Il y mit sa main, puis éclata de rire.

— C'est vrai!

— Je n'y peux rien!

— Moi aussi, je suis excité, dit-il en riant.

Quoi, quoi, quoi? Avais-je bien entendu? Reculez le DVD s'il vous plaît, je veux entendre de nouveau cet extrait.

— Ah oui?!

— Eh oui!

Cette nuit-là, les bras de Morphée m'accueillirent, comblée.

* * *

Lorsqu'arriva le moment de se dire au revoir, en ce deuxième jour de septembre brûlant, à la porte B de l'aéroport Montréal-Trudeau, il plongea ses yeux dans les miens. Toujours ce regard de loup bleu clair. Vu les circonstances, j'en fus, plus que d'habitude, foudroyée. Et c'est là qu'il approcha lentement ses lèvres des miennes, attendit que le temps fasse une pause, que tout s'arrête autour de nous, que nous ayons l'impression d'être seuls au monde, puis il m'embrassa avec passion. Enfin. Ce premier vrai baiser que j'avais tant attendu, tant espéré, tant imaginé, m'enivra. Un doux vertige au rythme endiablé de mes battements de cœur.

Était-ce la canicule qui avait réchauffé ses sens? Étaient-ce les adieux qui l'entraînaient sur les chemins de la sensualité? Étaient-ce les lieux publics qui lui permettaient de se laisser aller sans craindre de devoir passer à l'étape suivante? Quoique, dans les toilettes d'un aéroport ou dans le stationnement...

Avant de le laisser partir, je ne pus m'empêcher de lui dire cette phrase qui fit éclater en mille morceaux la belle photo romantique, inspirée du *Baiser de l'hôtel de ville* de Robert Doisneau, dont nous étions les héros quelques minutes plus tôt. Oui, je sais, j'aurais dû tenir ma langue!

— Au cours de ton voyage, lorsque tu seras loin là-bas, si jamais tu ne t'ennuies pas de moi, pose-toi des questions!

Simon reçut cette phrase comme une gifle. Son visage changea d'expression, il sembla complètement retourné.

— Tu les as, les commentaires positifs avant de partir! Tu me dis ça avant de monter dans l'avion... Et s'il s'écrasait? Si c'étaient tes dernières paroles avant que je meure? Hein? Moi aussi, je peux en dire, des bêtises.

C'est alors que je fus prise d'un élan de romantisme incontrôlable. Au lieu de garder mes réflexions pour moi, je m'entendis prononcer les mots...

— Je t'aime, Simon-Yakim.

Trop tard ! Je l'avais dit. Un poids de moins sur mes épaules.

Figé une fois de plus, il me regarda quelques secondes en silence. Un suspense douloureux. Il me tenait en haleine. J'étais suspendue à ses moindres réactions, dans l'attente interminable du dénouement final. Au bout d'un moment, il déclara :

— Moi aussi, je t'aime.

Ouf ! Il m'aimait ! Ça y était enfin ! Il avait prononcé les mots magiques. Soulagée, je le regardai s'éloigner vers le contrôle de sécurité où un agent vida son sac et lui confisqua son tube de dentifrice non réglementaire.

CHAPITRE 28
28 décembre

Ce matin, je me sens mieux. Ma bedaine dégonflée rappelant celle des mères qui viennent d'accoucher me fait souffrir, certes, mais j'ai faim. « Quand on a envie de manger, c'est qu'on sera bientôt sur pieds », dirait maman.

Le lit d'à côté est maintenant occupé par une jeune femme dans la trentaine qui vient de se faire opérer. Elle a l'air très mal en point. À son poignet, je distingue un bracelet médical argenté. Peut-être souffre-t-elle de diabète ? À moins qu'elle prenne du Coumadin ? Une infirmière entre dans la chambre et se dirige vers son lit. Elle change un des sacs reliés au soluté. Probablement un sac d'antibiotiques.

Je n'en reviens toujours pas d'être ici, entre ces murs d'hôpital, en plein temps des fêtes ! Comment m'y suis-je prise pour sombrer ? Moi, la boxeuse, la femme forte, enfin c'est ce que j'essayais de me faire croire. Non, d'accord, je n'y croyais même pas, j'essayais d'avoir l'air de cette femme confiante et forte. C'est dur d'acquérir la confiance en soi ! Est-ce que ça vient avec l'âge, au fait ?

Comment ne pas perdre tous ses repères lorsqu'on rencontre quelqu'un comme Simon ? Honnêtement ? La grippe foudroyante, les braqueurs à domicile, les récidivistes de l'alcool au volant qui tuent des enfants, les bandits en cravates, les enveloppes brunes, tout ça, on sait que ça existe et on ne veut surtout pas les croiser sur notre route. Mais un homme qui ne veut pas faire l'amour, ça, personne n'en parle. Même pas aux nouvelles, même pas dans les émissions spécialisées ou sur les blogues.

Est-ce que la patiente d'à côté aurait su, elle, comment agir avec un mâle sans désir ? Je jette un coup d'œil à ma droite, dans sa direction. Son cou est enflé, son visage, rouge vif. Ce n'est pas normal. Je cherche la sonnette. Merde, où est-elle ? Je fouille partout dans mon lit, derrière mon épaule. Aïe ! Enfin, je l'agrippe et j'appuie frénétiquement dessus.

Le cou de la patiente enfle de plus belle. J'essaie de sortir du lit. Torture. Mon Dieu que je suis faible ! Je pose les pieds au sol, avance plus lentement qu'une dame de cent ans. Finalement, j'arrive près d'elle. C'est maintenant son visage qui enfle. Ça ne va pas du tout. Mon regard est attiré vers son bracelet médical. Je retourne la bande du centre pour y lire ce qui est gravé. Je lève les yeux pour vérifier ce qui est inscrit sur le sac accroché au soluté. Non mais... c'est une mauvaise blague ?

Je saisis cette fois la sonnette de la patiente. J'appuie plusieurs fois d'affilée avant de me diriger vers la porte. Je n'en reviens pas ! Et aucune infirmière qui ne se décide à arriver. J'atteins la sortie avec peine et je tente de crier.

— À l'aide, à l'aide, une allergie à la pénicilline !

Un filet de voix sort de ma bouche. Personne ne semble m'entendre. Je rassemble toutes mes forces pour projeter ma voix un peu plus loin.

— Au secours, une patiente est en train de mourir ! C'est la pénicilline !

Enfin, je vois trois personnes en uniforme accourir vers moi, me bousculer et se précipiter vers ma voisine de lit.

Invraisemblable. Elle portait son bracelet médical avec l'inscription « Allergique à la pénicilline » et une infirmière lui en a mis dans son soluté ! Un psychopathe n'aurait pas mieux planifié le coup !

CHAPITRE 29
Flash-back

Les trois semaines loin de Simon déboulèrent. Il me manquait. Or, mon horaire de guide touristique planifié à la minute près faisait office de pansement sur la douleur de l'ennui. J'allais dans le quotidien avec plus de légèreté depuis qu'il m'avait avoué son amour.

Et la fréquence des rapports sexuels? C'était un aspect de notre relation qui me rendait un peu malheureuse. Je pris la peine d'y réfléchir pendant quelques jours, d'évaluer jusqu'à quel point j'en étais affectée. Conclusions? J'étais disposée à faire preuve de mansuétude. Enfin, c'est ce que je croyais à ce moment. Mais est-ce que cette indulgence finirait par payer au bout du compte?

L'été avait consenti seulement en septembre à nous offrir de la chaleur, avec des pointes dépassant les 30°C. Un 33°C subjugua un groupe de Français, de la banlieue parisienne, dont certains étaient débarqués au Canada convaincus de devoir porter leurs bottes et leurs manteaux doublés. Un groupe hétéroclite.

Dès le premier repas du circuit, à Toronto, je décidai de m'asseoir à l'une de leurs tables, au hasard. Mon employeur suggérait de manger le plus souvent possible avec les touristes, tout en changeant régulièrement de petit groupe pour ne pas créer de jalousie.

C'était une façon efficace de découvrir rapidement leurs intérêts et de rendre le séjour chaleureux.

Un couple de retraités était installé à ma droite, accompagné de deux vieilles dames de 85 et 87 ans. À ma gauche, deux jeunes mariés, au début de la trentaine, se tenaient par la main en consultant l'itinéraire. En face d'eux était assis leur ami, qui ressemblait étrangement à l'acteur George Clooney avec ses cheveux grisonnants, ses larges sourcils et ses iris foncés. Il semblait préoccupé.

— Patrick ne voulait pas venir au Canada, expliqua Juliette, la jeune mariée. On l'a fortement encouragé. On ne voulait pas le laisser seul à Noisy-le-Grand. Il vient tout juste de divorcer.

— Bon, ça va, on n'est pas obligés d'emmerder la guide avec ma vie, maugréa-t-il.

— Ne vous inquiétez pas, le rassurai-je en lui adressant un sourire chaleureux, nous allons faire en sorte que votre séjour soit des plus agréables.

— Tu vois, je te l'avais dit, Patrick, qu'on allait bien se marrer, déclara cette fois le jeune marié.

Sa jeune femme en profita pour caresser ses cheveux bruns bouclés. Le couple de retraités prit à son tour la parole.

— Nous sommes tellement heureux d'être enfin au Canada, affirma la blonde aux courbes voluptueuses. Nous avons fait des économies pendant plusieurs années pour pouvoir payer ce voyage.

— C'était justement notre rêve de jeunes mariés, ajouta son mari à la bedaine naissante.

Les serveuses apportèrent les assiettes de poulet sur riz blanc et légumes vapeur. Après avoir mordu dans une tige de brocoli un peu trop croquante, j'attendis le commentaire classique du Français lors de sa première expérience culinaire canadienne. Qui allait s'empresser de critiquer la cuisson? Une des vieilles dames? Le nouveau célibataire dépressif? Certains groupes avaient pesté contre les légumes tout au long de leur voyage.

— Heureusement que je n'ai pas de dentier! lança Patrick en me souriant. C'est quoi, ces légumes pas cuits?

— Les légumes sont toujours croustillants ici, c'est pour conserver le plus de vitamines possible, répondis-je du tac au tac en souriant.

Depuis mon premier tour guidé, j'avais eu le temps de leur cuisiner une explication.

— Ah! bien, si les Canadiens veulent s'assurer que l'on soit en bonne santé, on ne peut rien dire contre la vertu!

Il me fixait en faisant de grands yeux charmeurs. Ses paroles eurent un effet d'entraînement, ce qui est souvent le cas au sein d'un groupe. Tous acquiescèrent. Ainsi, je venais d'éviter la conversation typique du nouvel arrivant sur les mérites incomparables de la cuisine française. J'aurais toutefois acquiescé à mon tour puisque j'en raffolais et que la majorité des repas du forfait étaient tout sauf gastronomiques.

— C'est très bon, madame la guide, déclara la dame de 87 ans.

— Tant mieux! répliquai-je tout en me disant intérieurement que ses papilles gustatives n'étaient probablement plus en mesure de déceler le manque flagrant de saveur du plat.

Les deux jours qui suivirent, j'eus l'impression que Patrick observait mes moindres gestes. À Ottawa, alors que tout le groupe était descendu du car pour aller visiter l'extérieur du parlement et que j'organisais l'horaire des prochains jours, il remonta en prétextant qu'il avait oublié son appareil photo.

— Êtes-vous satisfait de votre voyage ? demandai-je poliment.

— Absolument ! Avec une aussi jolie guide, ça me permet d'oublier mon ex-femme. Heureusement que mon collègue et ami, Florian, a insisté pour que je vienne. Moi, je ne voulais pas les emmerder dans leur voyage de noces…

— Vous travaillez à quel endroit ? poursuivis-je en m'abstenant de le remercier pour son compliment.

— À l'usine de traitement des eaux usées de Noisy-Le-Grand. Je suis technicien de régulation.

Il s'assit sur le siège vis-à-vis du mien, de l'autre côté de l'allée.

— Ah bon?

— C'est moi qui contrôle l'acheminement des eaux usées. Je travaille avec des outils très sophistiqués qui me permettent de prévoir la pluie et, par le fait même, la saturation du réseau. C'est passionnant, n'est-ce pas ?

Son regard intense me transperçait. Ses yeux étaient si foncés que je n'arrivais pas à voir les pupilles.

— Je vous regarde depuis que j'ai atterri à Toronto et je viens de trouver à qui vous me faites penser.

— Vous m'intriguez...

— Vous me faites penser à l'actrice…

Le chauffeur choisit ce moment pour monter dans l'autocar. C'était mon troisième circuit avec Jean-Philippe, un grand mince au crâne rasé. Nous avions développé une très belle complicité. Peut-être à cause de nos âges rapprochés.

— Tout va comme tu veux, Élisabeth?

— Absolument, et toi?

— Bien, vous m'excuserez, mais je dois aller au fond là-bas, dit-il en pointant les toilettes.

— Ne vous gênez pas pour nous!

Mon collègue marcha rapidement jusqu'à l'arrière du véhicule, ouvrit la porte avec difficulté et s'engouffra dans la pièce exiguë.

— Vous me faites penser à l'actrice Sophie Marceau, poursuivit Patrick.

— Hum...

— Eh oui, elle a joué dans le film culte *La Boum* en 1980.

— Je n'étais pas encore née! m'exclamai-je en riant.

— Et moi, j'avais 14 ans! rigola-t-il. Je me sens soudain très vieux. Sophie Marceau, ça ne vous dit rien?

— Bon, d'accord, je vous fais marcher, je la connais! Elle fait partie de la longue liste des *James Bond girls*! Et récemment, je l'ai vu dans *Les femmes de l'ombre.*

— Ah d'accord, j'ai devant moi une experte!

— J'adore le cinéma.

Le sosie de George Clooney s'avança plus près de moi et me fixa un moment en silence, en battant des cils.

— Vous êtes jolie, vous auriez pu être actrice.

— Ça prend aussi du talent, vous ne croyez pas?

J'entendis soudain le bruit de la pluie qui se mit à retentir sur la tôle de l'autocar.

— Si vous aviez eu vos machines ultrasophistiquées avec vous, on aurait pu prévoir ça! dis-je à la blague.

Il m'adressa un sourire de séducteur qui ne laissait aucun doute sur ses intentions.

Par la fenêtre, je vis arriver en courant les touristes les plus jeunes. Puis, ce fut au tour des retraités. Et une dizaine de minutes plus tard, une quinzaine de vieilles dames du troisième âge en colère. Jean-Philippe accourut pour les aider à monter.

— Madame la guide, vous êtes très décevante ! lança la première.

— Nous laisser sortir dans la pluie, à quoi avez-vous pensé ? martela son amie qui la suivait.

— Je suis désolée, mesdames, je ne savais pas qu'il allait pleuvoir. Si j'avais su, je vous aurais proposé une autre activité.

— C'est votre pays, vous connaissez ses nuages, vous connaissez son ciel, vous auriez dû savoir qu'il allait pleuvoir, renchérit la dame de 87 ans.

J'attendis un moment avant de répliquer. Je croyais qu'elle blaguait. Mais non, elle ronchonna de plus belle.

— Tout est de votre faute ! Nous sommes trempées maintenant et c'est à cause de vous et de votre pluie.

En l'écoutant, j'espérais que la vieillesse ne me transformerait jamais en vieille folle grincheuse. J'attendis que tout le monde soit monté à bord pour m'excuser d'un ton caustique.

— Mesdames et messieurs, je suis extrêmement désolée pour cette pluie qui s'est abattue sur nous. Comme vous avez pu le constater, j'ai échoué mes cours en météorologie. C'est d'ailleurs pourquoi je suis guide touristique et non pas météorologue ou présentatrice météo. J'imagine que vos météorologues français sont comme les nôtres ici, ironisai-je, ils ne se trompent jamais dans leurs prévisions. On rentre à l'hôtel, vous pourrez vous changer et vous réchauffer, conclus-je, sarcastique.

Le mercure indiquait 26°C.

En descendant de l'autocar, Patrick crut bon venir me rassurer en me chuchotant quelques mots au creux de l'oreille :

— Ce sont de vieilles folles, ne vous en faites pas !

Je ne répondis rien. Je voyais un panneau routier lumineux qui m'avertissait : « Danger ! Danger ! Ne jamais parler contre un touriste à un autre touriste ». Il poursuivit :

— Qu'est-ce que vous faites, là, maintenant, pendant que les autres vont se sécher ?

Un autre panneau lumineux se mit cette fois à clignoter : « Danger, il te drague ! »

Même s'il n'était pas du tout mon genre d'homme et qu'il expérimentait déjà la quarantaine depuis quelques années, le sosie de George Clooney répondait allègrement aux critères de beauté de mon époque. En plus, il avait du charme à revendre, à un point tel qu'il aurait pu en mettre une partie en vente sur eBay sans perdre un gramme d'intérêt de la gent féminine. J'avais observé le regard envoûté de nombreuses femmes posé sur lui. Mais c'était un client d'Air Liberté et j'étais amoureuse de Simon.

— Élisabeth, il faut réviser l'horaire ensemble, déclara Jean-Philippe. Je veux vérifier avec toi si c'est possible d'emprunter le chemin du Roy, après Québec.

La déception s'afficha partout sur le visage de Patrick.

— Le travail, c'est le travail. Je vous laisse. À plus tard, dit-il sans entrain en roulant sa valise bleue derrière lui.

Jean-Philippe attendit que le touriste déconfit soit entré dans l'hôtel, puis il se tourna vers moi en grattant son crâne rasé.

— Je ne sais pas ce que tu vas faire avec lui. Il est vraiment tombé sous ton charme et le voyage est loin d'être terminé !

— Ça va, je reste professionnelle. De toute façon, même si je n'avais pas de copain, le règlement interdit formellement de tomber amoureux d'un client, dis-je, ironique.

— Oui, c'est ça, tu dois cadenasser ton cœur !

— Air Liberté prétend qu'elle peut nous renvoyer sur-le-champ.

— Encore faut-il que quelqu'un se plaigne.

— C'est sûr que si personne n'est au courant…

— J'ai travaillé l'an dernier avec un guide, Sylvain, je ne sais pas si tu l'as croisé sur la route cette année. Il couchait avec au moins une Française dans chacun de ses groupes, en plus de se faire quelques guides au passage.

— Son boulot le comblait, c'est le cas de le dire ! Et toi, as-tu déjà fait des échanges culturels ? demandai-je, le sourire taquin.

— La moyenne d'âge oscille souvent entre 50 et 60 ans, alors tu as ta réponse.

— De toute façon, Patrick n'est pas du tout mon genre et je suis très comblée avec Simon, conclus-je en marchant tranquillement vers la porte d'entrée.

Je mentais, évidemment, pour le second argument. Qui se serait vanté du manque de désir de son conjoint ? Le dernier tabou. Un sujet dont personne n'avait envie de parler, pas même dans un coin perdu du cyberespace.

Le reste du séjour, je devins l'unique projet de Patrick. Ses amis m'avaient avoué que le Canada ne l'intéressait pas et qu'il avait acheté le voyage en espérant adoucir la douleur de son divorce.

Chaque jour, il redoublait d'efforts pour me séduire. Patrick m'acheta un bouquet de fleurs dans le Vieux-Montréal. Il grimpa les marches de l'oratoire Saint-Joseph à genoux pour tenter de m'impressionner. Au Village Huron, près de Québec, il voulut me faire rigoler en s'initiant aux danses traditionnelles amérindiennes.

La veille du départ, nous prîmes le repas du soir dans un restaurant pittoresque du Vieux-Québec. Un menu très attendu, qui déçut tout le monde : des homards... décongelés. Je me sentais en pleine ovulation. Une douleur me pinçait l'ovaire droit.

Les touristes rentrèrent à pied à l'hôtel, situé de l'autre côté de la rue. Patrick s'attarda à l'entrée, feignant de s'intéresser aux prospectus étalés dans un présentoir. Il attendit que tous ses comparses aient quitté les lieux et vint me rejoindre à une table où je révisais le programme du lendemain.

— La lumière tamisée du restaurant vous va à ravir !

— Parce qu'on n'y voit pas grand-chose, répliquai-je en relevant la tête, le sourire aux lèvres.

— Est-ce que je peux vous raccompagner jusqu'à l'hôtel ?

— Ce n'est pas très loin.

— Allez, c'est le dernier soir. Nous partons demain.

— Bon, d'accord, cédai-je en me disant que ce n'était pas très engageant, puisque nous n'avions que la rue à traverser.

Il m'aida à enfiler ma veste. Le mercure avait chuté.

— Vos cheveux sont toujours magnifiques, toujours brillants. Vous avez un secret ?

— Je ne sais pas… Peut-être ce que je mange.

— Comme le homard de ce soir ? C'était franchement dégueulasse !

— Je ne devrais pas vous dire ça, mais vous avez tout à fait raison. Décongelé, ce n'est jamais un succès.

Il ouvrit la porte, me fit signe de passer devant, revint à mes côtés et passa discrètement son bras autour de mes hanches pour traverser la rue. Un effleurement subtil. Arrivés à l'hôtel, nous nous dirigeâmes vers l'ascenseur.

— J'ai beaucoup aimé l'intelligence avec laquelle vous nous avez parlé de l'histoire de votre pays. Vous étiez toujours captivante.

— Ah bien, merci ! répondis-je en espérant qu'il se souviendrait de ces compliments en remplissant la feuille d'évaluation.

Les portes de l'ascenseur s'ouvrirent. Personne à l'intérieur. Je pris place, il vint se planter à mes côtés, son bras collé sur le mien. Je n'osais plus bouger ni respirer. Les portes se refermèrent. Comment jouer l'iceberg avec cette avalanche de compliments qui déferlaient sur moi depuis sept jours ? Dans la proximité des lieux, je reconnus son parfum : Hugo Boss. Le même que Guillaume, mon ex. Des effluves rassurants.

Ni lui ni moi n'avions encore appuyé sur un bouton d'étage. Il savait que je logeais au cinquième ; je connaissais le numéro de chambre de tous les clients. Je sentais toujours son bras collé sur le mien, son épaule solide. Il se décida finalement à sélectionner le troisième étage en penchant légèrement sa tête près de la mienne. Un grand frisson me traversa la colonne vertébrale. À mon tour, j'enfonçai le bouton du cinquième étage.

J'eus tout à coup envie de faire l'amour. Que des lèvres me caressent le cou, la nuque, à la naissance des cheveux. Que des bras me soulèvent et me collent contre la cage de l'ascenseur. Était-ce à cause de la période de mon cycle menstruel ? Ou de ma vie sexuelle de sœur cloîtrée ? Une cloche indiqua l'arrivée imminente du troisième étage. Les portes s'ouvrirent de nouveau. Patrick resta immobile. Elles se refermèrent.

Plus que deux étages pour prendre une décision. Personne ne nous avait vus. Seulement ma conscience. Alors que je devais naviguer dans les contrées les plus retirées de mon imagination pour trouver un moyen d'attirer Simon dans mon lit, je n'avais simplement qu'à exister, debout sans bouger, sans parler, pour attiser le désir de Patrick.

La cloche retentit. Une lumière rouge éclaira le numéro cinq. Patrick me fit sursauter en brisant le silence.

— Je te raccompagne ?

Il venait d'abandonner pour la première fois le vouvoiement ! Rusé, aussi, son choix de mots qui laissait un flou sur la destination finale. Je me tus et balayai les lieux du regard. Toujours personne à l'horizon.

Je fis quelques pas et, soudain, Patrick me prit le bras, m'attira vers lui et me plaqua contre le mur du couloir. Sans broncher, je le laissai m'entraîner, le cerveau engourdi, comme si j'étais devenue seulement spectatrice de la situation. Il approcha son visage du mien et me regarda dans les yeux. Je distinguais à peine ses pupilles, noyées dans le brun foncé de ses iris.

Le cœur battant, suspendue à son regard, j'eus cette réflexion : je préférais nettement les yeux pâles.

J'avais certes très envie de faire l'amour, mais avec Simon. Même si j'avais eu LE George Clooney aussi près de mon visage, j'aurais refusé.

J'inspirai profondément et tentai de redresser la situation avec diplomatie. Il fallait éviter de heurter l'ego de l'homme qui s'attendait à l'arrivée imminente de mes lèvres sur les siennes.

— Le règlement d'Air Liberté nous interdit d'avoir des rapprochements avec les clients.

— Personne ne le saura.

— Ma conscience.

— Ça te passera très vite.

— J'ai un petit ami, je vous l'ai déjà dit.

J'espérais, par miracle, recréer une distance psychologique en conservant le vouvoiement.

— Ce n'est pas grave. Il ne le saura pas.

— Je n'aurais jamais dû accepter que vous me raccompagniez jusqu'ici.

— Je le sens, t'as très envie de faire l'amour.

La véracité de la réplique me renversa. Est-ce que je dégageais réellement quelque chose de sexuel à cause de mon ovulation ? Ou bien était-ce une phrase de dernier recours pour s'accoupler ?

— Vous voulez la vérité ? C'est vrai que j'ai envie de faire l'amour, mais avec mon conjoint.

Ses sourcils épais se froncèrent. Il se redressa d'un coup.

— Petite salope ! hurla-t-il. Tu m'as attiré jusqu'ici pour m'insulter ! Sale garce !

— Un peu de respect. On ne parle pas aux femmes de cette façon-là.

— Petite connasse ! Tu crois que tu vas t'en sortir comme ça ? Je fais un rapport dès demain à ton supérieur. Tu n'es qu'une petite salope de guide !

— Je ne me laisserai sûrement pas insulter par un crétin comme vous.

Il saisit mon bras. Je sentis l'aube du danger. Immédiatement, j'appliquai la technique que mon père m'avait enseignée à l'âge de neuf ans, alors que des élèves de douze ans me poursuivaient en revenant de l'école primaire : un coup de genou vif et rapide dans les parties. Prise de panique, je m'enfuis en courant vers les escaliers. Sans me retourner, je l'entendis s'effondrer sur le plancher.

Ma réaction avait peut-être été trop forte. J'aurais pu simplement le gifler. Mais connaissant son état mental instable, j'avais sincèrement craint le pire, seule dans ce corridor.

Je dévalai les marches jusqu'au deuxième étage et frappai au 212, la chambre de Jean-Philippe. Il fut surpris de me voir.

— Est-ce que tu attends quelqu'un ?

— Euh... oui, avoua-t-il, mal à l'aise.

— Bon, je vais faire ça rapidement. Est-ce que je peux entrer ?

Il écouta mon récit en rigolant.

— Je me sens vraiment stupide d'avoir attendu d'être au pied du mur, c'est le cas de le dire, pour repousser ses avances. Je ne sais pas ce qui m'a pris.

— Un moment de faiblesse ! C'est difficile de toujours être sur la route, loin de ceux qu'on aime.

Jean-Philippe me raccompagna jusqu'à ma chambre. Il inspecta avec exagération tout le cinquième étage et s'assura que j'y étais en sécurité.

— Ne t'inquiète pas. Demain, je vais dire à ce Patrick que s'il fait quoi que ce soit pour nuire à ta réputation, je vais raconter que j'ai été témoin de son harcèlement.

— Merci. Au fait, tu attends qui ?

— Une Américaine que j'ai croisée au restaurant.

— Amuse-toi bien, dis-je en faisant un clin d'œil.

Jusqu'à ce qu'il fût enfin dans les airs, Patrick m'évita avec autant de précautions qu'une mine antipersonnel.

En route vers mon appartement, je ne pus m'empêcher de lire les fiches d'évaluation des voyageurs. Trois commentaires attirèrent mon attention. Deux touristes m'attribuaient une mauvaise note à cause de mes vêtements en le précisant clairement : « Votre guide aurait dû porter des vêtements plus sexy » et « Les décolletés plongeants devraient être obligatoires chez vos guides ». Le troisième me donnait une note parfaite accompagnée de ces phrases : « Élisabeth est une guide intelligente et professionnelle. Même si je suis irrésistible, elle a su refuser mes avances avec délicatesse. »

CHAPITRE 30

Trop jaloux de voir l'été surfer sur son succès jusqu'aux portes de l'équinoxe de septembre, l'automne voulut se faire remarquer en démarrant la saison à coup de 5°C au petit matin. C'est en cette journée fraîche que Simon rentra d'Europe. Alors que mes touristes profitaient d'un après-midi libre au centre-ville de Montréal, je me précipitai pour aller l'attendre devant la porte de son appartement. Son ami Estéban devait aller le chercher à l'aéroport et le ramener tout de suite à la maison.

Assise en haut des escaliers de la rue Rachel, je ne savais plus comment calmer mon impatience. Je tentai de me changer les idées en observant les cyclistes rouler sur la piste cyclable et les joggeurs qui traversaient le parc La Fontaine. Peine perdue, les multiples scénarios de nos retrouvailles se précipitaient à tour de rôle dans ma tête. J'étais à la fois excitée et apeurée. Est-ce qu'il me trouverait encore jolie ? Avait-il eu le temps de réfléchir à notre relation ? Regrettait-il de m'avoir dit : « Moi aussi, je t'aime » ? À cette dernière question, je répondis illico par la négative puisqu'il m'avait affirmé cinq fois qu'il m'aimait au cours de ses trois appels de Paris, d'Aix-en-Provence et de Bergues, dans le Nord-Pas-de-Calais – une visite là-bas pour vérifier si c'était aussi froid et triste que dans *Bienvenue chez les Ch'tis*.

Mes fesses étaient gelées, mes mains tremblaient, je frissonnais malgré mon manteau cintré en laine mauve au col montant, décoré de boutons surdimensionnés.

Bientôt je vis une voiture hybride noire s'élancer dans la rue Rachel. Je sentis mon cœur tambouriner dans ma cage thoracique. Je me levai d'un trait et dévalai les marches. Le véhicule s'arrêta à ma hauteur. La portière s'ouvrit. Simon en sortit avec assurance, le torse bombé, le sourire éclatant. Il passa une main dans sa chevelure de miel, puis s'avança pour me prendre dans ses bras et me faire tournoyer.

— Tu m'as manqué, ma petite coquine! Je ne pourrai plus jamais partir sans toi, c'est trop dur!

Heureusement qu'il me tenait bien fort, car je me sentis défaillir. Son charme et ses traits étaient, fidèles à ma mémoire - aucune altération de mes souvenirs -, d'une perfection émouvante. Ils déclenchèrent une explosion de désir insoutenable dans mon bas-ventre.

Estéban, qui s'était fait discret en restant assis dans le véhicule, nous rappela sa présence en refermant la portière côté conducteur.

— Belles retrouvailles, les amoureux! déclara-t-il, satisfait d'avoir assisté aux premières loges à nos manifestations émotives. Je t'embrasse, ma chère Élisabeth, et je file. Je vous laisse en tête-à-tête. Vous devez n'avoir qu'une seule chose en tête, fit-il en nous adressant un clin d'œil.

— Je ne te chasse pas, mon vieux! s'exclama Simon. Tu peux entrer prendre un café avec nous.

En guise de réponse, il lui remit les clés, se dirigea vers sa Smart stationnée de l'autre côté de la rue, puis démarra en nous faisant un signe de la main.

Mon amoureux sortit la valise du coffre de son auto et nous montâmes à son appartement.

Une fois entrés dans le logement - comme à l'habitude, son colocataire n'était pas là -, il s'empressa de m'amener dans sa chambre et de me faire asseoir au bout de son lit. Il souhaitait me donner tout de suite le cadeau qu'il m'avait acheté en France.

— Tu m'as rapporté un souvenir de ton voyage? m'exclamai-je, surexcitée.

Il fouilla dans son bagage en toile verte et en ressortit une petite boîte. Sa forme, d'un carré exigu qui ne laissait place à aucun doute à propos de son contenu, me surprit. Nous n'étions ensemble que depuis quatre mois, à peine. Il s'assit à côté de moi et me la tendit avec grand enthousiasme.

— Allez, vite! Ouvre-la!

Je sentis de la nervosité s'emparer de mon corps tout entier. Était-ce réellement ce que je croyais? Avais-je vraiment envie de découvrir «la chose» à l'intérieur du petit paquet? À moins que ce ne soit que des boucles d'oreilles ou une épinglette «I love Paris!». Les Français sont forts sur les collections de *pin's* - comme ils se plaisent à les appeler.

— Allez! insista-t-il.

Je répondis à sa demande.

Bien calé dans un velours bleu, l'anneau rond au métal blanc étincelait, ayant l'air de me faire un clin d'œil qui signifiait: «Eh! ma fille, tu ne t'attendais pas à ça, hein?»

Mes émotions se bousculaient. J'étais paralysée. Mon cœur venait de capituler. Simon m'emprisonnait à jamais. Nerveux, il attendait que je prononce une phrase, ne serait-ce qu'un mot, pour le rassurer sur le choix de son cadeau. Mais j'étais bouche bée.

Incapable de supporter mon silence, il tenta d'en minimiser l'impact en se justifiant :

— Je sais qu'on ne se connaît que depuis quatre mois, je sais que je ne devrais pas t'offrir une bague, je sais que c'est trop tôt pour l'engagement et tout, mais ce n'est pas une demande en mariage, je te rassure, je suis un peu rationnel quand même. Si nous vivions à une autre époque, je te dirais que c'est une demande de fiançailles, mais aujourd'hui, c'est démodé, plus personne ne le fait ou presque, surtout quand on n'habite pas encore ensemble. Enfin, bref, je voulais simplement te dire que… je t'aime… voilà !

Surréaliste, cette scène. J'avais l'impression que le scénariste s'était trompé en remettant les textes aux acteurs. Les rôles étaient inversés. Un gars, ça ne parle pas d'engagement, non ? Ça le craint comme les problèmes érectiles et l'éjaculation précoce. Si je racontais cette histoire sur un blogue de célibataires, personne ne me croirait. Que pouvais-je répondre de mieux à cette déclaration faite par l'homme de mes rêves, celui que j'attendais comme une fillette qui vient de refermer le livre de Cendrillon ? Est-ce que je viens vraiment de parler de Cendrillon ? Ça y est, je tombe dans le rose bonbon de série B.

Simon attendait toujours que j'articule au moins une interjection, une onomatopée, à la limite.

— Moi aussi, je t'aime, répondis-je, étranglée par l'émotion.

Nous nous embrassâmes. L'émotion romantique se transmuta rapidement en désir insoutenable. J'eus soudain l'impression d'être une princesse commettant l'adultère avec celui qu'elle aime. Vous savez, l'histoire classique, la passion dévorante impossible, l'unique union des corps dont il faut jouir jusque dans la moelle de ses os parce que ledit amoureux finira bientôt pendu, guillotiné, bref, mourra de façon tragique. Tristan et Iseult, la reine Margot qui se fait prendre par son amant, avant de s'enfuir quelques heures plus tard avec la tête guillotinée de cet amoureux sur ses genoux.

Prise de cette urgence des sens, de cette passion inouïe, je fis descendre mes mains rapidement sur ses fesses, détachai sa ceinture, m'attaquai à sa fermeture éclair. J'étais étourdie, ivre de lui.

— On devrait se garder ça pour ce soir..., murmura-t-il au creux de mon oreille.

Et vlan! Au tapis. Un uppercut bien envoyé.

— Pourquoi? répliquai-je, déçue par sa demande, les mains toujours agrippées à la fermeture de son pantalon.

— On aura plus de temps.

Il n'était plus question de murmures. Sa voix était maintenant claire.

— On le refera ce soir, insistai-je, brûlante de désir.

— Mon colocataire pourrait surgir et briser toute la magie.

« C'est toi qui viens de tout gâcher, me dis-je intérieurement. C'est toi qui viens de massacrer nos retrouvailles! » Rapidement, j'essayai de chasser cette idée de mon esprit.

— J'en ai pourtant très envie.

— Moi aussi. Mais ce soir, ce sera encore meilleur.

Rabat-joie! Brise party! Extincteur de feu! Puis il ajouta:

— De toute façon, tu dois aller rejoindre tes touristes, non?

* * *

À 21 h, il m'attendait au chic motel du boulevard Taschereau, sur la Rive-Sud de Montréal. Une fois mes touristes bien bordés dans leurs chambres respectives, j'ouvris la porte numéro 103. Simon était étendu sur le grand lit, pose de séducteur et regard ensorceleur. Nu. Une odeur suave exotique enveloppait la pièce. Je vis sur la table de chevet un brûleur d'huiles essentielles.

J'avais à peine passé le seuil que Simon bondit sur moi et me dévêtit. Son membre au garde-à-vous était déjà prêt et bien protégé. Il me souleva et me déposa tout d'abord sur la commode ornée d'un miroir dans lequel il observa furtivement mes hanches. Puis, il entreprit un mouvement de va-et-vient à l'intérieur de moi.

Ensuite, il empoigna mes fesses, me transporta jusque dans la salle de bain, m'appuya contre le comptoir en mélamine blanche et me pénétra de nouveau. Toujours à l'intérieur de mon ventre, il allongea son bras pour faire couler la douche à multiples jets et à vapeur. Sa main vérifia la température de l'eau. Il sembla satisfait. Simon m'entraîna alors dans le nuage humide et me prit par-derrière.

J'en profitai ensuite pour lui faire une fellation, aidée de la main gauche qui pratiquait un mouvement d'aller et retour. Je ne pus m'empêcher de jeter un coup d'œil à mon annulaire autour duquel brillait le bijou qu'il m'avait offert quelques heures plus tôt. Au bout d'un moment, il s'assit sur le carrelage et me fit à son tour un cunnilingus. L'extase totale ! Ma caresse préférée. Pendant une fraction de seconde, j'eus en tête l'image de Guillaume, le « roi du cunni ». Merde, pourquoi fallait-il toujours que je compare ? J'essayai tant bien que mal de me concentrer, de chasser de ma tête l'arrogant succès de mon ex avec son sublime coup de langue. Avec le temps, c'est sûr que Simon finirait par le surpasser. À force d'intimité et de rapprochement.

Nous embrassâmes à tour de rôle chaque partie de nos corps, tous les bouts de chair, les coins inaccessibles et, lorsque notre enveloppe corporelle sembla usée par les caresses et flétrie par l'eau, nous sortîmes de la douche pour aller jouir sur le canapé.

J'étais une femme amoureuse comblée. Tous barrages levés. Je laissai aller le courant de mes émotions, m'amourachant un peu plus chaque minute. Pourtant, j'aurais dû me méfier…

CHAPITRE 31

Un mois plus tard, le 22 octobre, je me réveillai avec le bout du nez gelé. Simon, qui avait dormi à mes côtés, était déjà au bureau depuis deux heures. En posant un pied hors du lit, je frissonnai: le plancher de bois franc était froid. Au canal météo, on indiquait 2°C.

Les couleurs de l'automne désertaient les arbres, un constat très embêtant quand un forfait touristique se nomme «Escapade couleurs d'automne». J'avais donc raccompagné mon dernier groupe de Français à l'aéroport Montréal-Trudeau deux jours plus tôt. Je n'avais pas accumulé assez d'heures de travail pour réclamer des prestations d'assurance-emploi. Mes dettes d'études ne s'étaient pas évaporées avec l'été. Je devais vite trouver un autre boulot.

Assise devant mon écran d'ordinateur, ratissant les nombreux sites consacrés à l'emploi, je tombai sur une annonce qui, pendant quelques secondes, me ravit. Puis, mes mains devinrent moites, mes muscles se raidirent, mon rythme cardiaque s'accéléra.

Mon rêve se dressait là, devant moi, il se déployait, me faisait signe de foncer. Et j'avais peur. La crainte de l'échec me harcelait encore. Et si je ratais ma vie? Qu'allais-je devenir si mon but devenait tout à coup impossible à atteindre? Tant que je n'avais pas passé l'examen, je pouvais espérer. Croire que c'était encore possible. Mais une fois qu'on a essayé et qu'on a échoué, tout s'effondre.

Si mes parents m'avaient entendue réfléchir, ils se seraient inscrits illico à une thérapie familiale pour comprendre le drame de l'enfant parfait. J'entendais déjà mon père me redire: « Il y a tellement d'incompétents sur le marché du travail, tellement d'imposteurs, tellement de patrons qui ont atteint depuis longtemps leur niveau d'incompétence... Ma fille, si tu as un rêve, réalise-le. Ne te demande pas si tu es assez si, assez ça, si tu as tout ce qu'il faut. Ne rejette pas ta propre candidature, ne procède pas à une autoélimination avant même le processus de sélection. Fonce! »

Ma mère, sur une note plus positive, aurait ajouté comme toujours: « Ma fille, tu as de la chance d'avoir un but, d'avoir un rêve. Il y a tellement de jeunes et même des adultes qui ne savent pas ce qu'ils veulent faire dans la vie. »

Repousser le moment fatidique m'apparut donc illogique. Qu'allais-je faire jusqu'à ce que l'occasion se présente à nouveau? Trouver un autre emploi « en attendant »?

Je pris une profonde inspiration et relus les lignes en essayant de me calmer: « Le ministère des Affaires étrangères et du Commerce international lance sa campagne de recrutement. Pour de plus amples informations sur la façon de subir l'examen du Service extérieur et de se joindre au Service extérieur canadien, veuillez consulter le site Web du ministère des Affaires étrangères. Nous recherchons des candidats ayant des compétences en arabe, en allemand, en japonais, en coréen, en mandarin (chinois), en portugais, en russe et en espagnol. »

Pendant un bref moment, j'eus envie d'envoyer l'annonce par courriel à Guillaume. Lui qui s'était tant moqué de mes études aurait eu la preuve qu'elles étaient réclamées dans certains domaines. Mais ce coup de tête m'aurait valu une reprise des sollicitations extrêmes de sa part, croyant à tort à un regain d'intérêt de la mienne.

De l'index droit, je cliquai plutôt sur « Comment s'inscrire ». Je remplis le formulaire, pris une autre grande inspiration et cliquai sur « Envoyer ». En attendant la date du concours, je parcourus les examens de pratique disponibles en ligne.

J'errai ensuite d'un site à l'autre, lorsque je tombai sur un article, extrait d'un magazine féminin, que je décidai d'imprimer spécialement pour mon amoureux.

* * *

À 18 h, nous mangions des fajitas, assis autour de sa nouvelle table de cuisine en bois massif canadien de couleur miel. Simon avait décidé d'acheter d'un fabricant d'ici. Je lui tendis l'article de magazine.

— Tu sais à quel point je me préoccupe de ta santé ?

— Tu veux dire à quel point tu es obsédée par la santé !

— Voilà quelques informations qui vont t'intéresser.

— Ça provient de quelle source ? demanda-t-il en jetant un coup d'œil rapide à la feuille que je lui avais donnée. Un magazine féminin ? Très fiable.

— C'est une étude sérieuse.

Il consentit à en lire quelques lignes.

— Donc, si je comprends bien, pour diminuer mes risques de développer le cancer de la prostate, je devrais avoir des rapports sexuels fréquents, c'est-à-dire cinq fois par semaine.

Quelle belle musique à mes oreilles de l'entendre dire « fréquents » suivi de « cinq fois par semaine », une définition qui ne concordait pas avec son dictionnaire personnel.

— C'est ce que conclut l'étude. Parce que des substances carcinogènes, qui endommagent les tissus, sont ainsi évacuées par l'éjaculation.

— Donc, si je comprends bien, je pourrais me masturber cinq fois par semaine et ce serait aussi parfait, affirma-t-il d'un ton neutre, en mordant dans son fajita dégoulinant.

J'eus alors l'impression de me transformer en marmite à pression, dont la soupape endommagée menaçait d'exploser. Parce que depuis nos retrouvailles suaves, depuis qu'il m'avait fait jouir trois fois dans la même soirée, nous n'avions pas eu de relations sexuelles.

— Иди к чёрту[5] ! dis-je d'un ton grave.

— Qu'est-ce que tu racontes ?

— Je te parle en russe.

— Tu sais que je n'y comprends rien.

— Bonne raison pour l'apprendre, non ? Depuis le temps que tu veux t'y mettre, lançai-je en essayant de ne pas me laisser tenter par la colère, ou pire, l'arrogance. Et qu'est-ce que je fais de mon côté pour être protégée du cancer du sein ? poursuivis-je en lui pointant l'article.

Il lut la suite puis éclata de rire.

---

5. Va au diable !

— Tu veux que je te caresse les seins comme antidote? Si ça peut te rassurer, j'ai lu moi aussi une étude aujourd'hui dans le journal à propos du cancer du sein. Si tu allaites pendant plus de six mois, tu diminues tes risques de contracter la maladie. Super, non? Donc, ne t'inquiète pas, tu vas l'avoir, ton antidote.

— Et comment va-t-on faire un bébé? demandai-je sans camoufler mon ironie.

— Très drôle! De toute façon, tu ne serais pas prête. Tu viens de terminer tes études, tu es endettée. Si ça t'arrivait demain matin, une erreur, je suis certain que tu te ferais avorter.

— Une erreur? soulignai-je indignée. Je comprends pourquoi il y a tant d'enfants perturbés si on les désigne par le mot «erreur»! Mais t'inquiète, je prends la pilule et on met deux condoms, alors les statistiques sont de notre côté.

Et d'un ton moqueur, j'ajoutai en lui faisant les yeux doux:

— Il faudrait que tu sois tout un Starbuck pour que ton sperme franchisse toutes les armures!

N'empêche que je me posais sérieusement la question. Comment allais-je réussir à faire un enfant avec lui? Il ne s'agissait pas d'en faire un maintenant. Mais dans le cas d'un engagement à long terme? Considérant qu'une femme ovule une journée par mois, ça ne laisse que douze chances par année. Si son désir n'était pas au rendez-vous le même jour que l'ovulation, c'était foutu! Et si le niveau de fertilité de l'un de nous était revu à la baisse, nous contraignant à des rapports fréquents - bon, ça dépend pour qui, la contrainte! - à des heures précises selon la température du corps? Dans un cas pareil, là, vraiment, c'était l'échec assuré.

Le moment d'aller au lit vint rapidement. Comme d'habitude, j'étais excitée. Comme d'habitude, il était fatigué.

— Veux-tu m'aider à me protéger contre le cancer du sein? proposai-je, badine, en espérant - je ne sais pourquoi d'ailleurs - une réponse positive.

J'avais autant de chances de faire l'amour ce soir-là que les chercheurs de trouver le vaccin contre le sida d'ici minuit. Autant de chances que de voir aux bulletins de nouvelles les Israéliens et les Palestiniens s'embrasser dans la rue pour fêter la fin du conflit.

— J'ai un peu mal à la tête..., dit-il d'une voix lasse.

Il observa un moment mes mamelons pointés vers le ciel. La lassitude soudainement dissipée, il ajouta d'un ton moqueur:

— Est-ce que je vais être obligé de t'acheter un vibrateur?

— Pour quoi faire?

— Pour satisfaire ta forte libido.

Mon Dieu! Si Guillaume l'entendait! Je pourrais lui faire répéter la phrase, l'enregistrer à son insu et mettre l'extrait sur Facebook à l'intention de mon ex. Il n'en croirait pas ses oreilles. Il croirait que j'ai trafiqué la bande sonore. Bon, encore faudrait-il devenir amis. Mauvaise idée.

— Le pire, c'est que je te comprends, concédai-je. Je sais que plus je te mets de la pression, moins tu auras envie.

— Mais non, j'ai toujours envie de toi.

— Ah oui? Et pourquoi alors on ne fait pas l'amour?

— Parce que je suis trop fatigué, dit-il en remontant la couette.

« Heureusement que nous n'avons pas d'enfants, me dis-je intérieurement. Tu serais asthénique ! À l'agonie ! » J'eus alors l'idée d'aborder le problème autrement.

— J'ai tellement mal dans le cou et aux épaules, je ne sais pas pourquoi C'est peut-être ma position devant l'ordinateur Est-ce que tu pourrais me masser un peu ?

— Pas de problème, dit-il, si ça peut te faire plaisir. Mais seulement un massage !

— Oui, oui, ne t'inquiète pas.

Je m'allongeai sur le ventre, retirai ma petite camisole à bretelles spaghetti et plaçai mes mains sous mon visage. Simon se mit à cheval sur mes fesses.

Pour avoir l'occasion de sentir ses mains sur ma peau, je devais simuler un malaise. Assez pathétique, mon approche, non ? Il me frictionna le cou et les épaules pendant seulement cinq minutes, mais ce fut assez long pour me procurer quelques frissons. Il se replaça ensuite à mes côtés, m'embrassa rapidement sur la bouche, se glissa sous la couette et allongea le bras pour éteindre la lumière.

— Je t'aime, ma chérie.

— Moi aussi, répondis-je, faute d'avoir trouvé une phrase plus appropriée dans les circonstances.

Moins d'une minute plus tard, j'entendis sa respiration profonde et régulière. Il dormait. De mon côté, j'avais les billes bien rondes. Aucune lourdeur dans les paupières. En contemplant l'obscurité, je songeai que, depuis un mois, nous avions dormi presque chaque nuit ensemble, du moins quand j'étais dans la région de Montréal. Nous nous fréquentions – comme dirait ma mère – depuis cinq mois. Follement amoureuse, j'étais prise au piège. Qu'allais-je devenir ?

Une amoureuse froide, à force de trop me retenir ? Une femme frustrée, flétrie même, sans exposition prolongée au soleil ?

Est-ce possible de passer sa vie avec un homme qui n'a jamais envie de faire l'amour ? Des larmes se mirent à couler sur mes joues. Doucement. Sans bruit. Une peine silencieuse. Aussi ravageuse qu'une maladie qui s'incruste sans symptômes. Qui se propage sans donner de signes.

Pendant que la taie d'oreiller devenait humide, une douleur s'installa sournoisement au creux de ma poitrine.

CHAPITRE 32

Les fesses sur le bout du sofa, les coudes appuyés sur les genoux, la télécommande pointée en direction du téléviseur à écran plat, Simon suivait l'évolution de la compilation des votes avec la fébrilité d'un partisan du Canadien lors des séries éliminatoires. C'était encore une journée d'élection, et je ne pensais qu'à une seule chose : faire l'amour. Mon intellectuel de copain n'avait qu'une obsession : le gouvernement serait-il minoritaire ? Si j'étais tombée amoureuse d'un sportif qui n'en avait rien à foutre de la politique, à quels mamours aurais-je eu droit ? Peut-être se serait-il contenté de vérifier le résultat dans le tabloïde du lendemain ?

Pendant ce temps, j'étais calée dans le fauteuil, le portable sur mes cuisses, cherchant désespérément une explication sur Internet. Bon, il y avait bien ici et là des femmes qui se plaignaient sur des sites de discussion que leur mari ne les baisait plus. Or, il y avait toujours une raison évidente qui concluait chaque cas : je venais d'accoucher de notre enfant ; il me trompait avec une autre ; je me suis rendu compte qu'il fréquentait la voisine ; les enfants prenaient tout notre temps ; nos horaires discordants nous avaient éloignés ; mon mari a été opéré pour la prostate ; il prend des médicaments, etc. Même en ratissant de fond en comble le cyberespace, je ne trouvais rien à propos de l'absence de désir d'un homme qui, soi-disant, aimait sa copine. Par contre, tous les psychologues en ligne avaient des solutions pour « manque de désir chez la femme » !

Simon décida finalement d'aller au lit sans attendre la fin du suspense électoral. Sitôt que j'entendis sa respiration régulière, mon rituel nocturne s'enclencha. C'était ainsi depuis deux semaines déjà. Une douleur au creux de l'estomac, des torrents d'eau salée qui inondaient mes joues, ma bouche, mon cou. Les dents serrées, le visage crispé, je pleurais en silence. Ma peine était si forte que mon corps se contractait. Frôlant ma main de la sienne, Simon dormait paisiblement, sans se douter de rien.

Je me couchai sur le côté, lui tournant le dos. Je n'en pouvais plus de toute cette incompréhension. Privée de ses caresses, je devenais une plante en manque d'eau, une fleur en train de faner. J'aurais dû être au sommet de ma beauté, mais, à 26 ans seulement, je n'osais plus me montrer nue devant lui par crainte que mon corps ne le dégoûte.

Je vivais une peine d'amour par anticipation. J'avais si mal qu'un spasme traversa mes fesses. Je sentis une main se poser au milieu de mon dos, un geste se voulant apaisant. Ah mon Dieu !

Mon pouls s'accéléra. J'étais démasquée. Qu'est-ce que Simon allait penser ? Qu'allait-il s'imaginer ? Sa main était là, entre mes omoplates, traçant quelques cercles, un frottement de réconfort. Est-ce qu'il savait pourquoi je pleurais ? Comme je m'en doutais, il ne posa aucune question, ne prononça aucun mot. Il y avait seulement l'obscurité, mes pleurs et sa main sur moi. C'est seulement une heure plus tard que je fus vaincue par la fatigue.

Au matin, Simon ne me questionna pas non plus. Peut-être était-il mal à l'aise? Dans la cuisine, assise en face de lui devant des toasts au beurre de noisette et un jus d'orange, je me sentais de plus en plus malheureuse. Cette douleur à l'estomac m'empêcha de déjeuner. Dans sa chambre, au moment de nous habiller, le cœur battant, saisie de ce courage du désespoir, je décidai qu'il était temps d'aborder le sujet.

— Pourquoi est-ce qu'on ne fait jamais l'amour?

— Tu exagères! Ce n'est peut-être pas aussi souvent que tu le souhaiterais, mais on l'a fait la semaine dernière.

— Tu t'en souviens? C'était où?

Dans d'autres circonstances, le ton de ma voix aurait été ironique, j'aurais eu l'air de le provoquer. Mais ce jour-là, les épaules arrondies, le dos légèrement courbé, je me sentais abattue. Ce que j'avais réussi à acquérir de confiance en moi s'était dissipé. Mes anciens amants ne m'auraient pas reconnue dans un supermarché bien éclairé, un lundi matin tranquille, personne dans les allées. Ils m'auraient confondue avec les légumes bio flétris et abîmés.

— La dernière fois, c'était chez toi... Enfin, je crois..., dit-il tout en boutonnant sa chemise bleu royal, les fesses moulées dans un caleçon noir.

— Eh bien non.

— Où étions-nous?

— Nulle part, ça ne s'est pas produit! Ni la semaine précédente, ni celle d'avant. Ça fait plus d'un mois qu'on n'a pas eu de relations sexuelles.

— Tu exagères, ma chérie!

Il avait enfilé son nouveau complet à fines rayures.

— Je ne devrais pas te dire ça, mais en fait, j'ai compté les jours. La dernière fois, c'était le 22 septembre et nous sommes le 5 novembre.

— C'est vrai? Je suis désolé. Je ne m'en étais pas rendu compte. Tu sais, je suis pris avec le travail et...

— Est-ce que c'était comme ça avec tes ex?

— Hum... Je ne me souviens pas..., dit-il évasif. Mais si ça peut te rassurer, je ne suis pas gai, au cas où tu y aurais pensé.

« Bon, il n'est pas complètement dans la brume, pensai-je. Il sait que c'est la première conclusion qui frappe l'esprit dans les circonstances. »

— Bon, d'accord, tu n'es pas gai... Mais qu'est-ce qu'on va faire?

— Bien, on va faire l'amour! répondit-il d'un air malicieux.

Alors que j'avais l'impression de m'enfoncer dans des sables mouvants, atterrée, il trouvait encore le moyen de faire des blagues. Je n'avais plus la force de rire.

— Quand?

— Bien, ce soir!

— Tu n'avais pas un rendez-vous chez le dentiste?

— Ah oui, c'est vrai, j'avais oublié... Après?

— Où?

— Viens me retrouver chez moi, proposa-t-il en me donnant un baiser sur la bouche. On se voit ce soir. Je t'aime, ma chérie, déclara-t-il avant de quitter la pièce et de fermer la porte derrière lui.

Puis, quelques instants passèrent. J'étais en train d'ajuster une large ceinture sur ma minirobe à carreaux quand la porte s'ouvrit. Je sursautai en poussant un cri.

— Élisabeth, ma chérie ! lança Simon, est-ce que tu voudrais qu'on habite ensemble ?

CHAPITRE 33

Deux semaines plus tard, j'avais analysé sa proposition sous tous les angles possibles. Plus je tentais de comprendre son comportement, plus je m'enfonçais dans l'incompréhension. Malgré sa demande surprenante, je sentais la date de péremption approcher, les moisissures prêtes à ronger mes derniers espoirs.

Le lendemain d'une nuit durant laquelle j'avais pleuré les huit verres d'eau de ma journée – c'est ce que les médecins conseillent pour s'assurer d'une bonne santé –, je cherchai au fond de moi une parcelle de courage et lui fis une proposition.

— Est-ce que tu voudrais aller consulter un sexologue avec moi ?

Il parut surpris.

— Je t'aime, poursuivis-je en le regardant droit dans les yeux, et je souhaite de tout mon cœur que ça fonctionne entre nous.

— Moi aussi, ma chérie, affirma-t-il en me prenant par la taille. Est-ce que tu me laisses y réfléchir un peu ?

— Oui, bien sûr.

Il prit en fait trois jours pour me donner une réponse. Le temps d'aller à une soirée-surprise d'anniversaire, avec ses amis Estéban et Laurent, pour les 36 ans d'une collègue de bureau. Le temps de se faire dire par tous ceux qui nous rencontraient qu'on formait donc un beau couple. Le temps aussi d'entendre de la bouche d'Estéban que Simon était heureux de m'avoir rencontrée, que j'étais sa perle rare. Laurent d'ajouter qu'il était vraiment content pour nous deux et que tout le monde était ravi de me voir au sein de leur groupe. Et le temps finalement que quelqu'un décide de faire jouer une chanson de Barry White, et de danser, enlacés au son de la voix lascive du chanteur. « Vous êtes tellement chanceux d'être aussi amoureux l'un de l'autre. J'envie votre grand bonheur ! » avait même déclaré la collègue de bureau. Si elle avait su…

Le lendemain de cette soirée idyllique, aux yeux des spectateurs du moins, il prit un air grave en sortant du lit, une expression du visage qui n'annonçait rien de bon. Pendant qu'il enfilait un jean et un tee-shirt, je m'assis sur le bord du matelas en frissonnant, puis levai les yeux vers lui en attendant qu'il prononce un mot. Le verdict de condamnation.

— J'ai réfléchi à ta proposition…, lança-t-il enfin. Finalement, je ne veux pas aller chez un sexologue. Je me dis que si on consulte déjà alors que ça ne fait que six mois qu'on est ensemble, qu'est-ce que ce sera plus tard ?

— C'est pour partir sur des bases solides, du bon pied. Peut-être que c'est une petite chose toute simple qui nous cause bien des soucis et qui peut se régler rapidement pour qu'on soit heureux ensemble jusqu'à ce que la mort nous sépare, insistai-je en essayant de blaguer pour détendre l'atmosphère.

— Les arguments sont valables, mais je ne veux pas.

— Pourquoi ?

— Je te l'ai déjà dit, c'est complètement illogique. Sur le coup, j'ai trouvé que c'était une proposition intéressante. Puis, en y réfléchissant plus longuement, je me suis rendu compte que ça n'avait pas de bon sens. Voilà, c'est tout.

— Et alors? risquai-je.

Mon cœur se mit à battre tellement fort que je craignis qu'il ne l'entende. Mes mains devinrent moites. Je tremblais.

Ça y était! La fin arrivait. Comme la mort, à laquelle personne n'échappe, mais qui surprend toujours lorsqu'elle frappe. Paf! «Mon Dieu, non!» hurlai-je de douleur à l'intérieur de moi. Et tout était de ma faute. J'étais l'instigatrice de mon malheur. J'avais provoqué l'accident et je ne pouvais plus rien faire. Aucun retour en arrière possible.

— Je crois qu'on doit se quitter, dit-il d'un trait en me fixant dans les yeux.

D'un couteau bien effilé, il venait de me transpercer la peau, la chair, les veines, les organes vitaux. Je l'aimais et j'avais déclenché la rupture en proposant de consulter un sexologue. Comme au début de notre relation, alors que j'avais exigé qu'il quittât sa copine avant d'entreprendre une relation avec lui, j'avais encore une fois joué à la roulette russe avec mon idée de thérapie, mais cette fois, j'avais perdu. Bang!

Nous pleurâmes dans les bras l'un de l'autre. C'était la première et la dernière fois que je voyais ses yeux de loup baignés de larmes. Je plongeai mon regard dans le sien pendant de longues minutes, cherchant désespérément une parcelle d'espoir au fin fond de ses prunelles. En vain.

— Et si..., articulai-je entre deux sanglots.

Il m'interrompit et prononça un argument irrévocable:

— Je sais que tu es malheureuse.

En le quittant, j'oubliai mon appétit chez lui.

CHAPITRE 34

Je réussis à tenir deux jours sans lui parler. Puis, je flanchai et pris le téléphone.

— Simon, je m'ennuie de toi.

— Moi aussi.

— C'est trop difficile, dis-je en fondant en larmes.

— Je comprends.

— Je n'arrête pas de penser à toi et je ne comprends pas. Qu'est-ce qui ne fonctionnait pas ? Qu'est-ce que je n'ai pas fait correctement ? Pourquoi n'avais-tu pas envie de moi ?

Désespérée, je ne pouvais plus m'arrêter de pleurer.

— Mais si, j'avais envie de toi, Élisabeth.

— Mais non, puisque tu ne me faisais pas l'amour. Ça m'aiderait à passer à travers ma peine si tu pouvais m'expliquer.

— Je crois que tu as une libido trop forte.

— Mais est-ce que tu es toujours comme ça avec tout le monde ou est-ce que c'est seulement avec moi ?

— Je ne sais pas, tu me l'as déjà demandé.

— J'ai besoin de comprendre, hoquetai-je.

— Bon, ça suffit, je raccroche, on tourne en rond.

— Est-ce que tu penses à moi ?

— Oui, mais là, ça devient vraiment trop lourd. Je t'ai déjà tout dit.

— Tu penses à moi combien de fois par jour ?

— C'est terminé, Élisabeth. Arrête de me téléphoner ! Tu as compris ? Ne m'appelle plus, ça ne sert à rien !

Je l'entendis raccrocher… m'infligeant une estafilade au cœur.

Notre histoire venait de rendre son dernier soupir. Je me sentais comme le cygne chantant de l'expression d'origine grecque, juste avant son agonie. Mais la dernière œuvre de mon cœur n'avait rien à craindre. Je n'étais pas du type « lapin dans un chaudron d'eau bouillante ». Je n'envisageais pas d'inspirer les grands titres des quotidiens avec un scabreux « drame conjugal ».

J'optai pour une profonde mélancolie. Non pas cette tristesse vague sans cause définie, mais bien la mélancolie psychiatrique. Celle qui se caractérise par l'existence morbide d'une émotion pénible, de l'autoaccusation, celle qui peut mener au suicide.

Les chances de croiser Simon au hasard d'un coin de rue étaient moins grandes que de contracter la grippe A H1N1. Cependant, les jours passaient, j'étais devenue la bête traquée et lui, l'équarrisseur. Je sentais l'intérieur de mon corps se désagréger. C'est pour cela que je maigrissais. Je portais la déprime. Et la déprime m'allait presque bien. J'avais tellement perdu de poids que n'importe quelle agence de mannequins m'aurait engagée sur-le-champ. La fonte de mes kilos devenait plus inquiétante que celle des glaciers du Grand Nord.

C'est dans cet état d'esprit que je passai les examens du ministère des Affaires étrangères. Sale moment pour jouer son destin.

Comme Simon me manquait énormément, que j'avais pensé plusieurs fois lui téléphoner, mais que je me ravisais à la dernière seconde en imaginant la conversation banale que nous aurions, je décidai de lui écrire. Je me disais qu'avec une lettre, il ne pourrait pas m'interrompre. Au pire, il arrêterait de la lire si mes propos lui déplaisaient...

Je m'assis donc à l'ordinateur pour rédiger un brouillon. Dans le délire de mes mots, j'écrivais sans vraiment croire que quelqu'un allait lire cette lettre. Nous avions toujours eu une certaine retenue émotive l'un envers l'autre. En la rédigeant, j'avais l'impression de vivre en d'autres siècles, dans un Shakespeare où l'émotion l'emporte sur la raison!

Connaissant le côté féminin développé de Simon, j'étais convaincue que ces mots-là ne le laisseraient pas indifférent, même s'il ne m'aimait pas ou plus ou... je ne le saurais jamais... Toujours est-il qu'en la relisant, je trouvai que j'allais peut-être un peu loin dans ma sincérité et dans l'étalement de mes tripes au grand jour. Finalement, dans un moment où mon orgueil était parti pêcher, j'appuyai sur «Envoyer» en me disant que je serais sûrement la seule fille de sa vie à lui écrire pareille lettre d'amour.

De: elisabeth_mars@hotmail.com
À: simon-yakim@hotmail.com
Date: 15 décembre 17:03
Objet: Vente de garage!

Simon-Yakim,

J'aimerais te dire que, après trois semaines et des poussières, je t'ai enfin oublié, mais il n'en est rien. Pardonne-moi. Je voudrais tant que ton souvenir soit comme une pastille à la menthe qu'on laisse fondre tranquillement sur la langue ; rassurant, léger, sans plus. Malheureusement, c'est plutôt un plat délicieusement parfait que j'ai dévoré sans faim, par gourmandise, et j'en fais maintenant une indigestion qui meurtrit mon corps tout entier.

Il n'y a pas une heure qui passe, pas une minute, pas même une seconde, sans que mes pensées se tournent vers toi. C'est pathétique, me diras-tu, exagéré ! Je ne devrais certes pas te dire ces choses-là si j'avais un minimum d'orgueil. Les gars m'ont dit que j'étais comme toutes les autres filles : après m'être fait larguer par mon mec d'une relation de six mois, je lui avoue tout l'amour que j'avais pour lui. Ce qui, d'après eux, tape excessivement sur les nerfs de l'ex qui veut passer à autre chose. Peut-être... Je m'en fiche. Faut-il avoir honte de montrer ses faiblesses ?

Ma mère croit que mon chagrin dépasse toutes les frontières de souffrance jamais franchies avec ma rupture précédente, Guillaume. Sans doute. Apparemment, la peine est proportionnelle aux espoirs qu'on s'était faits...

Pour moi, tu étais la personne que j'attendais, que je ne croyais jamais trouver. Tu avais tout ce que je désirais. Comment alors garder la tête froide et ne pas s'attacher ? (Tu étais la chose la plus belle qui m'était arrivée depuis plusieurs années.)

Ce qui me fait le plus mal dans cette histoire, c'est d'être persuadée, convaincue jusque dans la moelle de mes os, que je ne trouverai jamais plus quelqu'un d'aussi parfait que toi et, surtout, que je ne désirerai jamais un homme comme je t'ai désiré... Je devrai me contenter de quelqu'un de moins bien, que je n'aimerai jamais passionnément. Si j'avais vécu à une autre époque, je crois que je me serais faite sœur et que j'aurais donné ma vie à des œuvres caritatives.

Dommage que je n'aie pas su me rendre unique à tes yeux, que je n'aie pas réussi à être assez aimable pour toi, que je ne t'aie pas convaincu de ma valeur...

Tu me manques terriblement.

J'aimerais que notre rupture ait été pour moi la libération qu'elle fut pour toi. Il n'en est rien. Aimer, c'est dangereux. J'ai joué allègrement avec le feu. Je me suis brûlée. Une partie de moi est morte avec mes espoirs. Il y a toujours un risque, n'est-ce pas ?

Penser à me résigner m'afflige d'une douleur que je ne peux endurer stoïquement. Surtout lorsque je songe à cette autre femme qui méritera que tu l'aimes toute ta vie.

Élisabeth
XXX

Deux jours plus tard, noyée dans le chagrin, je lui envoyai un autre courriel. Oui, je sais, sans commentaire.

De: elisabeth_mars@hotmail.com
À: simon-yakim@hotmail.com
Date: 17 décembre 11:56
Objet: pas d'objet

As-tu reçu mon courriel précédent?

De: simon-yakim@hotmail.com
À: elisabeth_mars@hotmail.com
Date: 18 décembre 1:09
Objet: pas d'objet

Salut, Élisabeth,
J'ai bien reçu ton courriel.
Tu sais, parfois, les cœurs ne battent pas au même rythme.

Simon

* * *

Je n'arrivais pas à me consoler. En lisant le courriel que Simon m'avait envoyé, j'eus une rechute. Je l'avais un peu cherché. Depuis la rupture, j'avais constamment la tête pleine. Pleine à force de retourner dans tous les sens notre histoire pour essayer de comprendre. Remplie d'analyses posthumes, ma tête voulait sauter comme un ordinateur arrivé au maximum de ses capacités de stockage d'informations.

Entre deux sanglots, j'entendis la sonnerie du téléphone. Je marchai avec langueur jusqu'au combiné et rassemblai mes dernières forces pour le soulever.

— Oui, allô?

— Salut ! C'est Guillaume ! Dis donc, tu as toute une voix ! Est-ce que ça va ?

Je ne lui avais pas reparlé depuis six mois. Je fondis en larmes.

— Non, pas du tout, pleurai-je.

— J'arrive !

— Non ! Ne viens pas, s'il te plaît !

— À tout de suite !

Qui l'eût cru... Guillaume réapparaissait dans un des moments tragiques de ma vie. Il sonna à la porte à peine dix minutes plus tard. Il insista, sonna deux, trois, cinq fois, parce que je ne lui ouvrais pas assez vite.

Lorsqu'il monta à l'appartement, je ne pus m'empêcher de me réfugier dans ses bras. Il eut droit au récit complet de mon histoire d'amour, entrecoupé de sanglots incontrôlables, d'une voix tremblotante, une connexion Internet basse vitesse qui a du mal à transférer l'information, un extrait vidéo sur YouTube qui ne cesse de couper.

Pendant que je pleurais à chaudes larmes, Guillaume me réconfortait. Il me caressait les cheveux, m'écoutait avec une attention soutenue. Ironie du destin, mon ex me consolait d'une peine d'amour provoquée par un nouvel ex. Au bout de deux heures, il me lança :

— Viens ! Je t'emmène te changer les idées !

— Non ! braillai-je, je suis trop laide, je ne suis pas montrable !

— On va aller manger de la crème glacée à la Cabosse d'Or !

— Ils n'en font pas l'hiver, hoquetai-je.

Il finit par me convaincre de sortir. J'enfilai un jean trop grand, un chemisier autrefois moulant et ramassai mes cheveux en queue de cheval. Constatant qu'il avait oublié son portefeuille, Guillaume dut faire un arrêt chez ses parents, où il habitait encore en attendant la construction de son nouveau condo. Sa maman, toujours aussi chaleureuse, nous accueillit.

— Élisabeth ! Comme tu as maigri ! Tu as l'air d'une adolescente de 15 ans ! lança-t-elle, le visage inquiet, en me serrant dans ses bras.

— Vous exagérez, madame Bourgeois.

— Non, Élisabeth ! s'exclama-t-elle d'un ton péremptoire.

Puis elle devint grave.

— Regarde-moi bien dans les yeux. Il n'y a aucun homme qui vaut la peine que tu te laisses mourir de faim ou que tu te laisses dépérir !

Ma gorge, déjà nouée, voulut se resserrer encore plus. Mon ex-belle-mère allait me faire pleurer. Je sentais les larmes monter. Mes yeux devinrent brillants. Ça y était, j'allais bientôt pleurnicher comme une petite fille. Guillaume avait eu le temps de récupérer son argent et ses cartes d'identité. Il embrassa sa maman et m'entraîna vite à l'extérieur, prétextant un retard à la prochaine représentation d'un film au cinéma.

Assis dans sa Porsche 911 - il avait fait beaucoup d'argent à Toronto, se plaisait-il à répéter et, faveur du destin, il avait retiré tous ses avoirs de la Bourse pour s'offrir le véhicule de ses rêves, évitant du même coup le krach boursier -, il proposa :

— Tiens, c'est une bonne idée, ça ! Allons au cinéma !

— Comme tu voudras, répondis-je sans entrain.

— En passant, je ne fais pas tout ça pour essayer de te reconquérir.

— D'accord.

— Je suis sérieux, insista-t-il.

— Parfait.

— Donc, il y a le film *Je l'aimais*, un drame romantique…

— Tu veux m'achever ?! m'exclamai-je.

Il avait fait exprès de me proposer une histoire d'amour pour me faire sortir de ma léthargie.

— *Brüno, 2012, Pelham 123 : L'ultime station, Millénium.*

— *Millénium,* c'est bon. Je n'ai pas lu les bouquins.

En revenant du cinéma, alors que nous étions dans la Porsche 911 garée devant le duplex de ma marraine, Guillaume me dit au revoir en m'embrassant sur la joue.

— J'ai une érection ! lança-t-il à la volée.

Le monde était vraiment mal fait !

CHAPITRE 35

Toutes les décorations lumineuses en témoignaient, Noël menaçait de se pointer bientôt. De mon côté, je portais une déprime noire, comme les robes de deuil d'autrefois. Je n'arrivais pas à reprendre le dessus.

Jamais je n'avais pensé à me tuer moi-même: j'étais contaminée jusque dans mes gènes par l'hypocondrie. Mais par ce 23 décembre, je me sentais vide. Évidée de la gorge jusqu'au bas du ventre. Tous mes organes se jetaient un à un dans ce vide, sautant de mon estomac pour aller mourir tragiquement dans mon utérus.

Mon être entier avait mal. À chaque saut, à chaque fin. Cette agonie houleuse me faisait trembler jusque dans mon cerveau trop plein de réflexions, gonflé à crever de ces maudites analyses posthumes.

Sur le bureau à côté de mon lit, deux comprimés que ma sœur m'avait rapportés de l'hôpital. « Je ne t'en donne que deux, m'avait-elle précisé, pour que tu puisses dormir, te reposer un peu et arrêter de penser. Je ne t'en donne pas plus parce que je ne veux pas que tu deviennes dépendante. Tu en prends un ce soir et l'autre demain soir. »

J'avalai un comprimé, puis l'autre. La fatigue me gagna, la tristesse me vainquit, la lassitude m'assomma. Je tendis la main pour prendre un verre d'eau et le flacon de Tylenol. Puis tout devint noir.

* * *

Je me réveillai en sursaut, émergeant des profondeurs dans lesquelles m'avaient plongée les Ativan. Couverte de sueur, je sentis un mal atroce à l'estomac. Rien à voir avec celui qui m'anéantissait depuis deux mois.

Des couteaux me tranchaient l'intérieur, entre les seins. Je me tordais dans mon lit. Est-ce que j'étais allergique aux comprimés? Qu'avais-je donc mangé hier? La douleur étant trop aiguë, je n'arrivais même plus à répondre à mes propres questions.

Au bout d'un moment, le mal s'était déplacé dans le bas du ventre, à droite. Je me traînai jusqu'à la salle de bain pour aller chercher le thermomètre. Trente secondes plus tard, le verdict: 40 degrés de fièvre. Je savais ce qui m'attendait. Il ne manquait plus que ça! En cette veille de Noël!

Je pris une douche, car je ne savais pas à quel moment je pourrais me laver de nouveau. Je me fis une mise en plis pour la même raison. L'écran lumineux de la cuisinière indiquait 3 h 42. Qui pourrait bien m'accompagner? Ma sœur et ma mère travaillaient... Devais-je déranger mon père ou mon frère?

Dans un élancement de douleur, étourdie par la fièvre, je composai machinalement le premier numéro qui me vint au doigt. Mon index s'exécuta, bien programmé par un logiciel sentimental. Mon doigt avait si souvent appuyé sur cette série de chiffres que je ne me rendis pas compte de l'appel que je faisais, jusqu'à ce que j'entende la voix endormie de mon interlocuteur à l'autre bout du fil.

— Allô? articula avec peine une voix profonde et chaude.

Incroyable. J'avais vraiment composé ce numéro en plein milieu de la nuit? Ma bouche était paralysée.

— Allô ? Élisabeth ? Je vois ton numéro sur l'afficheur, qu'est-ce qui se passe ?

— Euh...

— Qu'est-ce qui se passe ? s'inquiéta mon interlocuteur.

— J'aurais besoin de toi pour m'emmener à l'hôpital.

— J'arrive. Ne bouge pas. Je m'habille. Je suis déjà debout. Voilà. Tu es toujours là ?

— Oui.

— Veux-tu que je reste avec toi en ligne ? proposa la voix paniquée.

— Je ne suis pas en train d'accoucher, ça va, je n'ai pas besoin d'assistance immédiate.

Je souffrais atrocement. Malgré tout, je trouvais le moyen de blaguer.

— Tu n'as pas tenté de te suicider, j'espère ?

— Me suicider ? répliquai-je, perplexe.

— Je prends la voiture de James Bond et j'arrive. Ne bouge pas !

— Je t'attends.

Dehors, il neigeait depuis plus de trois heures, mais le temps était doux, -4°C. Si Guillaume m'avait affirmé être arrivé à la hâte par téléportation, je l'aurais cru. En moins de dix minutes, il avait parcouru une vingtaine de kilomètres. Je l'attendais, pliée en deux, dans les marches de l'escalier du duplex, avec à côté de moi un sac rempli de magazines, de livres, d'une trousse de toilette et de maquillage. Contrairement à ce qu'on aurait pu penser, je ne partais pas en week-end avec mon baise-en-ville. J'allais me faire opérer.

— Je ne t'ai jamais vue comme ça ! s'exclama Guillaume, les yeux horrifiés, en se précipitant vers moi. Qu'est-ce que t'as ?

— Une crise d'appendicite.

— T'en es certaine?

— Oui. J'ai tous les symptômes.

— Donne-moi ton sac! fit-il en m'aidant à marcher jusqu'à la voiture.

— À quel hôpital on va?

— Celui où il y a eu le moins d'erreurs médicales au cours des deux dernières années, si possible.

— Tu veux que j'effectue une recherche Internet sur mon iPhone?

— Pas trop longtemps parce que théoriquement, selon les statistiques, je n'ai que vingt-quatre heures à vivre si je ne suis pas opérée et que ça dégénère en péritonite.

— Bon, allons à l'hôpital où ta mère et ta sœur travaillent, alors. On va se dépêcher.

— Où est la 911, ta Porsche?

— Au garage, je t'expliquerai dans la salle d'attente de l'urgence, c'est une longue histoire.

— Eh, je te regarde, est-ce que tu as fumé des pétards?

Guillaume avait les yeux bouffis, à demi fermés, tellement rouges qu'on n'arrivait même plus à déterminer la couleur des iris.

— Bien, euh... écoute, quand tu m'as téléphoné, euh... oui, j'étais en train de fumer un pétard.

— Pourtant, au téléphone, j'avais l'impression que tu dormais!

— Je ne dormais pas.

— Tu étais chez tes parents en train de fumer des pétards?

— Non, pas chez mes parents. Bon, allez, il faut se dépêcher, tu n'as que vingt-quatre heures.

— Pourquoi ne m'as-tu pas dit que t'étais avec une fille ?

— Pour ne pas anéantir mes dernières chances avec toi..., fit-il d'un air narquois.

Des flocons blancs couvraient sa chevelure noire, me donnant un avant-goût de ce qui m'attendait dans trente ans...

— Bon, je vais prendre un taxi ! Tu es complètement défoncé !

— Voyons, on s'en va à quelques kilomètres ! Tu ne vas pas t'énerver pour quelques pétards. Ce n'est pas comme si j'avais bu.

— Euh, oui, justement ! Tu as les facultés affaiblies. Je ne monte pas à bord avec toi !

— T'as juste à conduire ! dit-il avec un sourire moqueur.

La douleur choisit ce moment précis pour décider d'augmenter son intensité.

— D'accord, je prends le volant, dis-je, le souffle coupé en m'effondrant par terre.

Guillaume me souleva d'un coup et m'installa dans la voiture.

— C'est vrai que tu as maigri, tu es toute légère. À moins que ce ne soit moi qui aie pris du muscle !

Fidèle à lui-même, jamais de fleurs sans le pot. Enfin, dans ce cas-ci, me dire que j'avais perdu des kilos n'était même plus considéré comme un compliment. Plutôt comme un problème de taille ! Si j'avais été une starlette hollywoodienne, les paparazzis m'auraient traquée et la presse aurait titré à qui mieux mieux : « Lizi anorexique ? », « Betty cocaïnomane depuis sa rupture avec Yakim », « Éli aperçue dans un centre de désintoxication ».

— Tu vas voir, je vais t'amener à bon port, dit-il en démarrant le bolide de James Bond. On a juste le pont à traverser, on est vraiment très proches.

— Je n'aurais jamais dû te téléphoner, je ne sais pas ce qui m'a pris.

— Je suis tatoué à l'intérieur de ta chair, à vie! Ma belle, tu es programmée pour être avec moi!

— J'ai trop mal, je n'ai pas la force de m'obstiner. Mais par pitié, concentre-toi sur la route. Il y a une petite neige fine sur la chaussée et je suis certaine que c'est glissant.

— Je suis un super pilote, arrête de t'inquiéter.

— En tout cas, je vais passer tout un Noël extraordinaire! Qui a envie de se faire opérer un 24 décembre? Merde de merde!

L'autoroute blanche était déserte. Guillaume s'engagea sur le pont Jacques-Cartier dans la voie de droite, la seule ouverte à cette heure. Une affiche lumineuse indiquait: «Danger! Chaussée glissante. Réduisez votre vitesse.» Je jetai un coup d'œil à l'indicateur de vitesse: 50 kilomètres à l'heure. Je me détendis un peu. La douleur m'étourdissait légèrement.

Le iPhone se mit à sonner. Guillaume se pencha pour le ramasser.

— Tu ne vas pas répondre en conduisant!

— Non, juste vérifier qui m'appelle, dit-il en regardant l'appareil.

C'est à ce moment précis qu'une voiture arriva de nulle part, à toute vitesse, face à nous, dans la même voie. Comment, bordel, ce crétin avait-il réussi à traverser les cinq voies d'un coup?

— 'TENTIONNNNNN! eus-je à peine le temps de crier.

Guillaume évita de nous envoyer dans le fleuve Saint-Laurent glacé en tournant le volant vers la gauche d'un geste vif. Je vis la Honda se frotter contre l'aile droite de la Mercedes. Une voiture bondée de jeunes gens. Le conducteur rigolait en frôlant ma portière, un cellulaire à la main tourné dans notre direction.

Malgré leur qualité supérieure, les pneus glissèrent, nous faisant tournoyer à travers les flocons. La voiture s'immobilisa lorsqu'un véhicule, qui roulait dans sa voie - et fort heureusement à une vitesse bien en dessous de la limite permise - heurta le pare-chocs avant. D'un coup, je fus projetée violemment au fond de mon siège par le sac gonflable. Une pensée ridicule dans les circonstances me traversa l'esprit rapidement, probablement à cause du métier de mon frère. Nous allions permettre aux journalistes de remplir leurs bulletins d'information, en cette journée pauvre en nouvelles.

En jetant un regard par la fenêtre, cette idée se confirma. « Veille de Noël tragique pour un groupe de jeunes... » Du métal plié, des corps étendus sur la chaussée, du sang... La Honda avait embouti l'automobile qui nous suivait. Une voiture de police ne tarda pas à arriver.

— Ça va? demanda Guillaume, un peu sonné.

— Moui..., balbutiai-je.

— Affreux, cette scène!

Je vis un jeune policier sortir de sa voiture, se diriger vers le corps d'un des garçons qui semblait, d'où j'étais, encore en vie. Il se pencha, lui dit un mot et sembla s'apprêter à le déplacer.

Ce fut plus fort que moi. Malgré mon corps démoli par la douleur, une force incroyable me fit bondir hors du véhicule. Guillaume n'eut pas le temps de prononcer une seule syllabe que j'étais déjà dehors en train de courir vers le policier en criant.

— Ne le déplacez surtout pas ! Ne le déplacez pas ! Vous pourriez le tuer ! Si sa colonne est touchée, vous allez le tuer !

Puis, je vis des points argentés, des lignes brillantes et des zigzags lumineux. Je me sentis tomber. Tout devint noir.

CHAPITRE 36
30 décembre

Ça fait maintenant une semaine que je me remets de ma crise d'appendicite et de cet accident stupide – que d'ailleurs tout le monde a pu voir sur YouTube grâce au cellulaire du conducteur fautif. Une semaine dans un des hôpitaux où il y a eu le plus d'erreurs médicales au cours de la dernière année.

Lorsque j'ai repris connaissance dans l'ambulance, j'ai hurlé pour qu'on me transporte au centre hospitalier de mon choix, là où travaille ma famille. Mais ce n'est pas ainsi que le système fonctionne! L'ambulancier, déjà en route vers la destination, m'a signalé qu'il n'était pas rattaché à cet établissement.

Tétanisée par l'opération qui m'attendait, j'ai hurlé encore pour qu'on me donne un téléphone. Je voulais avertir ma mère au plus vite afin qu'elle s'assure que le chirurgien en service n'allait pas me charcuter. Et une voix chaude et profonde est venue à ma rescousse: «Ne t'inquiète pas, Élisabeth. J'ai déjà téléphoné à tes parents et j'ai averti tout le monde que tu faisais une crise d'appendicite.» Guillaume était monté à bord.

Le chirurgien qui s'est occupé de mon cas doit passer aujourd'hui pour déterminer quand je vais avoir mon congé. Eh bien, parlant du loup... Il entre justement dans la chambre et se dirige vers moi.

Le docteur Beaupré doit avoir la mi-quarantaine. Avec ses cheveux bruns au style coiffé-négligé, ses yeux bleus et son air un peu coincé, il m'a tout de suite fait penser à Hugh Grant. Ce matin, il porte un jean et une chemise ajustée, le stéthoscope sur les épaules. Tellement séduisant! Et dire qu'il m'a vue toute nue!

— Vous avez l'air mieux, madame Laliberté, dit-il en esquissant un demi-sourire.

— Oui, beaucoup mieux.

— Je vais vous examiner, déclare-t-il en me faisant signe de m'étendre.

Une gêne effroyable s'empare de moi. Je sais que c'est son métier, sauf que je ne me suis pas lavée depuis une semaine et mon ventre ressemble à celui d'une femme qui vient d'accoucher: un ballon mou et à moitié dégonflé. Je soulève à contrecœur la jaquette d'hôpital afin de le laisser m'ausculter.

— Vos points guérissent bien, souligne-t-il en examinant les trois incisions qu'il a dû faire lors de l'opération. Vous avez de la chance d'être tombée sur moi, lance-t-il soudain, sans quitter des yeux le site opéré. Comme j'ai fait une spécialisation en laparoscopie en France, je n'ai pas eu à vous couper le ventre. J'ai pratiqué trois incisions: une dans le nombril et les deux autres au pubis. J'ai remarqué que vous portiez des poils au pubis, alors dès qu'ils auront repoussé, ça ne paraîtra plus...

Mon malaise s'intensifie. Vient-il de me parler de ma coiffure pubienne? Je suis sans voix. Le docteur Beaupré a l'air si gentleman et réservé que son commentaire me prend par surprise.

J'aurais envie de répondre illico: «Et vous, quelle est votre coupe préférée? La brésilienne? Complètement épilée au laser? Toutes vos patientes ont des pubis de prépubères et mes petits poils taillés vous ont jeté par terre? Vous, êtes-vous du type rasage intégral? Et tant qu'à y être, jusqu'à l'anus?»

J'opte pour le silence. Que pourrais-je répondre, d'ailleurs, sans l'offusquer ou avoir l'air choquée? On n'est pas sur un chantier de construction!

— Grâce à moi, poursuit-il, vous pourrez continuer de porter des bikinis.

Il rebaisse le vêtement, reprend mon dossier, gribouille une phrase avant de conclure:

— Alors, vous pourrez partir demain avant-midi, juste à temps pour le réveillon du jour de l'An. Et nous, on se revoit dans un mois à mon bureau.

Il esquisse encore une fois un demi-sourire en clignant des yeux et quitte la pièce d'une démarche britannique.

Avant de quitter l'endroit, j'ai demandé les services d'un psychologue ou d'un sexologue. Bon, on m'a regardée d'un drôle d'air lorsque j'en ai fait la demande. Pourquoi une thérapie avec un sexologue après une crise d'appendicite? Mon expérience de guide touristique m'a permis de trouver des arguments assez convaincants pour obtenir une rencontre.

Je veux que le thérapeute m'explique pourquoi Simon ne voulait pas me faire l'amour! Ensuite, je me sentirai soulagée et je pourrai commencer la nouvelle année du bon pied.

Trente minutes s'écoulent, puis une thérapeute entre à son tour dans ma chambre: une belle femme dans la cinquantaine, aux pommettes saillantes et aux cheveux châtains ondulés. Elle est vêtue d'un pantalon cigarette gris charbon et d'un joli chemisier à volants.

— Bonjour, madame Laliberté, je m'appelle Lucie Bélanger, dit-elle d'un ton posé en esquissant un léger sourire.

Elle me tend la main.

— Qu'est-ce que je peux faire pour vous aider?

* * *

Mon récit a duré pas loin de quatre heures! Elle a pris des tonnes de notes. M'a écoutée. M'a questionnée... Je suis impatiente maintenant de connaître son verdict.

— Alors, voilà ce que j'en pense, Élisabeth...

Je bois chacune de ses paroles. Je n'ai jamais été aussi concentrée de ma vie.

— D'après ce que vous m'avez raconté, d'après les détails que vous m'avez donnés, ce que vous m'avez expliqué... Parce que nous n'avons que votre version de l'histoire. Pour avoir un diagnostic précis, nous aurions eu besoin de la version de monsieur. Peut-être qu'il aurait pu éclaircir certains points. Enfin...

Elle marque une pause. Consulte ses notes...

Je suis aussi fébrile que devant le dénouement improbable de la dernière saison de *Beautés désespérées*... J'ai tellement attendu ce moment. Tellement réfléchi. Tellement retourné la question dans tous les sens. Je sens que je vais être enfin libérée.

— Donc, je crois que c'est une question d'affinités sexuelles. De perception. Si vous avez envie de faire l'amour trois fois par semaine et que vous rencontrez un homme qui a envie d'avoir des rapports sexuels trois jours sur sept, l'harmonie est parfaite. S'il y a distorsion entre les deux, c'est à ce moment que les frustrations s'installent.

Je bois ses paroles, mais je ne suis pas sûre de comprendre. Mes yeux en point d'interrogation la poussent à préciser son message.

— Si vous n'en aviez envie qu'une fois par mois, par exemple, vous n'auriez pas subi de frustration ; je ne serais pas là aujourd'hui. Vous auriez eu le même rythme que votre conjoint. Vous ne vous seriez même pas posé de questions...

— Vraiment ? Même si les statistiques révèlent que les couples dits « normaux » font l'amour trois fois par semaine ?

— Probablement que votre ex-petit ami ne sentait pas du tout qu'il y avait un problème. Il était peut-être très bien dans sa peau, très satisfait, et n'avait tout simplement pas autant de désir que sa copine.

— Quand ce sont les femmes qui ont moins de désir, on ne se pose pas autant de questions.

— Exactement. Je crois sincèrement que vous souffrez d'une légère dépendance sexuelle. Vous avez une grande fixation sur la sexualité. Et vous n'étiez presque jamais satisfaite. Tout ce que vous faisiez dans une journée était organisé en fonction des relations sexuelles que vous auriez pu avoir. Vous êtes obnubilée par ça.

— Je n'en reviens pas ! Je cherchais le problème chez Simon, et c'est moi qui l'ai ? C'est moi qui ai un problème ? Un problème de dépendance ? Une fixation sur la chose ?

— Léger, je vous rassure.

— Vous en êtes certaine ?

— Oui, mais attention, il ne s'agit pas d'une grande dépendance. Vous n'êtes pas « sexoolique » !

Si Guillaume était là, il n'aurait pas cru une seconde les conclusions de la thérapeute.

ÉPILOGUE

Un an plus tard, alors que je reluquais les vitrines des boutiques de la rue Sainte-Catherine, j'entendis quelqu'un prononcer mon prénom, sans y prêter attention. Il faisait froid. Les gens se pressaient pour entrer se réchauffer quelque part, parfois au hasard des commerces.

La voix se fit insistante. Pourtant, je ne voyais personne. Je me retournai pour rebrousser chemin et, brusquement, tout mon corps se figea. Pendant au moins trente secondes, toute la gamme des émotions se répandit à l'intérieur de moi. Une symphonie bouleversante. J'hésitais entre les larmes et la joie, la colère et le regret.

Il était là, devant moi, souriant, plongeant comme d'habitude son regard d'une intensité insoutenable dans le mien.

— Ça va bien? s'enquit-il en guise de salutations.

— Oui, bredouillai-je.

Un léger silence s'installa. Ses yeux scrutaient le fond de mes pupilles. Ils semblaient vouloir les transpercer jusqu'à mon âme. Le seul accès à mes véritables sentiments face à ces retrouvailles organisées à notre insu par le destin.

— J'avoue que je ne sais pas quoi te dire…, lançai-je spontanément avec une grande honnêteté.

Une vague de nostalgie passa, faillit faire déborder mes yeux. Je me sentis tout à coup abattue, mes épaules se voûtèrent. Quel gâchis ! J'avais trouvé l'homme que j'attendais, une rencontre inespérée, un cadeau de la vie, cette personne qui arrive à stimuler à la fois nos sens et notre esprit... Et je l'avais fait fuir. J'avais renoncé à cet amour qui ne survient qu'une seule fois dans une vie.

Malgré tous mes efforts pour reformater mon cœur, la réalité me lançait au visage la vérité : je l'aimais encore.

— C'est nouveau, ça, dit-il en fixant mon manteau.

— Oui.

— Est-ce que tu as déménagé ?

— Non.

Simon quitta un instant mes yeux pour regarder au loin. Puis, d'une voix hésitante, il me demanda :

— Un nouveau petit ami dans ta vie ?

— Hum...

L'écho de cette peine immense qu'avait provoquée notre rupture me paralysait. Mes réponses de trois lettres le déstabilisaient. Il faut dire que dans cet état, j'aurais représenté tout un défi pour un interviewer, même doué et d'expérience.

Simon, de son côté, ne se livrait pas plus. Fidèle à ce qu'il avait été durant nos six mois de liaison, il m'était impossible de savoir ce qu'il pensait, de comprendre les sentiments derrière ses réactions.

Je revis en accéléré notre relation. Mes douloureux questionnements incessants et les réponses qui ne s'étaient jamais pointées pour me soulager, pour m'apaiser. Est-ce que, par amour, j'aurais dû réprimer ma sexualité pour m'adapter à lui ?

Peu à peu, et à ma grande surprise, je sentis ma confiance en moi se réanimer, comme si elle venait de recevoir un choc de défibrillateur. Toc! D'un coup, je me redressai le dos et le fixai droit dans les pupilles.

— Toi, tu as une copine?

— Non plus. Tu sais, je n'ai pas de succès avec les filles, affirma-t-il en faisant un clin d'œil.

Soudain, je me sentis encore plus audacieuse. Je n'avais plus envie d'analyser mes paroles dans ma tête avant de les prononcer. Je n'en pouvais plus de me retenir.

— Est-ce que tu penses à moi, des fois?

Je jouais les frondeuses et j'en retirais un bien immense.

— J'ai relu ta «Vente de garage», ton courriel de l'an dernier que j'avais gardé...

— Tu voulais revivre des émotions fortes? rétorquai-je avec de plus en plus d'assurance.

Ses yeux de loup me faisaient, certes, toujours autant d'effet. Je sentais mon cœur en déséquilibre, un doux vertige m'envahissait encore en sa présence. Mais je savais à quel point cette attirance pouvait m'anéantir. Douze mois s'étaient écoulés et je l'aimais encore. Un amour poison. Un gras trans qui tue lentement et sournoisement. Une attirance qui brûle sans avertisseur de fumée. Me laisser séduire encore une fois, c'était courir à ma perte.

Après avoir fait intérieurement ce constat honnête de l'état de mes sentiments, je me sentis soudain plus forte. En parfait contrôle. Invincible.

— Est-ce que tu as changé d'adresse courriel? releva-t-il.

— Non.

— Est-ce que tu as reçu mon message?

— Oui, me contentai-je de répondre, cinglante.

Durant notre relation, Simon m'avait fait croire à son amour sincère pour moi, puis il m'avait fui et, finalement, il m'avait fait comprendre qu'il ne m'aimait plus, que son cœur ne battait plus au même rythme que le mien. J'avais donc fait exprès pour ignorer son courriel, envoyé il y a deux mois. Le silence est pire qu'une réponse négative. Il réitéra la proposition qui se trouvait dans son message.

— Est-ce que tu voudrais aller prendre un café?

— Non, je n'aime pas le café.

— D'accord, je comprends..., fit-il, déconfit. Alors, il ne me reste plus qu'à te souhaiter bonne continuation.

Encore une fois, je ne comprenais pas ses intentions. Il disait qu'il ne m'aimait plus. Pourquoi voulait-il passer du temps avec moi? Avec celle qui voulait toujours lui faire l'amour! Que voulait-il faire de moi? On était loin d'une relation idéale, saine et viable!

— Bonne continuation, toi aussi, conclus-je.

Il n'osa pas se pencher pour me faire la bise. C'est donc sur ces mots que nos chemins se séparèrent.

En fait, je n'étais pas si forte que je voulais le laisser paraître. Si je l'avais croisé la journée précédente, j'aurais peut-être succombé pour un café. Mais ce jour-là, je n'avais pas le temps d'en boire puisque, dans deux heures, je prenais l'avion. Ma première mission diplomatique à l'étranger. Un stage de huit semaines à Moscou. J'avais craint le pire, mais mon rêve de carrière se réalisait enfin.

Je dévalais la rue en direction de ma voiture lorsque j'entendis quelqu'un courir derrière moi.

— Élisabeth! Élisabeth! Attends!

Mes jambes arrêtèrent d'avancer sur-le-champ. J'avais certes reconnu sa voix grave et réconfortante, mais en me retournant, je fus étonnée de le retrouver devant moi.

— Élisabeth ! Tu es trop sexy, je ne peux pas me passer de toi !

J'esquissai un large sourire et lui fis des yeux coquins.

— Deux mois, c'est beaucoup trop long ! poursuivit-il en me prenant la taille.

Les lèvres de mon nouvel amoureux se posèrent avec grâce et puissance sur les miennes. Mes jambes faiblirent.

— Je dois absolument te refaire l'amour avant que tu partes ! dit-il au creux de mon oreille, ce qui déclencha une onde de frissons le long de ma colonne vertébrale.

Enfin, j'avais trouvé quelqu'un dont la libido s'harmonisait avec la mienne ! Du moins, pour l'instant…

FIN

REMERCIEMENTS

Merci à tous ceux qui m'ont aidée à réaliser mon rêve.

Mes premières lectrices : Isabelle Paré, Cindy Roy, Marie-France Dubé, Marjolaine Ouellette, Mélanie St-Hilaire, Vicky Bacon, Valérie Guibbaud, Isabelle Faucher, Évelyne Giasson et Frédérick Bertrand (le féminin l'emporte sur le masculin ici !). C'est grâce à vos encouragements que j'ai terminé mon projet. Vos précieux commentaires de lecture m'ont permis de créer le roman que je souhaitais.

Gilberte Desrosiers, François Dubé, Marie-Claude Dicaire, Anne-Marie Dubé, Oviette Louf, Louis-Philippe Dubé, Claude Arsenault et Margarita Waks pour leurs suggestions linguistiques.

Normand Lester, qui m'a fait connaître Michel Brûlé et son équipe, Marie-Eve Jeannotte, Géraldine Zaccardelli, Dominique Spénard, pour qui j'ai eu un coup de foudre instantané !

Ma fille qui m'a accompagnée durant une grande partie de la rédaction.

Mon mari Étienne, mes parents Gilberte et François, mes frères et sœur Jean-François, Martin et Marie-France, Jean-François Côté, mes beaux-parents Murielle et Jean-Guy Phénix. Je vous témoigne ma reconnaissance pour votre soutien et vos encouragements durant ce long parcours. Merci enfin à Karine Turcotte et à Mathieu Phénix qui ont accueilli et diverti ma famille afin que je puisse écrire la tête tranquille.